薄膜工学

【第4版】

日本学術振興会 R025 先進薄膜界面機能創成委員会
編集企画

田畑 仁・吉田貞史・近藤高志
編著

丸善出版

序　　文

　薄膜と我々人類との関係は非常に古く，紀元前1500年頃にはスズ薄膜が，また本書の第1章でも解説されているように，紀元前3〜2世紀頃には金の薄膜が防錆や装飾のために使用されてきた．「薄膜」とは薄い膜(2次元)状のものの総称であり，「工学」は「基礎科学を工業生産に応用して生産力を向上させるための応用的科学技術の総称」(『広辞苑』より)であることから，「薄膜工学」は物理や化学に裏打ちされた「薄膜学」を工学に応用したものと第2版の序文に説明されている．薄膜工学によりさまざまな材料を微小サイズに集積可能となり，基材の保護や装飾に加えて，材料のもつ電気的，磁気的，光学的性質が工業製品に有効に活用されている．例えばMOS-TFT(thin film transistor：薄膜トランジスター)，磁気メモリー，発光素子等を用いた製品である．さらには新しい機能や，より高い機能を引き出すことも可能である．金属の融点が薄膜化で劇的に低下する現象，半導体のバンドギャップが増大する現象など，薄膜化により，材料が本来有している固有物性が変化することはよく知られている．さらに薄膜界面での電子濃度分布変調(2次元電子ガス)や，異種材料薄膜を組み合わせた素子(通信技術で利用されているHEMT(high electron mobility transistor：高電子移動度トランジスター))など，我々の日常生活で活躍する薄膜素子は枚挙にいとまがない．

　科学技術はあたかも螺旋階段を昇るかの如く進歩，発展している．真上から螺旋階段を眺めていると，いくつかの技術項目を(例えば"薄膜工学"分野においては，製膜・加工プロセスに関連する"作製技術"，"分析・評価技術"，シミュレーション・データ科学・物性を含む"性質"といった3項目)，繰り返しクルクル巡っているように見える．しかし，横から見ると(時間の流れを螺旋階段の垂直軸と考えると)，その3項目いずれの技術も，時間の経過とともに着実に進歩・発展している．本書は，薄膜関連における主要項目である作製，評価，性質を系統的にまとめた薄膜工学についての入門書である．

　本書は以下の経緯で発刊された．スーパーコンピューターが開発され，第1次人工知能(AI)ブーム(1950年代後半〜1960年代)隆盛の中，1961年に日本学術振興会(以

後，学振と記す）の産学協力研究委員会の1つとして，薄膜第131委員会が「マイクロエレクトロニクスの実現に欠かせない薄膜技術を構築するため，産学が協力して薄膜の基礎的問題を解決する場」の構築を趣意として設立された．薄膜工学の発展に伴う基礎教育の必要性の社会的需要に応えるため，同委員会において薄膜工学に関する基礎的知識の体系的教育を目的として，1984年に第1回の「薄膜スクール」が開講し，そこで使用された講義資料をもとに内容を充実させ系統的にまとめた専門書として2003年『薄膜工学』が刊行された．さらに同委員会50周年にあたる2011年に『薄膜工学 第2版』が刊行され，大学では学部（後期）学生から大学院学生，また企業では若手技術者を対象とした薄膜技術の入門書・標準的教科書として広く使用されている．本書（初版，第2版）は海外での翻訳版も出版されている．薄膜工学分野における先端技術の著しい進歩に対応するため，担当講師／執筆陣の変更および「薄膜スクール」を「薄膜工学セミナー」と名称変更した2016年に『薄膜工学 第3版』が刊行された．その後2020年に同委員会と第154半導体界面制御技術委員会が礎となって学振R025先進薄膜界面機能創成委員会が設立され，「薄膜工学セミナー」は「リトリート学習会」と名称が変更となった．ちなみにリトリート(retreat)とは数日間住み慣れた土地を離れて仕事や人間関係で疲れた心や体を癒す過ごし方(re-treatment)のことであり，そのようなリラックスした環境で薄膜工学を学んでもらいたいとの意が込められている．第4版はこの学習会での教科書として，さらなる薄膜工学分野の著しい技術進展ならびに社会的要請に伴い，新しく3節「半導体薄膜（ワイドバンドギャップ材料）」，「ハロゲン化金属ペロブスカイト薄膜」，「2次元材料薄膜（グラフェン，MX_2など）」を加えた改訂版とした．編集体制は，学振R025先進薄膜界面機能創成委員会の編集企画のもと，編集委員長 田畑仁（東京大学），編集委員 吉田貞史（産業技術総合研究所）・近藤高志（東京大学）の体制で担当した．

　本書の初版から第3版までを監修された金原粲 東京大学名誉教授が2023年10月にご逝去された（享年89歳）．同氏は学振薄膜第131委員会の黎明期から委員長として，また薄膜スクールの校長として永年にわたり薄膜工学分野の発展および後進・若手人材育成に尽力されてきた．ここに謹んで哀悼の意を表しご冥福をお祈り申し上げるとともに，本書を捧げたい．

　最後に，丸善出版の関係各位，特に編集，校正等の作成全般において大変お世話になった同企画・編集部の木下岳士氏，米田裕美氏に深く感謝申し上げる．

2024年5月　　　　　　　　　日本学術振興会R025先進薄膜界面機能創成委員会

委員長　田　畑　　仁

編 集 委 員 会

編 集 企 画	日本学術振興会 R025 先進薄膜界面機能創成委員会	
編集委員長	田 畑　　　仁	東京大学大学院工学系研究科
編 集 委 員	吉 田　貞 史	産業技術総合研究所
		先進パワーエレクトロニクス研究センター
編 集 委 員	近 藤　高 志	東京大学先端科学技術研究センター

執　筆　者

金原　　粲 (1.1)	東京大学名誉教授
吉田　貞史 (1.2, 2.1)	産業技術総合研究所 先進パワーエレクトロニクス研究センター
近藤　高志 (1.3, 4.2, 4.8)	東京大学先端科学技術研究センター
北川　雅俊 (1.4)	都市活力研究所
須田　　淳 (2.1, 4.3)	名古屋大学大学院工学研究科
森本　章治 (2.2)	金沢大学本部
杉山　正和 (2.3)	東京大学先端科学技術研究センター
伊藤　　学 (2.4)	TOPPANホールディングス株式会社
田畑　　仁 (3.1)	東京大学大学院工学系研究科
酒井　　朗 (3.2)	大阪大学大学院基礎工学研究科
宮﨑　誠一 (3.3)	広島大学名誉教授，名古屋大学名誉教授
佐々木信也 (3.4)	東京理科大学工学部
浅野　種正 (4.1)	九州大学名誉教授
藤原　康文 (4.2)	大阪大学名誉教授， 立命館大学総合科学技術研究機構
潮　嘉次郎 (4.4)	株式会社ニコン
大見俊一郎 (4.5)	東京工業大学工学院
斉藤　　伸 (4.6)	東北大学大学院工学研究科
関谷　　毅 (4.7)	大阪大学産業科学研究所
橋本　明弘 (4.9)	福井大学名誉教授
德田　　崇 (4.10)	東京工業大学科学技術創成研究院

＊執筆順，（　）内は執筆箇所，所属は2024年6月現在

目　次

1 薄膜工学の基礎 ……………………………………………………………………… 1
　1.1 薄膜の歴史 ………………………………………………………………………… 1
　1.2 薄膜と工学 ………………………………………………………………………… 7
　　1.2.1 薄膜とは ……………………………………………………………………… 7
　　1.2.2 薄膜の特徴・性質とその応用 ……………………………………………… 8
　　1.2.3 薄膜作製と評価 ……………………………………………………………… 9
　　1.2.4 薄膜学と薄膜工学 …………………………………………………………… 11
　1.3 薄膜形成技術 ……………………………………………………………………… 13
　　1.3.1 各種の薄膜作製法 …………………………………………………………… 13
　　1.3.2 薄膜作製プロセス …………………………………………………………… 14
　　1.3.3 基板上での薄膜堆積の素過程 ……………………………………………… 15
　　1.3.4 エピタキシー ………………………………………………………………… 22
　1.4 薄膜の応用 ………………………………………………………………………… 25
　　1.4.1 はじめに ……………………………………………………………………… 25
　　1.4.2 薄膜の特徴と応用 …………………………………………………………… 25
　　1.4.3 薄膜作製法と応用 …………………………………………………………… 31
　　1.4.4 薄膜形成の高品質低温化 …………………………………………………… 37
　　1.4.5 おわりに ……………………………………………………………………… 38

2 薄膜作製法 …………………………………………………………………………… 41
　2.1 真空蒸着法・MBE法 …………………………………………………………… 41
　　2.1.1 はじめに ……………………………………………………………………… 41
　　2.1.2 真空蒸着法 …………………………………………………………………… 42
　　2.1.3 分子線エピタキシー法 ……………………………………………………… 50
　　2.1.4 励起種を用いた真空蒸着 …………………………………………………… 56
　2.2 スパッタリング …………………………………………………………………… 58
　　2.2.1 グロー放電プラズマの基礎 ………………………………………………… 58

2.2.2　スパッタリングの基礎過程……………………………………………60
　　2.2.3　スパッタリングによる薄膜作製装置……………………………………65
　2.3　化学気相成長………………………………………………………………71
　　2.3.1　化学気相成長の概要と特徴………………………………………………71
　　2.3.2　CVDの装置構成……………………………………………………73
　　2.3.3　CVD反応器の基本構造……………………………………………76
　　2.3.4　CVDで製膜できる膜とその原料……………………………………79
　　2.3.5　CVDにおける反応のモデリング……………………………………82
　　2.3.6　CVD反応器内での製膜速度分布……………………………………85
　　2.3.7　微細孔内での製膜速度分布………………………………………………90
　　2.3.8　ま　と　め…………………………………………………………………91
　2.4　印　刷　法…………………………………………………………………92

3　薄膜評価法………………………………………………………………97
　3.1　膜厚・形状評価……………………………………………………………97
　　3.1.1　形状評価・膜厚測定………………………………………………………97
　3.2　結晶構造評価………………………………………………………………116
　　3.2.1　はじめに——回折法による構造評価…………………………………116
　　3.2.2　結晶と回折・散乱…………………………………………………………116
　　3.2.3　X線回折によるひずみ系ヘテロエピタキシャル薄膜構造の解析……120
　　3.2.4　透過電子顕微鏡法と電子線回折…………………………………………128
　3.3　組成・状態分析……………………………………………………………137
　　3.3.1　は　じ　め　に……………………………………………………………137
　　3.3.2　原子スペクトルを利用する元素・組成分析……………………………137
　　3.3.3　原子（イオン）質量分析による元素・組成分析………………………140
　　3.3.4　イオン散乱による元素・組成分析………………………………………143
　　3.3.5　特性X線，蛍光X線，X線吸収を利用する分析………………………146
　　3.3.6　電子放出を利用した組成・状態分析……………………………………148
　　3.3.7　電子による内部励起を利用した組成・状態分析………………………153
　　3.3.8　化学結合・格子における固有振動（フォノン）を検知する組成・状態分析…154
　　3.3.9　お　わ　り　に……………………………………………………………155
　3.4　力学特性の評価……………………………………………………………156
　　3.4.1　は　じ　め　に……………………………………………………………156
　　3.4.2　内　部　応　力……………………………………………………………156

3.4.3　ヤング率と硬さ……………………………………………………160
　　3.4.4　密　着　性………………………………………………………163
　　3.4.5　お　わ　り　に…………………………………………………167

4　薄膜の機能と応用……………………………………………………169
4.1　半導体薄膜（シリコン系）………………………………………169
　　4.1.1　ドーピング特性……………………………………………………172
　　4.1.2　キャリア移動度……………………………………………………172
　　4.1.3　シリコン薄膜の製法………………………………………………175
　　4.1.4　シリコン薄膜の応用………………………………………………178
4.2　半導体薄膜（化合物）……………………………………………182
　　4.2.1　は　じ　め　に……………………………………………………182
　　4.2.2　結　晶　構　造……………………………………………………183
　　4.2.3　エネルギーバンド構造……………………………………………184
　　4.2.4　混　晶　半　導　体………………………………………………187
　　4.2.5　量　子　構　造……………………………………………………191
　　4.2.6　薄膜形成手法………………………………………………………194
4.3　半導体薄膜（ワイドバンドギャップ材料）……………………197
　　4.3.1　は　じ　め　に……………………………………………………197
　　4.3.2　主なワイドギャップ半導体材料のエピタキシャル成長技術……199
4.4　薄膜の光学的性質…………………………………………………205
　　4.4.1　可視光波長域と色…………………………………………………205
　　4.4.2　界面における光の振る舞い………………………………………206
　　4.4.3　単層薄膜による光の反射・透過…………………………………208
　　4.4.4　多層膜への展開……………………………………………………209
　　4.4.5　膜厚の光学的測定…………………………………………………210
　　4.4.6　光学薄膜の応用……………………………………………………211
　　4.4.7　吸　収　膜…………………………………………………………213
　　4.4.8　透　明　導　電　膜………………………………………………213
　　4.4.9　現　実　の　薄　膜………………………………………………214
　　4.4.10　微細構造による光学機能発現……………………………………215
4.5　誘　電　体　薄　膜………………………………………………217
　　4.5.1　集積回路に用いられる誘電体薄膜………………………………217
　　4.5.2　誘電率と分極………………………………………………………218

viii 目次

- 4.5.3 分極の機構と誘電率の周波数依存性 ……………………… 221
- 4.5.4 誘電体薄膜における電気伝導 ……………………………… 225
- 4.5.5 強誘電体 …………………………………………………… 229
- 4.5.6 耐圧と信頼性 ……………………………………………… 231

4.6 磁性薄膜 …………………………………………………… 233
- 4.6.1 磁性の起源と磁気物性 …………………………………… 233
- 4.6.2 磁気特性の制御と応用例 ………………………………… 239

4.7 有機薄膜 …………………………………………………… 252
- 4.7.1 はじめに …………………………………………………… 252
- 4.7.2 有機半導体 ………………………………………………… 253
- 4.7.3 有機半導体の結晶性と電気伝導の物理 ………………… 256
- 4.7.4 有機薄膜の製膜 …………………………………………… 265
- 4.7.5 まとめ ……………………………………………………… 267

4.8 ハロゲン化金属ペロブスカイト薄膜 …………………… 268
- 4.8.1 ハロゲン化金属ペロブスカイトの特徴 ………………… 269
- 4.8.2 ハロゲン化金属ペロブスカイト薄膜作製プロセス …… 271
- 4.8.3 ハロゲン化鉛ペロブスカイトの結晶構造 ……………… 271
- 4.8.4 ハロゲン化鉛ペロブスカイトの電子構造 ……………… 273
- 4.8.5 ハロゲン化金属ペロブスカイト混晶 …………………… 275
- 4.8.6 ハロゲン化物イオン移動 ………………………………… 276

4.9 2次元材料薄膜(グラフェン,MX_2など) …………… 277
- 4.9.1 グラフェンの基礎物性 …………………………………… 278
- 4.9.2 グラフェンの製法 ………………………………………… 281
- 4.9.3 グラフェンの構造評価 …………………………………… 283
- 4.9.4 グラフェンの応用 ………………………………………… 284
- 4.9.5 期待されているグラフェン以外の2次元材料 ………… 285
- 4.9.6 まとめ ……………………………………………………… 287

4.10 薄膜の化学的性質 ………………………………………… 287
- 4.10.1 薄膜工学における化学的要素 …………………………… 287
- 4.10.2 化学的プロセスによる薄膜加工 ………………………… 288
- 4.10.3 薄膜による化学的機能の実現 …………………………… 295
- 4.10.4 まとめ ……………………………………………………… 299

索引 …………………………………………………………… 300

1 薄膜工学の基礎

1.1 薄膜の歴史

　薄膜(thin film)に関する最新の研究やその応用など最近の学術的成果を，本書を通して基礎から学ぼうとする読者が，薄膜の歴史的な変遷を眺めて人間と薄膜との関わりを知っておくことも無駄ではないと考える．

　「薄膜」という言葉に，決まった厚さの条件が含まれているわけではないが，薄膜固有の特徴を考慮すると，経験的に薄膜とはおおむね厚さ $1\sim10\,\mu m$ 以下の板状物体を指しているとみて差し支えない．大多数の薄膜はその薄さのため単独では自立できず，ほかの板状物体の上につくられている．

　薄膜は特殊な物体だけを表す言葉ではない．薄いものはみな薄膜である．日常みられる薄膜も数多い．薄く剥離された雲母や水たまりの上にできた石油の模様も薄膜だし，われわれが日常生活で使うポリエチレンの薄い箔にも，薄膜の分類に入れられる種類がある．われわれの周辺には，薄膜がたくさんある．ただ，研究者，技術者が関心をもつ薄膜は，学問的に興味深いもの，何らかの意味で役に立つもので，本書でも，それを念頭において記述を進めている．

　本書では，人工的につくられた薄膜に関する記述を主とするが，その出発点は，古代遺跡の発掘でみつけられたものを含めると，紀元前数千年まで遡る．薄膜の使い道のはじまりは，広義の装飾で，それに材料と空間の節約という要素の入った素朴なものであった．その後，物理学の成立，光学とエレクトロニクスの発展によって，薄さという特徴が示す固有の物性に関心がもたれ，それが応用に発展した．今や，薄膜を用いた素子は，先端技術にとって必要不可欠となっている．

　『薄膜工学(初版)』には，2004年以前の重要と思われる研究成果が年表として記載されている．それを精査し，さらに表末に記した方々のご協力を得て，筆者の責

任でいくつかを補填あるいは削除したものが薄膜の歴史年表(表1.1)である．この年表からは，薄膜の歴史は以下の3段階に分類できそうである．

(ⅰ) 装飾の時代：紀元前1500年代？～1500年代：鉄(とくに武器)のスズめっき，仏像，仏具などの金めっき，金，銀などによる身辺の装飾など広義のめっきによる薄膜形成

(ⅱ) 科学の時代(薄膜物性と作製法研究)：1600年代～1900年代：薄膜の示す固有の物理現象(エピタキシー，光干渉など)への強い関心と蒸着法，スパッタリング法，化学気相成長(CVD)法などの各種薄膜作製法の考案

(ⅲ) 工学の時代(機能性薄膜の作製と応用)：1800年代～現代：集積回路，光素子，レーザーなどの作製と応用，そして，薄膜デバイス産業(とくにエレクトロニクス)の発展への貢献

年表には年代順に薄膜と周辺分野に貢献したと思われる研究成果と関係した研究者名を挙げた．なお節末に筆者が年表作成で参考にした文献を挙げた．これら文献のほかに筆者が読んだ論文で価値ありと判断した成果も年表に入れてある．

上に述べた薄膜の歴史の3段階をもう少し詳しく述べてみよう．

装飾の時代：紀元前から16世紀に至るまでの数千年の間，薄膜は広い意味での装飾用の品とみなされていた．この中には，溶けたスズ容器に武器である鉄の剣を漬けて，装飾と同時にさび止めにするようなこともあったらしい．身に着ける衣類の装飾にも使われたが，最も目立っている用途の一つは，仏像や仏具，その入れ物など宗教に関わるものの権威を高めるための装飾で，金が多く用いられた．装飾品には，金，銀の厚めの板状物体なども出土しているが，大きな面積で使われる材料の節約のために薄膜が用いられた場合も多い．

科学の時代：17世紀，ガリレオ，ニュートンの時代になり，物理学という自然観察に基礎を置く学問分野が台頭すると，多くの研究者が，薄膜にも関心を寄せるようになった．これらの研究者たちは，自然界や日用品などに現れる特異な現象に関心を寄せた．とくに，薄膜の示す光の干渉，回折現象などが，彼らの好奇心を集めた．同時に，薄膜を人工的に作製する試みが進み，スパッタリング法，真空蒸着法，化学蒸着法など後世に残る方法が考案された．

工学の時代：19世紀になると，薄膜の研究に関心をもつ研究者の数が増え，同時に，薄膜を何かに使ってみようという試みが進み，大局的には光学的応用から，広義のエレクトロニクス的応用に発展し，電子デバイスに画期的な革命をもたらした．薄膜は厚い物体の場合に比べてただ薄いだけでなく，固有の物性を通してトラ

ンジスターやレーザーを生み出し，現在の情報社会の基礎を築いてきた．

年表ではなるべく偏見にとらわれずに過去の研究者の成果を集めたつもりであるが，時代が下ると薄膜と光との結びつきはますます強くなり，発光ダイオード（LED），レーザー，太陽光発電など，薄膜応用の中で光が主役に近いようにみえてくる．

しかし，薄膜の応用はそれだけではない．この年表でも多少挙げているが，例えば一般に「めっき」の名で知られている薄い物体も薄膜であり，それは，耐摩耗性，耐熱性など本書ではあまり触れなかった"物体の強化"という用途を含んでいる．本書では，3.4節「力学特性の評価」の記述はあるが，年表に含まれる項目があまりない．もし本書の執筆者に機械工学や応用化学などの分野に関係深い研究者が多くなれば，同じ「薄膜の歴史年表」でも別の年表ができ上がる可能性もある．薄膜のもつ多様性のために生じる「年表の偏り」にご理解をお願いする．

なお紙数の関係で，年表項目に関連する発表論文名などを省略した．この年表から，薄膜が古くから研究者の心をとらえ，彼らの努力が今日の先端技術開発に貢献してきたことを理解していただければ十分である．

表 1.1 薄膜の歴史年表 （西暦表示，太字は注目項目）

	装飾の時代
紀元前18世紀頃	バビロニアのハンムラビ王の時代，水面上に油膜形成(占いなどに使用か？)
紀元前3～2世紀	金めっき(パルティア時代，ホーヤットラップア(別名バグダッド電池)に使用？)
紀元前2～1世紀	湿式めっき法(前漢時代)
5世紀	中国からめっき法伝来
596年	飛鳥寺(本元興寺大仏の金めっき)
755	東大寺(仏像，蓮台，蓮弁，蓮実の金めっき：金146 kg 使用)
1397	鹿苑寺金閣壁面の金箔装飾
1593	前田利家，加賀職人に金箔作製を指示
	科学の時代
1665	雲母の色の観察：R. Hooke(Micrographia)
1672	薄膜の色に関するニュートンとフックの論争
1704	**ニュートンリングの観察**：I. Newton(Opticks)
1800	表面の濡れに関するヤングの式：T. Young
	凹凸表面の濡れに関するウェンツェルの式：R. N. Wenzel
1802	光の干渉による薄膜の色の理論：T. Young

表 1.1　つづき

1832	光学薄膜の多重反射計算：G. B. Airy
1836	方位成長（ヘテロエピタキシー）観察：M. L. Frankenheim
1852	**スパッタリング現象の発見**：W. R. Grove
1857	金属線爆発による薄膜形成：M. Faraday
1877	スパッタリング現象の薄膜作製への応用：A. W. Wright
1880	熱分解によるカーボン薄膜の作製：W. E. Sawyer and A. Man
1884	金属アークによる蒸着の特許：T. A. Edison
1887	抵抗線の直接加熱蒸発による薄膜作製：R. Nahrwolt
	薄膜の光学的性質の理論的扱い：W. Voigt
1890	**CVD 法**で Ni 薄膜作製：L. Mond et al.
1907	透明導電性酸化薄膜（CdO）の報告：K. Badeker
1909	**薄膜の内部応力の発見と計算式の導出**：G. G. Stoney
1911	金薄膜による α 線後方散乱および原子構造模型：D. Rutherford
1912	**はじめての真空蒸着**：R. Pohl and P. Pringsheim
1917	単分子吸着膜の作製：L. Langmuir
	光学用多層薄膜作製：H. E. Ives
1919	スパッタリング法による石英棒上白金薄膜抵抗器作製：F. Kruger
1924	固体表面への原子吸着理論：J. Frenkel
	ガラス棒上 Ni の高周波誘導加熱蒸着による金属薄膜抵抗器：S. Loewe
1925	**マクロ的薄膜核生成理論**：M. Volmer and A. Weber
	磁器上加熱炭化水素の熱分解による炭素皮膜抵抗器：C. A. Hartman
1926	Cu_2S 薄膜による電力増幅器：J. E. Lilienfeld
1928	**エピタキシー（epitaxy）の命名**：L. Royer
1933	**疑似的構造（pseudomorphism）の提唱**：G. I. Finch and Quarell
1935	単原子累積膜の作製：K. Blodgett
1936	Ag/NaCl ヘテロエピタキシーの観察：L. Bruck
	スパッタリング装置に磁石を挿入：F. M. Penning
	巨大望遠鏡ミラー作製のためのアルミ蒸着：J. Strong
1937	酸化スズ（IO）透明伝導性薄膜作製：T. G. Bauer
	マグネタイト（Fe_3O_4）薄膜の構造解析：H. R. Nelson
1938	**単層上核成長モード観察**：I. N. Stranski and K. Kranstanow
	薄膜の電気伝導理論：K. Fuchs
工学の時代	
1938	脂肪酸塩薄膜によるガラスの反射防止特許：K. Blogett
1939	**マグネトロンスパッタリング装置の発明**：F. M. Penning
1940	Ni 薄膜の光吸収特性の測定：C. F. Squire
1942	メタンプラズマ蒸着ポリメチレン薄膜合成：L. M. Yeddanapalli
1943	多重反射干渉法による膜厚測定：S. Tolansky
1947	トランジスターの発明：W. H. Brattain et al.

表1.1 つづき

年	事項
1948	アルミニウム薄膜を蒸着したパロマー山200インチ反射望遠鏡建設
	電界効果，接合型トランジスター：W. B. Shockley
	点接触型トランジスター：J. Bardeen and W. H. Brattain
1950	薄膜成長の電子顕微鏡内その場(in situ)観察：R. C. Sennet et al.
1951	キンク，ステップ，テラス結晶成長理論(BCF理論)：W. K. Burton et al.
	SiC pn 接合の発光観測：K. Lehovec et al.
1954	**酸化インジウム(In_2O_3)透明導電性薄膜**：G. Ruprecht
	Si pn 接合型太陽電池作製：Pearson et al.
1955	半導体超薄膜中の電子物性異常：J. R. Schrieffer
	ダイヤモンド気相合成：B. V. Spitsyn and B. V. Derjaguin
	真空蒸着法による Fe-Ni 薄膜の作製：M. S. Blois Jr.
1957	シリコン熱酸化膜の作製：C. J. Frosch and L. Derick
	低速電子線回折(LEED)による薄膜構造観察：H. E. Farnsworth
	Ni 薄膜のホール効果測定：R. Coren and H. J. Juretschke
	磁場中で FeCoNi 膜の動的磁壁移動観察：H. J. Williams et al.
	MnBi 垂直磁化膜による光磁気記録実験：H. J. Williams et al.
1958	薄膜形成過程3態(VW, FM, SK)提唱：E. Bauer et al.
	パーマロイ薄膜による強磁性共鳴観察：M. H. Seavey et al.
1959	**水晶振動子膜厚計の発明**：G. Sauerbrey
	固体(集積)回路の開発：J. S. Killby
	斜め蒸着効果の観察：T. G. Knorr and R. W. Hoffman
	シリコンプレーナトランジスターの開発：J. A. Hoern
	Ni-Fe 膜でバルクハウゼン効果観察：N. C. Ford Jr. and E. W. Pugh
1960	光学用多層薄膜のコンピューター計算：J. A. Berning and P. H. Berning
	MOS トランジスター特許取得：D. Kang and M. M. Atalla
	スクラッチ法による薄膜の密着性評価：P. Benjamin and C. Weaver
1962	島状薄膜の電気伝導：C. A. Neugebauer and M. B. Webb
	ミクロ的薄膜核生成理論：D. Walton
	めっき法による Co 系磁気記録媒体：R. D. Fisher and W. H. Chilton
	GaP：ZnO による赤色 LED の作製：N. Holonyak Jr.
	GaAs LED 特許：J. I. Pankove
	GaAs pn 接合による半導体レーザー発振：MIT
1963	LPE(液相エピタキシー)法の開発：H. Nelson
1964	イオンプレーティング法の開発：D. M. Mattox
1965	レーザーアブレーション法の開発：H. M. Smith and A. F. Turner
	グロー放電非晶質シリコン薄膜の作製：H. F. Sterling et al.
	多層光学薄膜のコンピューターを用いた作製：J. A. Dobrowolski
1966	**柱状構造の観察**：C. Kooy and J. M. Niuwwenhuizen
1968	インライン電子ビーム蒸着大面積ガラスコーティング：R. Hill et al.
	MOS LSI の試作：Texas Instruments
	GaP(N)による緑色 LED の作製：L. M. Foster

表 1.1 つづき

年	内容
1969	**プラズマ CVD 法によるシリコン薄膜作製**：R. C. Chitticke et al.
	分子線エピタキシー(MBE)法の開発：J. R. Arthur and J. J. Lepore
1970	超格子(superlattice)概念の提案と負性抵抗予測：L. Esaki et al.
1971	**MOCVD 法の開発**：H. M. Manasevit
	GaN による青色 LED の作製：J. I. Pankove
	薄膜磁気ヘッドの作製：J. P. Lazzari and I. Melnik
	LPE(スライドボート法)薄膜作製法：H. F. Lockwood et al.
1972	AlInGaP による黄色 LED の開発：M. G. Craford
1976	非晶質シリコン太陽電池の作製：D. E. Carlson and C. R. Wronski
1977	垂直磁気記録薄膜の開発：S. Iwasaki and Y. Nakamura
	酸化インジウム・スズ(ITO)透明導電性薄膜作製：J. L. Vossen
	MOVPE 法による薄膜作製：R. D. Dupis and P. D. Dupkus
1980	単原子層エピタキシー(ALE)法の開発：T. Suntola et al.
	高電子移動度トランジスター(HEMT)の開発：T. Mimura et al.
1982	ダイヤモンド薄膜の作製：S. Matsumoto et al.
	量子ドット構造：Y. Arakawa and H. Sakaki
	STM の発明：G. Binnig and H. Rohrer
1983	自己組織化単分子膜の作製：R. G. Nuzzo and D. L. Allara
1985	フラーレンの発見：H. W. Kroto et al.
1986	AFM の発明：G. Binnig, C. F. Quate, and Ch. Gerber
1988	Fe/Cr 人工格子の巨大磁気抵抗効果の発見：M. N. Baibich et al.
1989	変性エピタキシー法の開発：M. Copel et al.
	GaN pn 接合による紫外 LED の開発：I. Akasaki and H. Amano
1990	単原子操作：D. M. Eigler and E. K. Schweizer
1991	カーボンナノチューブ(CNT)の発見：S. Iijima
1993	**高輝度青色 LED の開発**：S. Nakamura et al.
	パルス・マグネトロン・スパッタリング法の開発：S. Schiller et al.
1999	高エネルギー・パルス・マグネトロン・スパッタリング法の開発 (HiPIMS)：V. Kouznetsov et al.
2000	ZrO_2 ゲート絶縁膜作製：Motorola(社)
2002	ナノインデンテーションの国際規格発効：ISO14577
2003	自己組織化とバイオミメティクス：A. Geim et al.
2004	**グラフェン(ゼロギャップ半導体)の作製**：A. Geim et al.

年表作製にご協力をいただいた下記の方々に感謝の意を表する。
産業技術総合研究所 吉田貞史博士(半導体)，中央大学 二本正昭教授(磁性体)，成蹊大学 中野武雄准教授(スパッタリング現象)，東京理科大学 佐々木信也教授(力学的性質)

文　献

1) H. Mayer: "Physik dünner Schichten, Teil 1"（Wissenschaftliche Verlags-gesellschaft, 1950）.
2) L. Holland: "Vacuum Deposition of Thin Films"（Chapman and Hall, 1963）.
3) R. Niedermayer and H. Mayer: "Basic Problems in Thin Films Physics"（Vandenhoeck and Ruprecht, 1965）.
4) 城阪俊吉：『エレクトロニクスを中心とした年代別科学技術史　第5版』（日刊工業新聞社, 2001）.
5) D. M. Mattox and V. H. Mattox: "50 years of Vacuum Coating Technology and the growth of the Society of Vacuum Coaters"（Society of Vacuum Coaters, 2007）.

1.2　薄膜と工学

1.2.1　薄膜とは

薄膜（thin film）とは字のごとく薄く2次元状に広がった膜状のものの総称である．では，どのくらい薄いのか？　どのくらい広がっているのか？　薄膜ではしばしば**バルク**（bulk）と対比してその形態と性質が議論される．バルクとは3次元的にマクロ[*1]なサイズをもつ塊の意味なので，薄膜は膜厚方向がミクロ[*1]なサイズ，ほかの2方向がマクロなサイズのものということもできよう．

では，薄膜はなぜ使われるのだろうか？　前節の「薄膜の歴史」を整理してみると，およそ次のような理由が考えられる．

（1）**薄くても機能が発揮できる**：この場合は資源節約や軽量化などの理由で薄膜が使われる．薄膜は軽薄・短小化の有効な手段であるが，薄い方が機能が向上する場合もある．Si LSIの多くはSiウェーハーの表面からせいぜい数μm厚の薄層部分しか素子動作に関与しておらず，その下は単なる土台にすぎない．このため，薄層部分を剥がし，ほかのものに貼り合わせて機能の向上を図ることも行われている．

（2）**薄膜の形態が適している**：表面の保護やガスバリア，着色や光沢などの装飾を目的とする場合，表面形状やサイズを変えないという意味で薄膜が適している．光学鏡をつくるには平滑で高反射率の金属面が必要であるが，ガラスのように平滑な表面に金属の薄膜をコートすることによって容易に得ることができる．大面積が必要なディスプレイや太陽電池なども薄膜形態が適しているといえよう．

（3）**積層して機能をつくり込むことができる**：光学膜では多くの膜を積層し膜内

[*1]　ここでは以下のような意味で使っている．マクロ：目や手で感じられるサイズ，ミクロ：原子・分子のように直接目や手で感じられないサイズ．

で光を干渉させることによって反射防止，波長選択透過・反射などの光学機能が得られる．半導体デバイスでは伝導型やキャリア濃度の異なる層を積層することにより電気の流れを制御している．プレーナ素子ではウェハーにイオン注入や熱拡散で構造がつくり込まれてきたが，堆積薄膜を用いればずっと急峻な界面構造が得られる．異なる物質を積層するヘテロ構造の作製には薄膜の堆積法が適している．

　（4）**薄膜にしてはじめて発現する機能を利用する**：薄膜では膜厚が薄いがゆえに，あるいは薄膜形成過程に起因して，さまざまな現象が発現する．前者は例えば光の干渉，半導体における量子サイズ効果，種々の2次元効果など，後者では熱的非平衡な相や結晶構造，ひずみ・応力内在層などが考えられる．

　これら薄膜に期待する機能によって，それに適した，あるいは発現する膜厚や広がりは違ってくる．よって，薄膜の厚さや広がりに一義的な範囲を設けることはあまり意味がないと思われる．

1.2.2　薄膜の特徴・性質とその応用[1)]

　薄膜の性質がバルクのそれと異なるのは以下のような特徴に起因する．

　（1）**表面の存在**：バルクに比べて表面原子の割合が極めて大きいので，表面現象の影響が顕著に現れる．表面原子は結合手の一部が切れているため，表面準位の形成や吸着原子・分子などを通して薄膜の性質に影響を与える．また表面に局在したさまざまな励起波（表面波）の影響も顕著になる．さらに，表・裏面が接近しているので両面の局在波が干渉し新たなモードを生む．

　（2）**表裏二つの界面で境界されている**：界面は異種な物質の接合面であり，両物質の物性の差に依存する性質を示す．物性の差は，光学では屈折率差であり光の屈折や反射を，半導体では電子・正孔に対する化学ポテンシャル差であり，pn接合でのビルトインポテンシャルやヘテロ接合でのバンド不連続をもたらす．

　（3）**小さい膜厚**：薄膜の性質には膜厚によって変化するサイズ効果がみられる．種々の現象を起こす物理素過程にはそれぞれの**特性長**が存在し，それと同程度あるいは以下の膜厚で現象が顕著となる．例えば金属薄膜の電気伝導における古典的サイズ効果（電気伝導度低下）は膜厚が伝導電子の平均自由行程以下で，半導体薄膜の量子サイズ効果（キャリアの量子井戸閉じ込めやトンネル効果）はキャリアのド・ブロイ波長以下で顕著となる[2)]．

　（4）**積層構造**：構成する各層の性質の単なる和や差だけではなく，新しい性質や機能をもたらす．例えば，半導体レーザーの室温連続発振を可能にしたのは3層の

積層(ダブルヘテロ構造)で，真ん中の層にキャリアと光を閉じ込めることができたことによる．挟まれた層の厚さを電子や正孔のド・ブロイ波長程度にすれば，電子波を閉じ込める量子井戸となる．挟まれた層の横方向サイズも小さくした量子細線，奥行き方向にも小さくした量子箱も考えられる．膜厚方向に繰り返し多数積層した多重量子井戸は，結晶格子より長い周期を有する**超格子**(superlattice)[*2]であり，さまざまな新たな電気的，光学的特性をもたらす．

(5) **薄膜特有の構造や組成**：決してバルク材を単に薄くした平板と同じではない．薄膜の形成過程に起因する構造・組成・結合状態をもち，バルク物質では実現できない熱的非平衡層が得られる．また，表・界面は決して真っ平らな面ではなく，しばしばあれた表・界面になったり，膜と膜，あるいは膜と基板の間に界面層が存在する．これらの構造や組成は薄膜の性質に変化をもたらし，性質が膜厚だけではなく薄膜のつくり方にも依存することになる．

(6) **基板の存在**：単独で薄膜がある特別な場合を除いて通常は基板とよばれる下地の上にある．このため，膜形成は基板の結晶構造や表面状態などの影響を受ける．例えば，基板表面がある結晶方位をもつ場合，その上に堆積する膜の結晶方位が基板の結晶方位とある関係をもって成長することがある．この現象をエピタキシー(epitaxy)という(1.3.4項参照)．このようなエピタキシャル成長では，ある膜厚以下でその物質本来の結晶構造や格子定数ではなく基板と同じになったり，基板との熱膨張係数や格子定数の違いなどに起因して膜内に応力が発生し，膜中の欠陥やクラック，基板の反り，膜の剥がれなどが起きる．

1.2.3　薄膜作製と評価

薄膜を作製する方法は大きく分けて，以下の三つがある．
(ⅰ) バルク材を薄くする方法：バルク材を延ばしたり削ったりして薄くする
(ⅱ) 堆積させる方法：薄膜を構成する原子や分子，イオンなどを基板表面に供給し，あるものは化学反応を伴って**堆積**(deposition)[*3]させる
(ⅲ) 表面を改質する方法：活性なガスによる表面反応やイオン注入などで表面に性質の異なる層(表面改質層)を形成する
本書では現在の工業応用で最も広く使われている堆積法を主に取り上げている

[*2] 磁性分野などでは**人工格子**という言葉が使われている．
[*3] 表面を薄膜で覆うことを目的とする場合，コーティング(coating)といわれる．

(詳細は 1.3 節および 2 章参照).

　堆積法で，混入しては困る不純物を含まない純粋な物質の薄膜をつくるには，不純物が存在しない環境で堆積を行わねばならない．それには高純度の原料(蒸発材，スパッタリングターゲット材，供給ガスなど)を使うとともに，不純物のない薄膜作製環境が必要である．その一つは真空の利用である．例えば真空蒸着法では真空中で原料を加熱蒸発させ，蒸発原子・分子を基板に入射させて薄膜を堆積させる．このため，加熱された蒸発源や蒸発材が残留ガス分子と化合物をつくらず，蒸発源から基板まで蒸発原子・分子が残留ガス分子と衝突せずに到達でき，さらに残留ガス分子が基板面上へ入射する頻度が十分小さい真空環境が必要である．これを満たすためにはおよそ 10^{-2} Pa 以下の高真空である必要があり，半導体のように 10^{15}〜10^{16} cm^{-3} の不純物を問題にする場合は 10^{-6} Pa 以下の超高真空が必要である．このため，分子線エピタキシー(molecular beam epitaxy：MBE)法を含む真空蒸着法で取り扱える材料は生産現場で使える真空度によって変化し，1940 年代(〜10^{-2} Pa)には主に光学コーティング用の酸化物やフッ化物，1950 年代(〜10^{-4} Pa)には受動電子部品の金属や誘電体・絶縁体などが扱われ，1970 年代以降 10^{-6} Pa 以下の超高真空が使えるようになってはじめて半導体材料が取り扱えるようになった．ガス中堆積のスパッタリング法や化学気相成長(chemical vapor deposition：CVD)法でも混入しては困る物質が膜形成雰囲気中に残留しないように装置の事前真空排気が不可欠である．このように薄膜形成技術の発展は真空技術の向上と深く関わっている(図 1.1)(2.1.1 項参照).

　堆積法は多くの混晶が存在する化合物半導体においては，物質の設計(マテリアルデザイン)，ヘテロ接合におけるバンドの並びの設計(バンドエンジニアリング)などを基礎として新しい材料や素子を実現する技術となっている[3]．

　薄膜の最も重要なパラメーターは**膜厚**であり，その制御が極めて重要で，膜厚の測定が不可欠である．また，欲する膜厚を正確に実現するためには，あるいはその堆積速度を問題にする場合は，膜厚のその場実時間測定が必要である(3.1 節参照)．要求される究極の膜厚精度は 1 原子あるいは分子層厚であるが，MBE 法における反射高速電子線回折(reflection high-energy electron diffraction：RHEED)強度振動の利用や CVD 法における原料ガス交互供給による原子層エピタキシー(atomic layer epitaxy：ALE)法を用いることによって可能である(2.1, 2.3 節参照).

　用いられる薄膜の結晶構造は単結晶，多結晶，非晶質とさまざまである．例えば，半導体エレクトロニクス応用では多くの場合，単結晶膜が用いられている．単

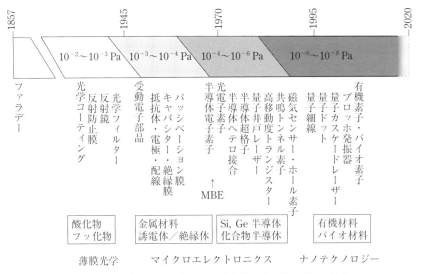

図 1.1 真空技術の向上による真空蒸着法の適用範囲の拡大

結晶膜は主に単結晶基板上にある堆積条件下で得ることができる(エピタキシャル成長).結晶構造の評価にはX線回折や電子線回折が用いられる(3.2節参照).エピタキシャル成長を目指した方法には気相,分子線,液相エピタキシー(それぞれ VPE,MBE,LPE)法がある.この中でMBE法は真空中で薄膜作製が行われるために,真空中でしか使えないRHEED装置を成長室に取りつけ,成長前の基板表面や成長中・後の膜表面の結晶状態や平坦性を観察することができる.このため,MBE法は物質の探査,膜形成過程の解明研究などに広く用いられている.

1.2.4 薄膜学と薄膜工学

薄膜や薄膜を組み込んだ素子にみられるさまざまな現象や性質,動作などを理解するためにはその物理機構を知ることが不可欠であり,機構の解明には構造・組成・結合状態などの評価・解析が必要である.これによってはじめて薄膜が期待する機能をもつ**材料**となる.また,薄膜作製過程における物理・化学機構を知ることによってはじめて,求める機能をもつ薄膜を再現性よくつくり出すことができる.このような薄膜の性質や動作の解明および薄膜形成過程の物理的・化学的機構を探求する一連の学問分野は**薄膜学**とよばれている[4].薄膜学はその特質上,力学,電磁気学,物性物理学,光学,量子力学などの各種物理学と表面化学,反応化学など

の各種化学の幅広い知識と手法を動員して行われるのが特徴である．

　薄膜やその組み合わさった素子の結晶構造・組成・結合状態の分布を知るために，さまざまな観測・評価手法が用いられている[5]．しかし，評価手法を薄膜に適用するためには，薄膜の構造やサイズに適合した性能が要求される．例えば薄い膜の評価には薄い層を十分検出できる感度が必要である．積層膜や深さ方向に構造・組成などが変化する場合，膜を削りながら測定することが広く行われているが，削ることが構造や組成を変化させてはいないか，面内が一様に削れているかなどが常に問題となる．これは界面の評価でも問題であり，これを回避するために，埋もれた界面の情報を埋もれたままで評価する手法も考えられている[6]．素子構造の微細化に伴って面内のミクロ評価も必要となり，面内ミクロ2次元分布や，それと深さ方向情報と合わせた3次元分布評価も強力なツールとなっている．

　一般に，薄膜形成機構の解明では作製装置への原料導入量と得られた膜の評価結果および形成条件からその物理・化学を推測することが行われる．評価は膜を膜形成装置より取り出し，評価装置に入れて測定するのが一般的である．しかしこれは形成時における状態とは必ずしも同じではない．また，膜形成場での原料供給量は装置への導入量とは一般に異なる．形成機構解明に膜形成場で形成中に測定する**その場実時間**（*in situ* **real time**）観察が期待されるゆえんである．

　薄膜や薄膜素子に特有の現象や性質，薄膜形成過程などの物理的・化学的機構を追求して得られた**薄膜学**の成果から，各種評価技術，真空技術などの支援技術を基盤として新しい薄膜技術の応用がなされる．薄膜や薄膜素子の作製における量産性，機能の再現性，信頼性が満たされ，高い歩留まりの見通しが得られたとき，その薄膜技術は工業生産に適用できることになる．すなわち，薄膜学に裏打ちされた薄膜技術を工業に応用可能にする工学が**薄膜工学**である．

　本書では薄膜学および薄膜工学の主要な要素項目について概説されている．

文　　献

1) 日本学術振興会薄膜第131委員会 編：『薄膜ハンドブック 第2版』（オーム社，2008）；吉田貞史：『薄膜』（培風館，1990）．
2) 吉田貞史：『薄膜―その機能と応用』（金原　粲 編），1.2節（日本規格協会，1991）p.15，図1.1.1．
3) 吉田貞史：『マテリアルデザイン』（山本良一 編），3章（丸善，1988）p.65．
4) 金原　粲：『薄膜の基本技術』はしがき（東京大学出版会，1976）．
5) 金原　粲 監修：『薄膜の評価技術ハンドブック』（テクノシステム，2013）．
6) 吉田貞史：『異種材料界面の測定と評価技術』（石井淑夫 監修），13.3，13.4節（テクノシステム，2012）p.531．

1.3 薄膜形成技術
1.3.1 各種の薄膜作製法

本書では,薄膜作製法としてもっぱら堆積法を取り上げる.堆積法とは,薄膜の原料を原子や分子,イオン,ラジカルなどやそのクラスターとして供給して,基板(substrate)となるバルク材の表面に凝縮させることで製膜するボトムアップ手法である.堆積法は,さまざまな材料(金属や酸化物,半導体,有機物など)に適用可能で,薄膜の膜厚,組成,結晶構造(単結晶から多結晶,非晶質まで),微細組織,純度,不純物濃度などのパラメーターを広い範囲で制御可能で,工業的に広く用いられている.また,各種の加工技術と組み合わせることで多層積層構造や1次元・0次元構造などの微細高次構造も作製可能であることも重要な特徴である.

図1.2に各種の薄膜堆積法をまとめた[1].ここでは,原料供給に用いられる媒体が気相か液相かで分類した.前者を気相堆積(成長)法,後者を液相堆積(成長)法という.気相堆積法はさらに,気相を蒸発やスパッタリングのような物理的手法で発生させる物理気相堆積(成長)法(physical vapor deposition:PVD)と,原料を化合物の形で気化して供給する化学気相堆積(成長)法(chemical vapor deposition:CVD)に大別される.図1.2に示した分類は製膜法開発の歴史的背景を反映したもので,PVDの中にも化合物ガスを原料に用いるものがあるなど,現在ではPVDとCVDの区別はさほど厳格ではなくなっている.

なお,日本語では製膜法の名称として「堆積」の代わりに「成長」という言葉を使うことが多い(英語ではdepositionがもっぱら使用され,製膜法の名称としてgrowthが用いられることはまれである).両者の区別もまた明確ではないが,結晶性の薄膜作製を意識している場合に「成長」が用いられる傾向があるようである.一方,単結晶薄膜成長を目的とするエピタキシャル成長法にはしばしば「エピタキシー(epitaxy)」という名称が用いられる(例:有機金属気相エピタキシー(metal-organic vapor phase epitaxy:MOVPE))が,エピタキシャル成長を行っている場合でも「堆積」(あるいは「成長」)法とよぶ場合もある(例:有機金属化学気相成長法(metal-organic CVD:MOCVD)).

14　1　薄膜工学の基礎

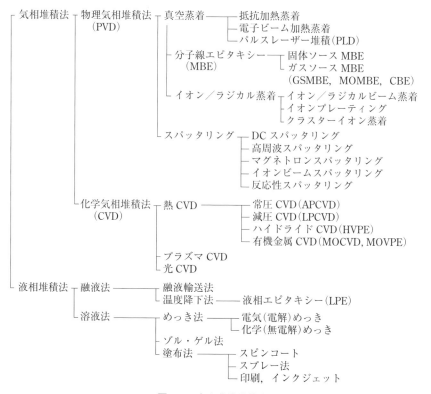

図 1.2 主な薄膜堆積法

〔日本学術振興会薄膜第 131 委員会 編:『薄膜ハンドブック 第 2 版』(オーム社, 2008) p.6 より改変〕

1.3.2　薄膜作製プロセス[2]

　本書では，工業的に最も広く用いられている薄膜作製法である気相堆積法を中心的に取り上げる．気相堆積法による薄膜形成は，以下の三つ(あるいは四つ)の過程に分けて考えることができる．

(ⅰ) 原料の気化：固体，液体，あるいは気体の状態にある薄膜の原料をなんらかの方法で基板へ輸送できる形で気化する．ヒーター，電子線を用いた加熱蒸発やイオン衝撃によるスパッタリング現象などが PVD では用いられる．一方，CVD では，気体状の化合物，あるいは十分な蒸気圧を有する液体状化合物などを原料として用いる．

(ⅱ) 原料ガスの輸送：気化された原料を堆積の起こる基板表面へ輸送する．真

空蒸着では原料原子・分子が散乱されることなく真空中を分子流として輸送される．CVD では多くの場合，原料分子はキャリアガスに混合されて流体として基板へ輸送される．前項の気化とこの輸送の条件によって，基板表面に到達する原料の量(供給レート)が制御できる．
(ⅲ) 基板上への堆積：原料原子・分子等が基板表面(あるいはすでに堆積した薄膜表面)との間のさまざまな物理的・化学的相互作用を経て堆積する．そこで起こる過程については次項で詳述する．この過程は，原料の反応性や基板の表面条件などによって制御でき，さまざまな薄膜形成が可能となる．

場合によっては，この後に以下のプロセスが加わる．
(ⅳ) 後処理：所望の特性を発現させるために，熱処理(アニール)やイオン注入などによって薄膜の性質を変化させる．

1.3.3 基板上での薄膜堆積の素過程

本項では，薄膜堆積時に基板表面で起こる素過程について述べる．これらは，最もシンプルな薄膜堆積法である真空蒸着(とその発展形である分子線エピタキシー)について明らかにされてきたものであるが，スパッタリングや CVD でも共通するところが多いので，薄膜作製に携わる場合には知っておくとよい．

基板表面で起こる薄膜堆積の過程を図 1.3 に模式的に示す．これは以下のような素過程に分けて考えることができる．
(ⅰ) 基板表面に飛来した入射原子・分子は一部が弾性反射し，一部が基板表面に物理吸着(physisorption)する．
(ⅱ) 吸着した原子・分子は基板表面上を動き回る(表面拡散(surface diffusion)，あるいは表面移動(surface migration)とよばれる)．その間に一部の原子・分子は物理吸着状態を脱して再び気相へと戻る(再蒸発(reevaporation)，あるいは脱着(desorption)とよばれる)が，基板表面に残った原子・分子は互いに衝突しクラスターを形成する．これを核形成(nucleation)という．

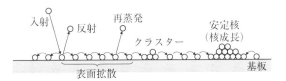

図 1.3 基板表面における薄膜堆積の素過程

(ⅲ) クラスターから一部の原子が解離する一方，表面拡散している新たな原子がクラスターに取り込まれる．これを繰り返すうちに，クラスターのサイズがある臨界値を超えると核が安定になり成長をはじめる(核成長)．

(ⅳ) 核は拡散原子やクラスターを取り込みながら成長を続け，隣接する核と合体して連続膜が形成される．

以下では，それぞれの素過程をより詳しくみていこう．

a. 物理吸着と再蒸発

スパッタリングやイオンアシスト蒸着のようなエネルギー支援堆積などでは，飛来した原子・分子のエネルギーが十分に大きく，基板原子と直接反応してその場で化合物を形成して堆積が起こる可能性がある．このような堆積の機構を Eley-Rideal(E-R)機構という．これに対して，通常の蒸着や CVD では，飛来した原子・分子のエネルギーは基板原子との反応が直ちに起こるほど大きくなく，飛来原子・分子は物理吸着サイトにいったん落ち着いた後，表面拡散しつつ一部は再蒸発し，一部は基板原子との反応を経て堆積する．こうした機構を Langmuir-Hinshelwood (L-H)機構という．ここでは，もっぱら後者を取り扱う．

基板表面での入射原子の物理吸着を特徴づけるのは，基板表面原子と薄膜原子との間の相互作用エネルギー(吸着エネルギー)E_p である．これは通常，比較的弱いファン・デル・ワールス相互作用であり，E_p の大きさは典型的には $0.4\,\mathrm{eV}$ ($40\,\mathrm{kJ/mol}$)程度である．これは，吸着原子・分子の再蒸発の活性化エネルギーでもある．基板温度が高い場合には再蒸発が頻繁に起き，吸着原子は再蒸発までの間のごく短い時間だけしか基板表面にとどまれない．その滞在時間 τ_p は

$$\tau_p^{-1} = \nu_{p0} \exp\left(-\frac{E_p}{k_B T}\right) \tag{1.1}$$

で与えられる．ここで，$\nu_{p0} = k_B T/h$ は頻度因子とよばれる量で，室温($T = 300\,\mathrm{K}$)では $10^{13}\,\mathrm{s}^{-1}$ 程度の値をとる．

b. 表面拡散

基板上に物理吸着した原子は，基板表面の吸着サイト間をホッピングして飛び移り，基板表面を動き回ることになる．時間 t の間でのこの表面拡散(移動)による原子の平均二乗移動距離は

$$\langle \Lambda^2 \rangle = a^2 \nu_d t \tag{1.2}$$

で与えられる．ここで，a は隣り合う吸着サイト間の距離，$\nu_d t$ はこの時間内に起こる吸着サイト間のホッピングの回数で，ホッピングレート ν_d は吸着サイト間の

ポテンシャルバリアの大きさ E_d を使って

$$\nu_d = \nu_{d0} \exp\left(-\frac{E_d}{k_B T}\right) \quad (1.3)$$

と書ける．E_d は多くの場合 0.1 eV (10 kJ/mol) のオーダーであり，通常 $E_d < E_p$ である．また，安定核からの解離（拡散原子の増加）が無視できれば，ν_{d0} は ν_{p0} と同じオーダーで 10^{13} s^{-1} 程度の値となる．

基板温度が高く，再蒸発が支配的になる場合には，表面移動する原子の拡散距離は

$$\Lambda = a\sqrt{\nu_d \tau_p} = a\sqrt{\frac{\nu_{d0}}{\nu_{p0}}} \exp\left(\frac{E_p - E_d}{2k_B T}\right) \quad (1.4)$$

で与えられる．$E_p - E_d \gg k_B T$ の場合には $\Lambda \gg a$ となる．すなわち，基板表面に吸着された原子は再蒸発までに非常に長い距離を拡散し，一部が安定核に取り込まれて堆積することになる．拡散長が十分に長ければ，原子は安定なサイトにたどり着いて固相に取り込まれることになり，通常は良質な膜形成が実現できる．しかし，この温度領域では，堆積は再蒸発と競合し，温度が高いほど再蒸発の確率が高まり，拡散長が短くなると同時に堆積レートが下がってしまう．

一方，比較的低温の領域では，図 1.4 に示すように拡散長の温度依存性が劇的に変化する．低温域では再蒸発の確率が下がって τ_p が長くなり，ほとんどの原子が再蒸発する前に安定核に取り込まれることになる．表面拡散する原子が安定核に取り込まれるまでの平均的時間を τ_c とすると，拡散距離は

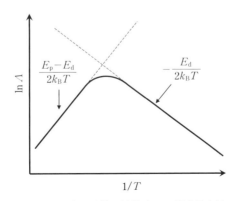

図 1.4 表面拡散の拡散長 Λ の温度依存性

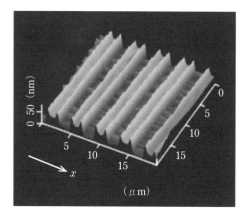

図1.5 周期空間反転 GaAs(100)面上 GaAs ホモエピタキシャル膜の膜厚分布．x 方向の Ga の拡散長が長い($\varLambda=1.26\,\mu$m)ドメインと短い($\varLambda=0.42\,\mu$m)ドメインが周期的に並んでいるために独特の周期構造が現れる．

〔R. Narasaki, T. Matsushita, and T. Kondo: Appl. Phys. Express, 8 (2015) 025601 より〕

$$\varLambda = a\sqrt{\nu_\mathrm{d}\tau_\mathrm{c}} = a\sqrt{\nu_\mathrm{d0}\tau_\mathrm{c}}\exp\left(-\frac{E_\mathrm{d}}{2k_\mathrm{B}T}\right) \tag{1.5}$$

となる．拡散距離は再蒸発が支配的になる温度のわずかに低温側で最大となり，条件にもよるが場合によっては数十 μm 以上にも達する．

エピタキシャル成長のように結晶性のよい薄膜成長が必要な場合には，拡散長を十分に長く($\varLambda \gg a$)することが極めて重要なので，再蒸発の起こる温度の直下で成長を行うことがよいことがわかる(図1.5にGa原子の異方性表面拡散(拡散長は1 μm のオーダーである)によって生じた GaAs の周期構造の例を示す)．それに対して，拡散長の短い極限($\varLambda \lesssim a$)で堆積を行うと，飛来した原子は表面を移動することなくその場で堆積して膜が形成されることになる(このような堆積を付着成長とよぶ)．これは，基板温度が極めて低い場合，あるいは飛来原子・分子が基板原子と直接反応する場合(このときの E_d は化学結合エネルギーなので，数 eV($\gg k_\mathrm{B}T$)になる)に起きる．この条件下では，非晶質や欠陥の多い微結晶粒の間に多量のボイドが含まれた膜が堆積する．

c. 核形成と核成長

基板表面での核形成と核成長の古典論を概説する.以下では,簡単のため,ひずみの影響や表面エネルギーの異方性(いずれも結晶性の薄膜堆積ではしばしば重要である)は無視する.

まず,球状の核の形成を過飽和気相からの球状液滴形成と同じモデルで取り扱う(均質核形成(homogeneous nucleation)).気体液体間での自由エネルギー差は

$$\Delta G_{\mathrm{homo}} = \Delta G_{\mathrm{s}} + \Delta G_{\mathrm{v}} = 4\pi r^2 \gamma_{\mathrm{f}} + \frac{4\pi}{3} r^3 \left(-\frac{\Delta G_0}{v_0} \right) \tag{1.6}$$

で与えられる.ここで,$\Delta G_{\mathrm{s}} = 4\pi r^2 \gamma_{\mathrm{f}}$ は核の表面エネルギーで,$\gamma_{\mathrm{f}}(>0)$ は膜物質の表面自由エネルギー,r は球状核の半径,$\Delta G_{\mathrm{v}} = (4\pi/3) r^3 (\Delta G_0/v_0)$ は気体液体間の凝集自由エネルギー差で,$\Delta G_0 (<0)$ は 1 mol あたりのギブズ自由エネルギーの気相液相間の差,v_0 は膜物質のモル体積である.図 1.6(a) に均質核形成におけるギブズ自由エネルギー差の r 依存性を示す.核が小さいときは表面エネルギーが勝って ΔG_{homo} は正の値をとるが,しだいに負の値の体積エネルギーが支配的となって $r = r^*$ を超えると ΔG_{homo} は減少しはじめ,核は成長することになる.この r^* を臨界核半径,臨界核半径の核を臨界核,それよりも大きな核を安定核とよぶ.

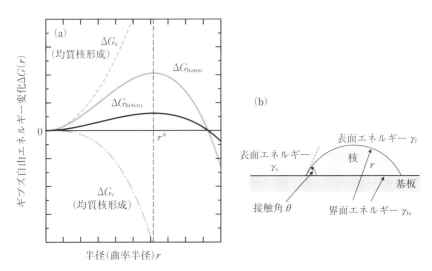

図 1.6 (a) 均質核形成(不均質核形成)の場合のギブズ自由エネルギー変化.横軸は球状(球帽状)核の半径(曲率半径)r である.(b) 球帽状核の模式図

$$r^*_{\text{homo}} = -\frac{2v_0\gamma_\text{f}}{\Delta G_0} \tag{1.7}$$

であり，この臨界核の自由エネルギー差は

$$\Delta G^*_{\text{homo}} = \frac{16\pi}{3}\gamma_\text{f}^3\left(-\frac{v_0}{\Delta G_0}\right)^2 \tag{1.8}$$

となる．

次に，図1.6(b)に示すように平坦な基板表面での球帽状の核形成(不均質核形成(heterogeneous nucleation))を考えよう．球帽の曲率半径を r，接触角を θ とすると，次の表面・界面エネルギーに関するヤングの式が成り立つ．

$$\gamma_\text{s} = \gamma_\text{fs} + \gamma_\text{f}\cos\theta \tag{1.9}$$

$\gamma_\text{s}(>0)$ は基板の表面自由エネルギー，$\gamma_\text{fs}(>0)$ は薄膜・基板間の界面自由エネルギーである．この核の自由エネルギー差は，界面エネルギー ΔG_{int} まで含めて計算すると

$$\Delta G_{\text{hetero}} = \Delta G_\text{s} + \Delta G_\text{v} + \Delta G_{\text{int}} = \left\{4\pi r^2\gamma_\text{f} + \frac{4\pi}{3}r^3\left(\frac{\Delta G_0}{v_0}\right)\right\}f(\theta) \tag{1.10}$$

となる．ここで，$f(\theta) = (2-3\cos\theta + \cos^3\theta)/4$ である．臨界核の曲率半径は

$$r^*_{\text{hetero}} = r^*_{\text{homo}} = -\frac{2v_0\gamma_\text{f}}{\Delta G_0} \tag{1.11}$$

であり，この臨界核の自由エネルギー差は

$$\Delta G^*_{\text{hetero}} = \frac{16\pi}{3}\gamma_\text{f}^3\left(\frac{v_0}{\Delta G_0}\right)^2 f(\theta) \tag{1.12}$$

となる．この核の自由エネルギーを図1.6(a)に示した．r^*_{hetero} の値は典型的には数nmである．

d. 薄膜の成長様式

上の節では表面・界面エネルギーの関係が

$$\gamma_\text{s} < \gamma_\text{fs} + \gamma_\text{f} \tag{1.13}$$

であることを暗黙のうちに仮定していた．この場合(γ_s が小さい場合)は，基板表面が安定で膜物質は基板に付着しにくい状態になっており，γ_s が小さいほど濡れ性が悪くなる(接触角 θ が大きくなる)．このときには核が成長した3次元の島が製膜初期に形成され(図1.7(a))，核成長に伴う核の合体によって連続膜が形成される．このような成長様式をVolmer-Weber(V-W)モードとよぶ．このモードでの膜成長を3次元島状成長，あるいは単に3次元成長という．プラスチックやガラス基板

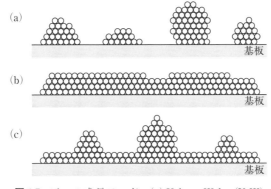

図 1.7　三つの成長モード．(a) Volmer-Weber(V-W)モードでの 3 次元島成長，(b) Frank-van der Merve(F-M)モードでの層状(layer-by-layer)成長，(c) Stranski-Krastanow(S-K)モード

上の金属・半導体薄膜堆積でよくみられるモードである．

これとは逆に，

$$\gamma_s \geq \gamma_{fs} + \gamma_f \tag{1.14}$$

の場合には，濡れ性がよく基板が完全に膜物質によって覆われることになる．例えば，基板と同じ物質を堆積する場合には，$\gamma_{fs}=0$ でかつ $\gamma_s=\gamma_f$ なので，式(1.14)の等式が成り立つ．また，金属基板上の金属膜，化合物半導体基板上の化合物半導体など，よく似たものどうしの組合せで式(1.14)が成立する場合が多い．この場合，表面エネルギーをできるだけ小さくするように平坦な表面を保った層状の成長が進行する(図 1.7(b))．このような成長様式を Frank-van der Merve(F-M)モードとよぶ．この様式での膜成長を 2 次元成長，あるいは層状(layer-by-layer)成長という．

これら 2 種類のモードの中間的な 3 番目の成長モード(図 1.7(c))がしばしば観察される．最初の 1～2 原子層は F-M モードで層状成長するものの，その後，V-W モードに移行して 3 次元成長が進行するというもので，この成長様式を Stranski-Krastanow(S-K)モードとよぶ．このモードの機構はいくつか提案されているが，例えば GaAs(100)基板上の InAs のエピタキシャル成長では，島状成長することによるひずみの緩和(図 1.8(c)参照)が主要な駆動力となっているとされている．この成長モードは，欠陥のない良質な半導体量子ドットのエピタキシャル成長に応用されている．

1.3.4 エピタキシー[3]

単結晶基板上にある定まった方位関係で単結晶薄膜を成長させるエピタキシー技術は，薄膜分野で最も重要なテクノロジーの一つである．基板と同じ材料をエピタキシャル成長させる場合をホモエピタキシー(homoepitaxy)，基板と異なる材料の薄膜をエピタキシャル成長させる場合をヘテロエピタキシー(heteroepitaxy)とよぶ．ヘテロエピタキシーの場合も，基板と薄膜の結晶構造と格子定数がよく似通った組合せで良好な結晶成長が可能となる．

一般に，良好なエピタキシャル成長が起こるためには，十分に長い拡散長($\Lambda \gg a$)が必要となるので，(再蒸発が起きない範囲で)高い基板温度で十分に遅い成長速度(τ_cを長くすることに対応する)で堆積を行う必要がある．また，多くの場合，研磨によって平坦な表面を露出した基板上に，F-Mモードでの2次元成長が行われる．実際の基板表面には単原子層高さの段差が存在する．基板表面の原子レベルで平坦な部分をテラス，テラスとテラスの間の段差をステップという．ある結晶方位からわずかに傾いた面で研磨した基板表面には等間隔で直線状のステップが現れる．このステップ間の平均距離(平均テラス幅)は$L = a/\tan\Delta\theta$(aは格子定数，$\Delta\theta$は基板オフ角)で与えられる．ステップは必ずしも直線状とならず，単原子幅の折れ曲がりが生じるが，この部分をキンクとよぶ．一般に，テラスよりステップの方が，ステップよりもキンクの方が吸着エネルギーが大きい．$\Lambda > L$の場合には，吸着原子はステップ上のキンクに取り込まれて成長が進行する．その結果，線状のステップがテラスに向かって前進する形で結晶成長が進むことになる．このような成長様式をステップ・フロー成長とよぶ．逆に$\Lambda < L$の場合には，テラス上での2次元核形成とその成長(2次元島成長)が支配的となる．

ヘテロエピタキシャル成長においては，基板と薄膜の格子定数が完全に一致していることが望ましい．このような状況を格子整合の状態であるといい，そうでない場合を格子不整合状態という．基板とエピタキシャル膜の格子定数の違いを表すパラメーターとして，格子不整合度(lattice mismatch あるいは misfit，ミスフィット)

$$f = \frac{a_f - a_s}{(a_f + a_s)/2} \simeq \frac{a_f - a_s}{a_s} \quad (1.15)$$

が用いられる．ここで，a_fとa_sは，それぞれエピタキシャル膜と基板の格子定数である．fがあまり大きくない場合には，薄いエピタキシャル膜は基板と面内格子配列を合わせて成長する(図1.8(a))．基板の厚さは多くの場合，数百μmであり，

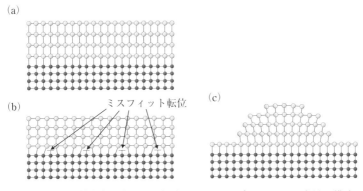

図 1.8 格子不整合($f>0$)がある場合のヘテロエピタキシャル成長の模式図．(a) コヒーレント(擬似構造)成長，(b) ミスフィット転位導入による緩和成長，(c) S-Kモードにおける島部分の格子緩和

エピタキシャル膜よりもはるかに厚いので，弾性ひずみがエピタキシャル膜内にのみ生じることになる．このようなエピタキシャル成長をコヒーレント成長，あるいは擬似構造(pseudomorphic)成長とよぶ．$f>0(<0)$の場合，擬似構造エピタキシャル膜の面内方向には2軸圧縮(伸張)応力が加わり，鉛直方向の格子定数は大きく(小さく)なる．エピタキシャル膜が厚くなるとより大きな弾性エネルギーが蓄積され，ある厚さを超えたところでヘテロ界面にミスフィット転位が導入されて，緩和した(本来の格子定数を取り戻した)エピタキシャル膜が成長することになる(図1.8(b))．半導体デバイスでは，転位のような格子欠陥はキャリアの再結合サイトとなりデバイスの特性劣化を招くので，擬似構造成長が望ましい場合が多い．擬似構造成長の可能な最大膜厚を臨界膜厚という．臨界膜厚の値は，格子不整合度が小さいほど大きくなる．臨界膜厚の理論的取り扱いの代表的なものとして，マシュウ(Matthews)とブレイクスリー(Blakeslee)による力学バランスモデル[4]

$$h_c = \frac{b}{8\pi f} \frac{1-\nu\cos^2\alpha}{(1+\nu)\cos\lambda}\left(\ln\frac{h_c}{b}+1\right) \qquad (1.16)$$

と，ピープル(People)とビーン(Bean)によるエネルギーバランスモデル[5]

$$h_c = \frac{1}{16\sqrt{2}\pi}\frac{1-\nu}{1+\nu}\frac{b^2}{af^2}\ln\frac{h_c}{b} \qquad (1.17)$$

が知られている．ここで，h_cは臨界膜厚，bはバーガースベクトルの長さ，νはポアソン比，αは転位線とバーガースベクトルのなす角，λは滑り面と界面の交線に

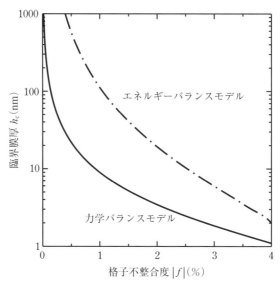

図 1.9 力学バランスモデル[4]（実線）とエネルギーバランスモデル[5]（一点鎖線）による臨界膜厚 h_c と格子不整合度 f の関係．GaInAs のような III-V 族化合物半導体を想定して以下のパラメータで計算した．$b = 0.4$ nm, $a = 0.57$ nm, $\cos\alpha = \cos\lambda = 1/2$, $\nu = 1/3$

垂直な面と滑り方向のなす角，a は格子定数である．f と h_c の関係の一例（閃亜鉛鉱構造の III-V 族化合物半導体を想定した場合）を図 1.9 に示す．一般に，臨界膜厚は格子不整合度にほぼ反比例し（$h_c \sim 1/|f|$），各種半導体の実験から得られた臨界膜厚は，多くの場合，この二つの理論値の間にあるとされている．

文　献

1) 日本学術振興会薄膜第 131 委員会 編：『薄膜ハンドブック 第 2 版』（オーム社，2008）I 編 1 章の表（吉田貞史）.
2) D. L. Smith : "Thin-Film Deposition : Principles and Practice"（McGraw-Hill Education, 1995）.
3) U. W. Pohl : "Epitaxy of Semiconductors : Introduction to Physical Principles"（Springer, 2013）.
4) J. W. Matthews and A. E. Blakeslee: J. Cryst. Growth, **27**（1974）118.; S. M. Hu: J. Appl. Phys., **69**（1991）7901.
5) R. People and J. C. Bean: Appl. Phys. Lett., **47**（1985）322.; **49**（1986）229.; S. M. Hu: J. Appl. Phys., **69**（1991）7901.

1.4 薄膜の応用

1.4.1 はじめに

　薄膜技術は，今日までの情報ネットワーク社会を牽引し，今後もIoT(internet of things)社会を支えていく技術であるが，その技術への要求も変わりつつある．過去には，材料のもつ素材特性を忠実に再現しその特性を発揮させることが重要な役割だった．しかし，薄膜材料ではその形成過程により，原子配列に周期性を有する結晶系，多結晶系とほぼ周期性を有さない非晶質，それらの中間的な状態の微結晶系の材料に加え，これまで自然界にはみられなかった有機結晶や有機・無機のハイブリッド系材料が研究対象として加わってきた[1]．また形状・形態としては，低次元系に多数の興味ある報告が行われている．材料の状態や形態が与える大きなインパクトの例として，炭素系材料であるフラーレンやカーボンナノチューブの登場がある．グラフェンのような2次元炭素材料に加えて，シリコン系でもほぼ2次元構成からなるシリセン[2]のような材料も研究されるようになった．これらの新材料を用いた新しい機能や性能のデバイス素子を目指して研究が進められていくであろう．本節では，「薄膜の応用」という観点でまとめた．

1.4.2 薄膜の特徴と応用

　薄膜は一般的に厚さ数nm～数μm程度で使用されるので，機能が発現する最も少ない量で資源材料の使用を済ませることが原理的に可能である．さらには，加工することによってさらに不要な部分を取り除くことが可能であり，取り除いた部分に含まれる元素は再利用できる場合もあり，とくに希少な元素には欠かせない技術である．また，取り除かれた領域には，導電機能がある物質がないため，半導体や導体(金属など)では電子やその他電荷の流れる場所を限定できる．このおかげで漏れ電流や寄生素子のような弊害を減らすことが可能になり，デバイスの設計に有用である．また，光透過性の基板上の薄膜を加工して素子を作製した場合には，加工し除去した部分の光透過を利用するような使い方も可能となる．今日，表示デバイスとして最も普及している液晶ディスプレイに使われる薄膜トランジスター(thin film transistor：TFT)アレイ(図1.10に概略を示す)はその典型であろう[3]．

　薄膜を用いるうえで，その薄膜のもつどのような特性を利用するのかについて，以下にまとめた．

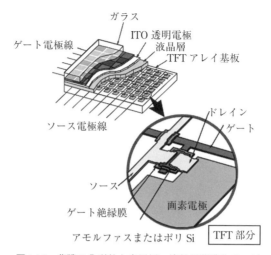

図 1.10 薄膜の典型的な応用例：液晶用薄膜トランジスター(TFT)アレイ

a. 薄 い 効 果

(1) 材料そのままの特性を使う

薄膜化による原材料の削減はコスト削減につながり，金，銀，白金などの貴金属や希少金属，半導体，希土類元素など希少資源使用の減量化が可能である．

(2) 加工による有限性を使う

パターン加工により薄膜を構成する材料の有効範囲を制限でき，積層化や配線パターン化のほか，空間的に絶縁したり立体形状の素子を得ることができる．

(3) 薄膜材料の光学物性を生かす

膜厚が波長の1/2程度でさまざまな光学特性が得られるため，光学干渉や屈折率の制御を複数種の薄膜積層で効果的に行える．例として，ポリカーボネート(PC)円盤上の記録層にレーザースポット照射で光相変化を引き起こし，屈折率や反射率を変えて情報を書き込む光ディスクメモリー(書き換え型のDVDやBD)などは，光学的な設計により屈折率や反射率の異なる材料からなる薄膜を積層し高密度な記録媒体としている典型的な薄膜デバイスである．

(4) 量子サイズ効果や局所ひずみを使う

薄膜には，薄いことや領域を制限することを反映したさまざまなサイズ効果が現れる．とくに，膜厚が電子の波長(ド・ブロイ波長)程度になると，電子状態は量子

化されサイズ量子効果が発現する．ナノオーダーのサイズで積層する超格子や量子井戸，ナノサイズの量子線や量子ドットにより2次元，1次元，0次元にキャリア閉じ込めを行うことができる．そのほかにも，局所的な結晶構造や結晶性の変化，化学結合状態の変化やサイズ効果に加え，格子ひずみによるキャリア寿命の制御が行える場合もある．

b. プロセスの効果

薄膜プロセスを経ることにより，バルクと異なる特徴が発現する場合が多い．薄膜化プロセスは，必ず原材料の分解，分解生成物の輸送，基板／基体上での再構成の過程を経て行われており，その結果，組成のずれ，結晶構造や結晶性の乱れや変化，化学結合状態の変化，欠陥やひずみの導入などによるさまざまな現象が起こる．

(1) 低温作製プロセスの利用

樹脂などの低融点基板の使用が可能であると同時に，下層物質への損傷を防ぎ，混合・合金化や相互拡散の防止が可能となる．

(2) 非平衡プロセスの利用

平衡状態では作製不可能な組成の材料が合成可能となり，同時に作製条件によって結晶構造や相状態(アモルファス，微結晶など)を制御でき，電子状態を変化させることが可能となる．

(3) プロセス中の粒子エネルギーや表面エネルギーの利用

下地の表面エネルギーをあらかじめ変調することにより膜構造や欠陥，ひずみの制御を行うことができる．またそのひずみを利用して結晶の自己制御(自己組織化)成長を行うことができる．

S-K(Stranski-Krastanow)法[4]は半導体量子ドット作製手法としてよく知られており，InAs-GaAs積層系がこの場合の代表例である(InAsの格子定数はGaAsの格子定数に比べ7.2％も大きい)．GaAs結晶上にInAs量子ドットが1層成長すると，ひずみ場が形成される．InAs量子ドットを埋め込むため，この上にさらにGaAsが堆積されると，ひずみ場と表面の局所的曲率が新たに堆積されるGa原子の表面化学ポテンシャルを増加させ，新たに堆積されるGa原子がまず表面化学ポテンシャルの低い平坦な表面に移動し，GaAs層はInAs量子ドットの周囲の表面に堆積していく．次に，InAs層を堆積させはじめると，In原子の表面化学ポテンシャルは，GaAs層の上に濡れ層を形成したほうがInAs層の上に形成するよりエネルギーが低く，またGaAs層の上に濡れ層を形成するIn原子の表面化学ポテンシャ

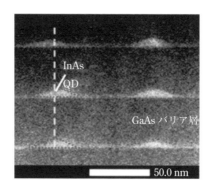

図 1.11 S-K 法による自己組織化量子ドット形成
〔Y.Shoji, R.Oshimaa, A.Takata, and Y.Okada: J.Crystal Growth, **312**（2010）226 より〕

ルは，大きいひずみを有する InAs 量子ドットの頂点付近にある In 原子の表面化学ポテンシャルに比べて低いので，InAs 量子ドットの頂点付近が再蒸発しながら，GaAs 層の上に濡れ層としての堆積が同時進行する．その結果，図 1.11 のように InAs 量子ドット頂点上に InAs 量子ドットが繰り返し成長される[5]．

c. 表面効果と界面効果

（1） 表面効果の利用

薄膜における固体表面はバルクに比べ欠陥，ひずみが多く導入される．また，表面自体を面欠陥とみなすことができる．また膜表面ではとくに結合状態や組成，構造がバルクと著しく異なり，その表面効果による化学的，電気的，光学的特徴が顕著に異なる場合がある．また，超薄膜やそれらを繰り返し積層した超格子（人工格子）などにおいては構成する原子の総数に対し表面や界面の原子が占める割合が増大しさまざまな特異な現象が起こる．こうした現象を利用する場合もあり，薄膜特有の効果を知っておく必要がある．

液晶ディスプレイ（liquid crystal display：LCD）用の TFT で用いられている薄膜半導体層やシリコンヘテロ接合太陽電池でヘテロ半導体層として使われている水素化アモルファスシリコン（a-Si:H）では，膜内にシリコンと結合して含まれている水素原子が Si のダングリングボンドを終端することにより，半導体の機能を保っている．一般に，結晶シリコン表面や水素化アモルファスシリコンとゲート絶縁膜との界面では終端効果が失われ，ダングリングボンドが増大する．それを回避するため，薄膜トランジスターでは，半導体層／ゲート絶縁層界面には水素を含

む窒化シリコン(a-SiN$_x$:H)を用いることにより界面での欠陥誘起を防いでいる．また単結晶シリコン太陽電池では，pn接合を形成する界面に前述した水素化アモルファスシリコンを用い，p-i(a-Si:H)/c-Si/i-n(a-Si:H)のヘテロ構造とすることにより，結晶シリコン表面を水素終端すると同時に，a-Si:Hに内在する負の固定電荷による電界効果パッシベーション(少数キャリアの表面再結合を防ぐ効果)を得ている[6]．

(2) 界面効果の利用

基板と薄膜，薄膜と薄膜との界面にはバルクや表面とは異なる現象が生じる．異種材料が接触する界面には特有の形態，結晶構造，原子配列，原子結合状態が存在し，多くの欠陥，ひずみを内包している．こうした界面特有の構造は界面の電気特性，磁気特性，力学特性，光学特性を変化させ，結果的に薄膜デバイスの機能，特性，信頼性などに著しい影響を与える．界面効果により発現する機能を表1.2にまとめた．

代表的な界面の電気特性にはオーミック接合と整流接合があり，それらが使用環境下で変化し，素子の電気特性を変化させる．界面電気特性を維持するためには安定な界面接合構造の構築が必要である．また，界面機械特性には，接合強度や機械強度などがある．異種材料の接合界面に拡散層や反応(合金)層などが形成され接合強度が増強される場合がある．界面に導入される転位や欠陥，さらには応力などによる力学特性低下を構造制御やプロセス制御により克服できる場合がある．界面磁気特性では，磁性薄膜の界面におけるスピン交換相互作用の制御がある．1～2 nm

表1.2 界面があることにより発現する機能

---

① 界面での電子(電気)物性制御
　　オーミック性　→　界面電気抵抗の低減
　　整流性　→　電子，ホールの注入障壁の制御，逆耐圧性向上
② 界面機械物性制御
　　界面反応制御　→　密着性向上／剥離防止，トライボロジー制御
　　転位，応力の制御　→　機械的強度向上
③ 界面磁気物性制御
　　電子スピン交換相互作用制御　→　巨大磁気抵抗効果
④ 界面光学物性制御
　　反射，屈折制御　→　反射防止，増反射
　　複屈折　→　位相差，偏光制御
⑤ 物理化学特性制御
　　はっ水／親水／脱ガス特性　→　濡れ性の制御
　　抗菌性，分子認識効果　→　付着・吸着の選択性

の膜厚の Cu/Co 多層膜界面でのスピンの挙動により膜の磁気抵抗が数十％も変化する巨大磁気抵抗(giant magnetoresistance：GMR)効果は，積層した界面での磁気特性制御の重要性を端的に示す例であり[7]，磁気ヘッドに応用された．また，光学特性では界面における透過，反射，吸収，偏光の制御を用いた種々の光学多層膜の設計・製造が行われている．

薄膜の特異な物性発現による新機能を探求することは薄膜の応用開発では欠かすことはできない．今後も研究が増えていくことが期待される．

d. 薄膜特有の構造を利用する

(1) 表面構造の利用

表面効果の項でも述べたが，薄膜では作製法により，水素やフッ素などが結合状態に近い状態で薄膜を形成している場合が多い．最もよく知られている例として，水素化アモルファスシリコンやフッ素化アモルファスシリコン(a-Si:F, a-Si:HF)などが挙げられる．これらは，基板上へ堆積する場合やほかの薄膜と積層した場合，下層や上層へH原子やF原子を供給する役割を果たす場合が多い．製膜が非平衡で行われるため，これらH，F原子がすべて同じような安定結合状態にはなく，不安定な表面からより安定な位置へ移動する．このような特色を生かし，下層や上層の界面・表面や内部の欠陥を水素化やフッ化し不活性化(パッシベーション)することが可能となる．このような効果は，酸化物への酸素，窒化物への窒素，硫化物への硫黄などの欠陥補償や半導体欠陥への水素補償などに適用されている[8]．

(2) バルク構造の利用

薄膜作製には，薄膜内部における不純物，構造欠陥や電子状態の乱れが避けがたく付きまとう．これまでは，このような現象は不都合なもの，質の悪いことの指標とされ疎まれた性質であったが，近年では，そのような固有な特性の効果を用いることも行われている．図 1.12 に示すような単結晶シリコン太陽電池において水素化アモルファスシリコンに内在する固定電荷によるバンドベンディングや少数キャリア反射効果がその例である．また，原子層堆積(atomic layer deposition：ALD)法によって作製された絶縁性酸化アルミニウム(a-Al_2O_3:H)では水素終端効果は少ないものの，内在する負の固定電荷が安定でかつ大きな値を示すことから，高い電界効果パッシベーションを示す[9]．プラズマCVDによってシラン(SiH_4)とアンモニア(NH_3)を含む原料ガスから作製された水素含有窒化シリコン(a-SiN_x:H)は，水素終端効果に加え，正の固定電荷が内在することからそれぞれ高効率太陽電池の実現に向けた研究開発に利用されている[6]．

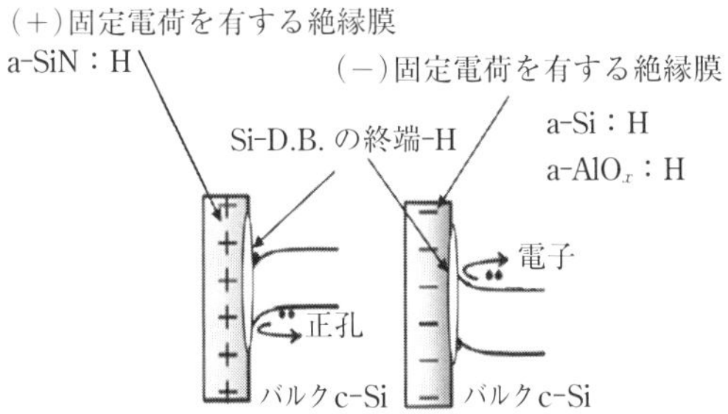

図 1.12 薄膜内の固定電荷による電界効果
(D.B.：ダングリングボンド)

1.4.3 薄膜作製法と応用

a. 応用からみた薄膜形成過程

　薄膜作製法には1.3節「薄膜形成技術」で説明があったように薄膜作製技術には種々の方法があり，製膜環境により気相法，液相法，固相法に大別される．詳しくは2章の各節に譲るが，気相法は大きくは物理気相成長（PVD）法と化学気相成長（CVD）法に分けられ，CVD法では原材料の気相中での分解反応のみならず分解物質や中間生成物が基板上での堆積成長過程においても表面もしくは表面近傍での化学的な反応が関与する．このCVD法の反応過程の多様さがPVD法に比べさまざまな薄膜の作製を可能にしているが，PVD法でもCVD法でも，薄膜成長表面での化学的な反応は存在する．この化学反応に対して光照射などによってエネルギー供給する手法に期待が寄せられている．一方，液相成長法には，液相中での化学反応を用いるめっきなどの手法と，出発材料であるアルコキシド溶液の気相中での加水分解反応を利用するゾル・ゲル法とに分けることができる．ゾル・ゲル法はその化学反応過程に多くの改良，工夫が検討されており，応用面からも今後もさらなる発展が期待される．とくに，多元系化合物の低温反応法や光反応法の新しい手法として期待され，研究開発されている．また応用例は限定的であるが，固相成長法は，基本的に機械的な作用を固体原料に与える手法であり，金属に圧力を加えて薄く引き伸ばしていくような方法と，固体間の局所高圧接触による微小表面での機械的化学（メカノケミカル）反応を利用した薄膜成長法が挙げられる．前者の例は，金箔作製が典型例であり，後者では，黒鉛粉末中でセラミックス球や金属球を撹拌し球表面へのグラファイト膜の成長により潤滑膜として利用する例が挙げられる．これら

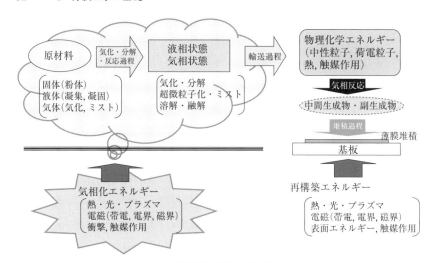

図 1.13　薄膜形成過程の概念的フロー

さまざまな薄膜形成過程を一般化した概念フローを図 1.13 にまとめた.

　これまで使われてきた薄膜作製方法が多数あるにもかかわらず，特定のデバイスの研究では限定された薄膜作製法が選択されている場合が多い．薄膜機能の研究や実用化のうえで好ましい方向を見いだす指針の参考として，薄膜の作製方法と主な部品やデバイスへの応用をまとめた表が文献 10 に示されている．この表には作製法が選ばれたポイントとなる点も示してあるので参照されたい．同じ応用であっても，最適な薄膜作製方法は技術の進化や生産活動や事業の変遷によって変わっていく場合も多いので，あくまでも参考例としてみてほしい．

b.　薄膜プロセスと応用[11〜13]

　薄膜の研究開発の目的は，機能デバイスや防蝕・構造・装飾などの機能を通じた産業への利用である．薄膜作製法，膜特性，付着性や耐久性，生産性を含めた全体をプロセス技術として捉えた総合的な理解が必要である．実際に薄膜作製法は特性，信頼性，生産性と大きく関わっている．

　目的とする機能の薄膜を作製するにはさまざまな方法が考えられる．一例として，SiO_2 膜を作製する場合を例に解説する．SiO_2 膜は真空蒸着法，スパッタリング法，熱 CVD 法，プラズマ CVD 法，ゾル・ゲル法などのいずれの方法によっても作製することができる．また，SiO_2 膜には透明低屈折率材料としての光学応用，半導体素子絶縁膜応用，センサー用誘電体膜応用，電子デバイス保護膜応用，ガス

バリア膜応用，耐摩耗性硬質膜応用などがある．さらに，それぞれの目的に応じてSiO_2膜そのものに求められる厚みや物性は異なり，基板との密着性，使用環境下における信頼性要求なども異なる．また，膜の生産性も製品の付加価値を念頭に費用対効果を考慮する必要がある．その薄膜作製法はどのような指針によって決めればよいのか，難しい判断となる．半導体分野では通常CVD法によりSiO_2膜を作製するが，SiO_2膜を手軽に作製する場合はスパッタリング法が選択されることも多い．また，装飾用途で透明であることのみが重要な場合は，SiOなどの固体を原料とした真空蒸着法がよいとされている．生産現場でのこうした選択は長年の経験と実績に基づく判断でありおおむね正しいが，膨大なノウハウとデータの蓄積が前提となっている．SiO_2膜の開発を単に製膜技術の問題として捉えるのではなく，膜の特性，用途，信頼性，生産性を考慮したうえで方向性を決めることが重要である．

製膜は通常は図1.13に示す複雑な薄膜プロセス（過程）をたどることになるが，ここでは個々の製膜技術とは無関係に一般化した薄膜プロセスを考える．(1) 分解過程，(2) 輸送過程，(3) 膜成長過程のそれぞれで生じている特徴的な作用をしっかり認識しておくことが，選んだ薄膜作製法が用途に適しているかどうかの判断基準になる．

(1) 分解過程

薄膜作製プロセスの第1段階は出発材料の分解からはじまる．例えば，真空蒸着法やスパッタリング法の場合，出発材料の形態は有機，無機を問わず固体であり，板状，粒状または粉末である．CVD法の場合は水素化物，塩化物，フッ化物，炭化水素系，硫化物などの化合物ガスである．また，ゾル・ゲル法の場合，金属アルコキシド溶液が用いられる．原材料の分解過程においては分解に必要なエネルギーは外部から加えられる．分解プロセスのエネルギー源としては，ヒーター加熱，通電または電子ビーム，イオンビーム，光子（レーザー）などの照射による温度上昇により原材料の分解が起こる．原材料は原子や分子またはクラスターに分解され，それらに固有の蒸気圧と気相圧力との平衡により気相に飛び出す．薄膜作製法やその特有の応用などに関しては真空蒸着法，スパッタリング法，CVD法については2章各節に詳しい解説を譲るが，例えばスパッタリング法では放出粒子は10～20 eVの大きな平均運動エネルギーを有する（図1.14）という特徴があり[14]，これら粒子のもつ運動エネルギー分布は下地の基板や膜層に多大な影響を与える．真空蒸着やレーザー蒸着においては，粒子の運動エネルギーは一般に数meV～数百eV程度で

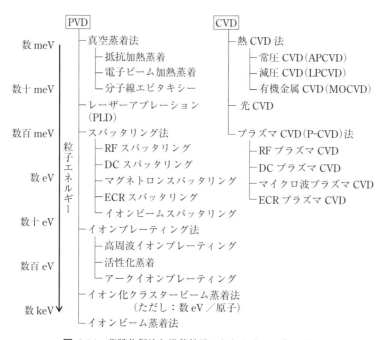

図 1.14 薄膜作製法と堆積粒子のおおよそのエネルギー

ある[15]．基板に到達した粒子の構成とそれらの運動エネルギーによりさまざまな特徴のある薄膜となり，特性や機械的性質に強く影響する．

(2) 輸送過程

分解された原材料粒子は通常気相中を移動し，基板上に到達する粒子の一部が薄膜固体となる．移動途中で製膜粒子は気相中の原子や分子との衝突や反応を繰り返しその移動方向，形態，運動エネルギーを変化させる．輸送過程における変化は薄膜の基本特性や信頼性などと密接に関連する．高真空での真空蒸発においては気相中での衝突は無視することができるが，0.1～1.0 Pa のガス中で行われるスパッタリング法や 10～1000 Pa において行われる CVD 法では，ガス分子との衝突を繰り返しながら移動するので，その進行方向や運動エネルギーが大きな影響を受ける．とくに多くの原子，分子を含む気相中で製膜する CVD 法や大気圧中で行われる製膜法においては，この輸送過程の考察が重要となる．数 Pa 以上の雰囲気下で行われるスパッタリング法や CVD 法において輸送過程で起こる個々の衝突や反応の素過程は解析的に解くことができても，結果として生成する薄膜の構造や特性に与え

る影響を予測推定することは困難とされている.
(3) 膜成長過程[16,17)]

原材料は分解,輸送過程を経て基板上に堆積・成長し薄膜となる.基板表面での膜成長過程については1.3節で述べた.薄膜の成長は基板の温度に影響を受けるが,一般に,基板温度が十分高く,熱平衡状態に近い状態における反応は原子の拡散を容易にし,凝集状態をエネルギーの最も低いバルクに近い状態にすることを可能にする.このことにより,化学量論的組成の薄膜や結合の完全性が高い構造をもった薄膜の作製が実現される.一方,熱平衡状態からずれた非平衡的な方法ではさまざまな組成や構造をもつ準安定状態の薄膜も形成できる.多数の原子が一度に基板に到達する高速製膜条件下においては,原子どうしが衝突し結合するまでの時間が短くなり,吸着原子が基板表面のより安定な位置を選ぶことができず,非熱平衡状態での薄膜特有の組成や結晶状態が現れる.熱ではない種々のエネルギーを薄膜成長表面に与えることが可能であれば,基板温度によらず結晶性のよい結晶薄膜や緻密な非晶質薄膜を得ることが可能となる.

c. 薄膜成長と粒子エネルギー

基板に到達する薄膜形成に関与する粒子は,薄膜作製法や作製条件,さらには基板の表面エネルギー,与えられるエネルギーに影響され,基板表面での振る舞いは異なる.基板に到達する粒子の作用は,大きく分けてその粒子がもつエネルギーの大きさに応じて,基板やすでに形成されている膜層上への膜形成,エッチング,ドーピングの3種類の作用を及ぼす(図1.15).実際の製膜では粒子エネルギーは

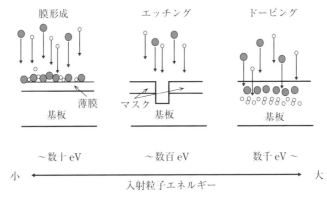

図 1.15 粒子エネルギーによって異なる基板・膜表面での現象

36   1　薄膜工学の基礎

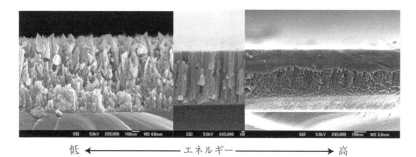

低 ←――――――エネルギー――――――→ 高

図 1.16　スパッタリング法による ZrO 薄膜の粒子エネルギーによる構造変化
〔岩坪　聡：富山工業試験所技術報告 No. 103 (2008) p. 2 より〕

幅広く分布し，すべての作用が同時に起きており，それらの競争過程において最も頻度の大きい優勢な作用が表向きの現象として現れる（製膜しているからといってほかの作用が発生していないのではなく，頻度は低いが起きている）．スパッタリング製膜中の粒子エネルギーを大きく変化させた場合の ZrO 薄膜の組織変化を図 1.16 に示す[18]．粒子エネルギーは，基板への影響や密着性，相互拡散など多岐にわたる事項に影響を及ぼす．図 1.14 には各種製膜法の粒子エネルギーの違いを概念的に表したが，実際には薄膜作製装置や使用条件に依存するので具体的なエネルギー値は省いている．大まかな傾向として参考にしてほしい．

d.　薄膜応用の実際

（1）　信頼性の確保

薄膜プロセスと応用の最終目標は，デバイスや製品の実用化と産業化である．薄膜の産業応用にとって重要な事項は，使用環境下における特性の維持，信頼性の確保である．実際に，開発された薄膜が長期信頼性の問題のため実用化に至らなかった事例は多数ある．実使用における薄膜の劣化は，使用環境からの外的要因（熱，圧力，化学環境）による膜および界面の変質が原因である．薄膜のプロセス開発や最適化により膜自身の耐久性を向上させることに加えて，異種材料が接触する界面の耐久性を向上させることが極めて重要である．界面は一般的に熱力学的に不安定で，外部ストレスにより変質しやすいといわれている．

（2）　積層薄膜の課題

機械的応用の場合には（界面近傍で生じる課題は残るが）複数の膜を積層することによってそれぞれの機械的な短所を補償する場合が多い．一方，電子デバイスなどでは，性能を引き出すために異種の材料や金属電極などの異なる性質の薄膜を積層

して作製される場合がほとんどである．このように積層する場合，上層の薄膜プロセスや上下層のそれぞれの構成原子が相互に拡散することにより下層に存在する薄膜の機能や特性が損なわれることが多い．

例えば，ガラス基板上の酸化物透明電極（$In_2O_3:Sn$(ITO)やSnO_2）膜，光キャリアを発生させ分離するためのアモルファスシリコンp型層，i型層，n型層の積層膜，金属電極（Alなど）膜の構成からなる太陽電池では，ITOとアモルファスシリコンの界面において，プラズマCVDプロセス中に発生する水素プラズマによりITO薄膜の還元損傷で，In原子とO原子がアモルファスシリコン層へ拡散するという現象が生じる．SnO_2は耐還元性が比較的良好で，結果的に太陽電池の特性もSnO_2を用いた場合のほうが良好であるとされる[19]．

1.4.4 薄膜形成の高品質低温化

a. 薄膜作製の低温化とその意義

半導体や誘電体などの薄膜は単結晶か構造的に欠陥の少ない非晶質状態で用いられる場合が多いが，そこでは欠陥が少ない材料ほど高い性能を示す．このような機能性薄膜では，膜堆積直後の欠陥が多い混沌とした状態から，エントロピーが十分低い，安定した結晶状態に移行するのに必要なエネルギー，つまり結晶成長や構造的な緩和に必要なエネルギーの大部分を「熱」エネルギーに求めている．例えば，SiH_4ガスを原料とするCVDでのシリコンのエピタキシャル成長では，基板温度は約1000℃[20]であり，多結晶シリコン薄膜でも550℃以上の温度が必要である[21]．不揮発メモリーなどで実用化されつつあるPZT（$Pb_{1-x}Zr_xTiO_3$）などの強誘電体薄膜では，配向性が良好な結晶を得るためには600℃以上の基板加熱が必要であるとされている[22]．低温でも作製できる半導体や絶縁体としては，a-Si:HやSiN$_x$が挙げられるが，太陽電池として有用な良好な光電気伝導を有するアモルファスシリコン薄膜は200～300℃の基板温度が必要であるとされている[23]．

コスト削減や大面積化などの観点から製膜プロセスの低温化は望ましい方向である．実際に低温で（デバイスに使えるという意味で）良質な材料形成に関しては，薄膜プロセスを選択することである程度実現されているが，得られた薄膜がデバイスや材料特性として機能するかどうかの判断はかなり困難である．それでも，薄膜を低温で作製する意義は今後ますます高まることは間違いない．

b. 薄膜形成低温化の実際

酸化物結晶薄膜の低温形成では，基板加熱に代わる成長表面でのエネルギー供給

制御や初期成長状態の表面修飾を行うことが有効である[24]．基板や堆積表面における光エネルギー利用は極めて効果的で期待が大きい．今後も光源の進歩に伴いさらに利用範囲が広がると予想される．薄膜プロセス低温化と高品質製膜との両立に向けた有力な技術である．

シリコン系薄膜の低温形成では，従来の平行平板型のプラズマ CVD で堆積前駆体を変えるには，例えば水素多量希釈などのガスの混合比を極端に変えるか，大電力を投入して反応性ラジカル密度を多少変化させる手法しかなかった．それに対し，プラズマの発生する圧力域を変えると，プラズマ中の電子温度が大きく変化し，結果的に SiH_4 や H_2 ガスの励起，解離，分解の状態が大きく変化する．マイクロ波電子サイクロトロン共鳴（electron cyclotron resonance：ECR）プラズマや誘導結合プラズマ（inductive coupling plasma：ICP）を用いたプラズマ CVD では，プラズマを低圧下で生成し，高密度でかつ電子温度を大幅に高くできることにより，多量な原子状水素の生成やプラズマ中の堆積前駆体などの変化をもたらし，低温形成に大いに効果的であるといえる[25]．これらは酸化シリコンや窒化シリコンのようなシリコン系絶縁薄膜にも応用可能な手法である[26]．

低温形成技術の開発において単結晶のような完全なものを追求することは，研究フェーズにおける開拓者精神として，特殊な装置を用い特殊な環境での限られた領域ではあり得ることかもしれない．しかしながら，工業的にはあまり結晶性にこだわることではないといってよい．低温形成で得られる利点を十分生かし切れるような場面で使える技術として，求めていくべきであろう．イオンビームスパッタリングや高密度プラズマ CVD も生産現場ではほとんど用いられていないのが現状である．低温形成のメリットは大きいが，産業現場への導入は極めて困難な作業である場合が多い．これらの技術・手法の問題点をどのように克服していくかが大きな課題である．

1.4.5　おわりに

薄膜の応用に関し，応用からみたプロセスの捉え方を述べてきた．大きなパラダイムシフトが起こる可能性を見極めながら，今後は低温形成や高速形成，高品質化さらに超薄膜領域などにもイノベーションを生み出していく必要がある．今世紀中には新たな潮流として有機材料・デバイスや生体応用など柔らかな物質が大いに発展していくものと思われる．これらとの整合性を実現するには薄膜プロセスの低温化・低ダメージ技術が必須であろう．これらから今まで以上に幅広い応用を生み出

す可能性を秘めている分野であるといえよう．

文　献

1) J. Fan, B. Jia, and M. Gu : Photon. Res., **2**（2014）111.
2) Z.-X. Guo, S. Furuya, J. Iwata, and A. Oshiyama : J. Phys. Soc. Jpn., **82**（2013）063714.
3) K. Sera, F. Okumura, H. Uchida, S. Ito, S. Kaneko, and K. Hotta : IEEE Electron. Devices Lett., **EDL-7**（1986）276.
4) D. Bimberg, M. Grundmann, and N. N. Ledentsov : "Quantum Dot Heterostructures"（John Wiley and Sons, 1999）.
5) Y. Shoji, R. Oshimaa, A. Takata, and Y. Okada : J. Crystal Growth, **312**（2010）226.
6) 宮島晋介：プラズマ・核融合学会誌，**85**（2009）820.
7) M. N. Baibich, J. M. Broto, A. Fert, F. Nguyen Van Dau, F. Petroff, P. Etienne, G. Creuzet, A. Friederich, and J. Chazelas : Phys. Rev. Lett., **61**（1988）2472.
8) A. Matsuda, K. Kumagai, and K. Tanaka : Jpn. J. Appl. Phys., **22**（1983）L34.
9) B. Liao, R. Stangl, T. Mueller, F. Lin, C. S. Bhatia, and B. Hoex : J. Appl. Phys., **113**（2013）024509.
10) 北川雅俊：『薄膜ハンドブック 第 2 版』（日本学術振興会薄膜第 131 委員会 編），1.3.1 項（オーム社，2008）p. 616.
11) Y. Taga : Surface and Interface Analysis, **22**（1994）149.
12) Y. Taga : Surface and Coating Technology, **112**（1999）339.
13) M. Suzuki and Y. Taga : Phys. Rev. B, **52**（1995）361.
14) 森本章治：『薄膜ハンドブック 第 2 版』（日本学術振興会薄膜第 131 委員会 編），I 編 2.1.1 項（オーム社，2008）p. 219.
15) J. A. Thornton : Ann. Rev. Mater. Sci., **7**（1997）239.
16) 福井孝志：『実用薄膜プロセス』（齋藤文良，多賀康訓 監修），2.1.1 項（エヌ・ティー・エス，2009）p. 115.
17) 鈴木基史：『実用薄膜プロセス』（齋藤文良，多賀康訓 監修），2.2.1 項（エヌ・ティー・エス，2009）p. 126.
18) 岩坪　聡：富山工業試験所技術報告 No. 103（2008）p. 2.
19) M. Kitagawa, K. Mori, S. Ishihara, M. Ohno, T. Hirao, Y. Yoshioka, and S. Kohiki : Jpn. J. Appl. Phys., **26**（1987）L231.
20) 菅原活郎：『CVD ハンドブック』（化学工学会 編），II 編 1.1.2 項（朝倉書店，1991）p. 67.
21) 菅原活郎：『CVD ハンドブック』（化学工学会 編），II 編 1.1.3 項（朝倉書店，1991）p. 68.
22) 徳光永輔：『図解・薄膜技術』（日本表面化学会 編），4.2.3 項（培風館，1999）p. 154.
23) A. Matsuda : Proc. 10th Symp. ISAT '86 Tokyo（1986）2351.
24) I. Kanno, S. Hayashi, T. Kamada, M. Kitagawa, and T. Hirao : Jpn. J. Appl. Phys., **33**（1994）574.
25) Y. Sakamoto : Jpn. J. Appl. Phys., **16**（1977）1993.
26) 伊野洋一，佐々木正巳，沼尻憲二：Semiconductor World, **1**（1985）73.

2 薄膜作製法

2.1 真空蒸着法・MBE法

2.1.1 はじめに

　真空蒸着法は1.3節で述べられている薄膜作製法の分類中の物理気相堆積(physical vapor deposition：PVD)法に属し,真空中で物質を加熱蒸発(evaporate)させて,基板に付着(deposit)させ薄膜を作製する方法である.しかし,英語では蒸着法は単に"evaporation method"(蒸発法)とよばれている[1,2].蒸着は通常真空中で行われる.このため,"真空蒸着"(vacuum evaporation)とよばれることが多い.

　蒸着の歴史は古く,19世紀の中頃に遡り,そのはじまりは1857年ファラデー(Faraday)の金属線爆発蒸発による金属膜の作製といわれている[3].しかし,今日のような蒸発源を用いた蒸着が行われるようになったのは20世紀になってからである.真空蒸着の目的は当初は光学薄膜の作製が中心であり,酸化物やフッ化物などの透明膜を用いた反射防止膜や金属膜反射鏡であった.これらの膜は非晶質か多結晶である.しかしその後,抵抗体,配線,コンデンサー電極などの金属膜形成に,そしてさらに真空技術の向上と相まって半導体薄膜の形成にも蒸着が適用されるようになった.そして,マイクロエレクトロニクスやナノエレクトロニクスを牽引する技術となったが,今や多くのものづくり産業に不可欠な基礎技術ともなっている.半導体では単結晶膜,すなわち単結晶基板上へのエピタキシャル成長が求められる.当初は液相エピタキシャル法が主に用いられた.しかし,超格子作製の要求などから原子層オーダーでの膜厚制御が必要となり,その点で優れた蒸着によるエピタキシャル成長が試みられた.それが分子線エピタキシー(molecular beam epitaxy：MBE)法である[4].

　このように,真空蒸着技術の発展は真空技術の発展に負うところが大きい.で

は，なぜ蒸着には真空が必要なのだろうか．どのくらいの真空が必要なのだろうか．最近の真空技術の発達は蒸着をどう変えてきたのか．単体元素の膜を蒸着で作製する場合，その元素を蒸発させればよい．しかし，化合物の場合どうだろうか．化合物自体を加熱蒸発することによって化合物薄膜が得られるだろうか．

本節では，まず真空蒸着での真空の役割を蒸着の三つの素過程に分けて考え，蒸着の機構と蒸着装置について述べる．続いて，化合物薄膜の蒸着とその発展形である分子線エピタキシー法について概説し，最後に励起種を用いた蒸着法を取り上げる．

2.1.2 真空蒸着法

a. 蒸着と真空

蒸着は1.2節で述べたように通常真空中で行われる．そこでまず，なぜ蒸着に真空が必要なのか，どの程度の真空が必要であるかを考えてみよう．蒸着は (i) 蒸発，(ii) 蒸発源から基板への原子あるいは分子の飛行(輸送)，および (iii) 基板上への付着・膜形成，の三つの過程に分けることができる(図2.1)．そこで，三つの過程のそれぞれにおける真空の役割を考えよう[5]．

まず，蒸発における真空の役割を考えてみる．蒸発温度は蒸発させたい物質によって違うが，蒸気圧が1 Pa程度になる温度としてAgで約1000℃，Auで約1300℃である．このような高温に加熱するには，通常Ta, Mo, Wなどの高融点

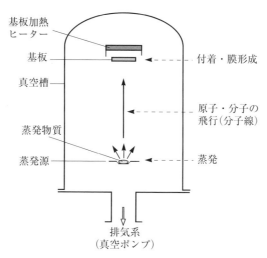

図 2.1 真空蒸着の三つの過程

金属の通電加熱が用いられる．高温の蒸発源や蒸発物質の酸化や窒化を防ぐために，O_2 や N_2 の排除，すなわち真空が必要である．どの程度の真空が必要であるかは，蒸発源や蒸発させる物質が酸化物や窒化物をつくりやすいか否かに依存する．Ag や Au といった貴金属では $10^{-2} \sim 10^{-3}$ Pa 程度で十分であるが，酸化しやすい Al や Fe などではより高真空を必要とする．また，電子ビームを使った蒸発源では，電子を $5 \sim 10$ kV 程度に印加加速して蒸発源に衝突加熱させる．このような高電圧を印加したとき放電が起きない程度の真空が必要であり，やはり $10^{-2} \sim 10^{-3}$ Pa 程度の真空が必要である．

蒸発源から蒸発した分子または原子が基板に到達する前に残留ガス分子と衝突すると，散乱されて基板に分子が到達しなかったり，残留ガス分子と反応して化合物をつくったり，また蒸発分子どうしが衝突して微粒子を形成する．蒸発分子が残留ガス分子と衝突することなく基板に到達するのに必要な真空度を見積もってみよう．分子運動論によれば[3,6]，熱運動している分子がほかの分子に衝突することなく直進できる平均距離(平均自由行程) Λ は，窒素分子を考えたとき，圧力 P，室温(300 K)でおよそ，

$$\Lambda(\mathrm{m}) = \frac{0.008}{P(\mathrm{Pa})} \tag{2.1}$$

となる．図 2.2(a) に真空度と平均自由行程の関係を示す．例えば 10^{-2} Pa のとき，Λ は約 0.8 m となる．通常，蒸発源と基板との距離は $10 \sim$ 数十 cm 程度であるから，蒸発分子が残留ガス分子と衝突せずに基板に到達するのに必要な真空度はおよそ 10^{-2} Pa 以下であることになる．

基板表面には蒸発分子だけでなく，残留ガス分子も絶えず入射している．その頻度 J は，酸素分子($M=32$)を考えたとき室温(300 K)で，

$$J \sim 3 \times 10^{22} P (\text{個}/\mathrm{s} \cdot \mathrm{m}^2) \tag{2.2}$$

となる(図 2.2(b))．一方，基板に入射する蒸発分子は膜堆積速度を毎秒 1 原子層とすれば，$10^{18} \sim 10^{19}$ 個/$\mathrm{s} \cdot \mathrm{m}^2$ に相当する．よって，$P = 10^{-3} \sim 10^{-4}$ Pa のとき基板に入射する蒸発分子と残留ガス分子の数が等しくなる．もちろん，入射した残留ガス分子がすべて膜中に取り込まれるわけではないが，膜中の不純物となったり，あるいは化合物を形成する．よって，不純物を含まない膜を作製するためには 10^{-3} Pa 程度以下の真空度が要求される．

蒸着に必要な真空度は，蒸着物質が残留ガスに対して活性であるか否か，また混入する残留ガスに膜の物性が敏感であるか否かによって違ってくる．半導体膜中の

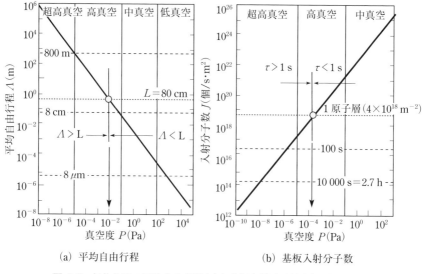

図 2.2 気体分子の平均自由行程(a)と基板入射分子数(b)の真空度依存

10^{20}〜10^{21} m^{-3} オーダーの不純物制御を考えると,必要な真空度は 10^{-7} Pa 以下となる.また,式(2.2)より,10^{-6} Pa でも 10^3 s,すなわち 15 min 程度で基板表面は残留ガス分子に覆われてしまう.このため,清浄な表面上への膜形成が必要な場合には 10^{-6} Pa 以下の超高真空が必要となる.

b. 真空蒸着の機構
(1) 蒸発

蒸着では,蒸着したい物質あるいはその構成元素を加熱蒸発させる必要がある.固体あるいは液体と熱平衡にある蒸気の圧力(平衡蒸気圧)P_v は,蒸発熱 $\Delta_e H_v$ が温度によらないとすれば,

$$\log P_v = A - \frac{\Delta_e H_v}{RT} \tag{2.3}$$

と書き表される.ここで,A は定数,R は気体定数,T は絶対温度である.熱平衡状態では液相に入射凝縮する分子数と蒸発分子数は等しいので,蒸発分子数 J は P_v を Pa 単位で表して,

$$J = 5 \times 10^{20} \frac{\alpha P_v}{\sqrt{MT}} \tag{2.4}$$

で与えられる．ここで，Mは分子量，αは凝縮係数である．式(2.3)，式(2.4)より蒸発分子数は，

$$J \propto \exp\left(-\frac{\Delta_e H_v}{RT}\right) \tag{2.5}$$

となり，温度によってのみ蒸発分子数が決まることになる．実際の蒸発源では決して熱平衡になっていない．しかし，図2.3のような蒸発源(クヌーセン(Knudsen)セル：Kセル)で，蒸発面積に比べて開口面積が十分小さく，ここから失われる分子の数が無視できるとき，セル内は平衡蒸気圧であると考えてよいであろう．よって，開口から噴出する分子数はセルの温度だけによって決まり，セル内の蒸発物質の量によらない．すなわち，セル温度を精密に制御することによって分子線強度を制御することができる．

蒸発した物質がどのような形で飛んで行くかは，物質や温度によって異なる．大部分の金属は単原子の形で蒸発するが，2個あるいはそれ以上の原子の集合体(分子)で蒸発するものも多い．例えば，ヒ素は大部分がAs_4の形で蒸発する．化合物の場合は次節で述べるように複雑である．MgF_2のように分子の形で蒸発する場合はまれで，多くは熱分解してそれぞれの構成元素が違った蒸気圧で蒸発する．

(2) 分子線

全蒸発分子数Nの点蒸発源から距離rだけ離れた点での分子線強度Φは

$$\Phi = \frac{N}{4\pi r^2} \tag{2.6}$$

である．よって，図2.4(a)の点Aでの入射頻度は距離が$r=r_0\cos\theta$であることと，基板面が分子線に対して角度θだけ傾いていることを考慮して，

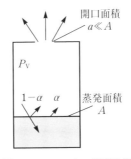

図 2.3　クヌーセン型蒸発源

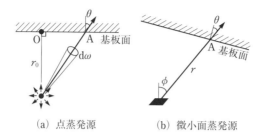

(a) 点蒸発源　　(b) 微小面蒸発源

図 2.4　点，微小面蒸発源からの分子線

$$n_A(\theta) = \frac{N}{4\pi r_0^2}\cos^3\theta \tag{2.7}$$

で与えられ，基板上の膜厚分布は $\cos^3\theta$ となる．

クヌーセンによれば，図2.4(b)のような微小面蒸発源からの分子線強度の角度分布は $\cos\phi$ で与えられる（余弦則）ので，点Aでの入射頻度は

$$n_A(\theta) = \frac{N}{4\pi r^2}\cos\theta\cos\phi \tag{2.8}$$

で与えられる．$\phi = \theta$ のとき，基板上の膜厚分布は $\cos^4\theta$ となる．

Kセルからの分子線強度は，開口の大きさが分子の平均自由行程より小さく，かつ開口の厚みが無視できるとき，微小面蒸発源とみなすことができ，分子線の角度分布は余弦則に従う．しかし，開口の厚みが大きいとき分子線は余弦則より外れ，指向性をもつようになる[7]．

膜厚が均一な膜を得るには基本的には蒸着源と基板間の距離を大きくとればよいが，蒸着速度が小さくなってしまう．

(3)　付着・薄膜形成

基板上に入射した蒸発分子は決してそのまま基板に付着して降り積もるように膜を形成するわけではない．入射した分子の一部は反射し，真空中に跳ね返される．また，表面に捕えられた分子は表面上を動き回り，あるものは再び真空に飛び出し，あるものは基板上を動き回り，ほかの原子や原子集団と衝突して止まったり，ステップやキンクのような安定なサイトに落ちついて薄膜として堆積していく．これらの過程は種々の薄膜形成法において共通的なものであり，1.1節を参照されたい．ほかの薄膜成長法との違いは，基板が真空にさらされており，吸着原子・分子のほとんどない「きれいな」表面上への成長であること，および基板に入射する分子・原子のエネルギーが蒸発源の温度 T で決まる $kT \sim$ 数十 meV 程度で小さいこ

となどが挙げられる．

c. 蒸着装置
(1) 真空排気系

蒸着には真空が必要であることを述べてきた．どの程度の真空度が必要であるかは対象とする蒸着物質や薄膜の使用目的によって違う．通常のコーティングでは10^{-3}～10^{-4} Pa 程度の高真空でよいが，不純物に敏感な半導体などの場合には10^{-6}～10^{-8} Pa の超高真空が必要となる．必要な真空度，排気量および真空の質（残留ガスの種類など）によって排気系を選択することになる．

排気系には排気を外に出す方式と，中にため込む方式とがある．前者には油回転ポンプ，拡散ポンプ，ターボ分子ポンプなどが，後者にはソープションポンプ，クライオポンプ，イオンポンプ，Ti サブリメーションポンプなどがある．真空蒸着に際してあまりガスを発生しない場合にはいずれの排気系でも問題ないが，後で述べるようなガスを導入して蒸着を行う反応性蒸着などの場合には，外に排気する形の排気系が望ましい．

(2) 蒸発源

蒸発させたい物質を加熱蒸発させる蒸発源には，蒸発物質の種類や量によって種々のものが使われる．蒸発に必要な温度は一般に蒸着物質の蒸気圧が 1 Pa 程度と考えて，平衡蒸気圧の温度依存曲線より見積もることができる．それは，As などの 100℃程度から C の 3000℃までにわたっている．

蒸発源には，W や Mo などの高融点金属のボートやバスケット状の箔やワイヤーへの通電による加熱のほか，ヒーター加熱や高周波誘導加熱によるるつぼ状蒸発源，電子線衝撃による加熱（e-gun），アーク放電加熱，レーザーによる加熱などがある．後述の分子線エピタキシー法の場合のように分子線強度を精密に制御する必要がある場合には図 2.3 のような K セル構造が用いられる．必要な温度や蒸発源材料，導入ガスとの反応の有無などによって適切な蒸発源を選ぶ必要がある．

レーザー照射を用いた方法の中で，とくに蒸発物質（ターゲット）に高出力のパルスレーザービームを集光して照射し，ターゲットから瞬間的に分解・除去（レーザーアブレーション）された材料が基板に間欠的に輸送され薄膜を成長させる方法はパルスレーザー堆積（pulse laser deposition：PLD）法とよばれている．レーザーアブレーションが生じる際にはプルームとよばれる高密度プラズマが観測され，励起されたイオンや分子が含まれている[8]．

(3) 基板ホルダーと基板加熱

基板の加熱クリーニング，エピタキシャル成長あるいは化合物の反応促進のために，基板加熱が必要である．基板の裏側からヒーターで加熱する方法やランプ加熱，高周波誘導加熱による方法などがある．

一般に，基板温度の正確な測定は極めて困難である．通常は基板の近くに置かれた熱電対で測定するが，必ずしも基板表面温度と同じではない．光高温計や赤外線放射温度計により基板表面温度を非接触で測定する方法もとられるが，基板面の放射率の見積もりや，窓ガラスの曇りの影響などに注意を払う必要がある．

(4) 試料導入装置とマニピュレーター

通常の真空蒸着装置では，蒸着が終了すると真空槽の真空を破って蒸着された基板を取り出し，また新しい基板をセットして再び真空に排気するという手順がとられる．しかし，このやり方では毎回排気が必要であり，時間がかかり，スループットが極めて悪い．また，蒸着装置内の蒸発源などが大気にさらされ，酸化したり汚染したりする恐れがある．そこで，ロードロック機構を取り付け，蒸着槽の真空を破ることなく基板を交換する方法がとられている．

基板面上の膜厚分布を一様にするために，基板を回転させる方法や，基板ホルダーを遊星運動させる方法が用いられている．

(5) 成長モニター

膜成長中の膜厚や堆積速度，膜表面状態などを知るために，種々のモニターが取り付けられている[9,10]．膜厚のモニターには水晶振動子膜厚計や，光学透過率，反射率，電気抵抗などの物性の膜厚による変化を利用した測定装置が用いられている．とくに，光学多層膜の堆積では，しばしば光学膜厚を1/4波長や1/2波長に相当する膜厚にすることが求められる．このため，このような膜厚になったとき膜堆積を止める必要がある．このような膜堆積終了時点を検出するには2波長を用いた反射あるいは透過率測定を用いた方法が有効である．蒸発分子線の強度測定には原子吸光法や電離真空計などが用いられている．

単結晶膜の場合には反射高速電子線回折(reflection high energy electron diffraction：RHEED)を利用して膜の成長の様子を観察することができる(図2.5)．回折パターンは表面が原子スケールで平坦な場合には基板面に垂直に伸びたストリークパターンとなり，荒れた面ではスポット状となる．また，層状成長モードの場合，鏡面反射スポットや回折スポット強度は膜成長とともに振動する．一般に，振動の1周期は原子層1層の成長に相当するので，振動数から成長膜厚(原子層数)を知る

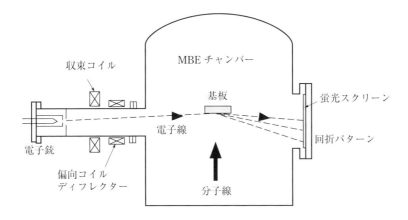

図 2.5　RHEED による成長のその場(*in situ*)観察

ことができる．
d. 化合物薄膜の蒸着
(1) 化合物の蒸発

　元素の蒸着に対して，化合物薄膜の蒸着ではその組成が問題となる．MgF_2 や CaF_2 などのフッ化物は MgF_2 あるいは CaF_2 といった分子の形で蒸発するため，化合物自身を蒸発させればストイキオメトリー(化学量論)組成の膜が得られる．しかし，一般に化合物では構成元素などに分解して蒸発し，分解生成物の蒸気圧の間には差がある．このため，一般に化合物自身を蒸発させても元と同じ組成の膜は得られない．

　ただ，化合物を全部蒸発させれば膜全体の組成は蒸発させたものと等しくなるはずである(付着係数が同じならば)．このことを利用したのが，少量の蒸発物質を蒸発源に間欠的に供給するフラッシュ蒸着である．高出力のエキシマレーザーを用いるレーザーアブレーション法も大きなエネルギーのパルス光による瞬間的な蒸発を利用しており，組成のずれが比較的小さい．

(2) 化成蒸着

　TiO_2 のような酸化物を直接加熱蒸発させても，決して透明な TiO_2 膜は得られず，酸素不足の不透明な膜となってしまう．適当な量の O_2 を導入した雰囲気中で蒸発させてはじめて透明な TiO_2 膜が得られる．さらに進んで，Ti 金属を O_2 雰囲気中で蒸発させることによっても透明な TiO_2 膜を得ることができる．このように，$10^{-3} \sim 10^{-2}$ Pa の O_2，N_2(あるいは NH_3)，炭化水素ガス中で金属を蒸発させ，それ

ぞれ酸化物，窒化物，炭化物の薄膜を作成する方法を反応性（化成）蒸着とよんでいる[11]．

(3) 三温度法

例えば，Ⅲ-Ⅴ族化合物の場合，Ⅴ族の蒸気圧はⅢ族より数桁大きい．このため，同じ分子線強度を得るためにはⅢ族とⅤ族を別々の蒸発源に入れ，それらの温度を独立に制御する必要がある（多源蒸着法）．今，Ⅴ族の分子線強度がⅢ族のそれより大きくなるようにそれぞれの蒸発源の温度($T_\mathrm{Ⅲ}$，T_V)を制御し，かつ，基板温度 T_s を基板上の過剰のⅤ族元素が再蒸発するような温度($T_\mathrm{Ⅲ} > T_\mathrm{s} > T_\mathrm{V}$)にすると，ストイキオメトリー組成の膜を得ることができる（三温度法）[12]．

例えば GaAs の場合，基板温度 480℃以上では Ga の付着確率はほぼ 1 であるが，As_2 の付着確率は 0 である．しかし As_2 分子は Ga 原子が存在する場合，Ga と結合して GaAs が析出する．よって，Ga 分子線に対して As_2 分子線強度が大きいときストイキオメトリー組成の GaAs 膜が得られる．

2.1.3 分子線エピタキシー法

真空蒸着法を高度に洗練させた手法として分子線エピタキシー（molecular beam epitaxy：MBE）法がある．前述の三温度法の真空蒸着によりストイキオメトリー組成の InAs，InSb などの化合物半導体の多結晶の薄膜成長が行われるようになった[13]．1960 年代後半になると，半導体デバイスの開発を目的としてエピタキシャル成長の要請が高まり，1968 年には三温度法による GaAs 基板上への GaAs のホモエピタキシャル成長が報告されるようになる[14]．しかし，当時の蒸着装置の真空度は不十分であり，残留ガスが結晶に取り込まれ，得られたエピタキシャル成長層の品質は十分なものではなかった．

1970 年になると，超高真空中で製膜を行うことで，高品質な GaAs のホモエピタキシャル成長が実現されるようになり，また，その結晶成長過程が詳しく調べられて徐々に明らかになってきた．これは，当時 IBM の江崎らの提案である超格子を作製する技術として大いに注目され発展した[15]．1975 年，チョー(Cho)とアーサー(Arthur)は，「超高真空中で，加熱蒸発させた構成元素が分子線として適度な温度に保たれた基板上で反応することによる化合物半導体のエピタキシャル成長方法」を「分子線エピタキシー法」と名付け[16,17]，このよび名が今日に至るまで使われている．MBE 法によりⅢ-Ⅴ族半導体の超格子や量子井戸，ヘテロ構造などが作製され，半導体レーザーなどの光デバイス，高電子移動度トランジスター（high electron mobility transistor：HEMT）やヘテロ接合バイポーラトランジスター（heterojunction bipolar transistor：HBT）などの電子デバイスの発展にMBEは極めて大きな役割を果たした．

MBE法は当時化合物半導体のエピタキシャル成長方法として主流であった液相エピタキシー（liquid phase epitaxy：LPE）や気相エピタキシー（vapor phase epitaxy：VPE）に対する新手法として提示された．原料が分子ではなく原子として供給される場合でも（実際GaAsのMBE法ではAsは分子だがGaは原子として基板に飛来する），原料が加熱蒸発ではなく気体の形で供給されても，慣習としてMBE法の名称が使われる．また，化合物半導体にとどまらずIV族半導体，絶縁体や超伝導体，金属のエピタキシャル成長にもMBE法は使われている．

a. MBE法の特徴

MBE法は非常に圧力を下げたVPE法ともいえるが，成長過程において通常のVPE法とは一線を画している．それは，基板表面への原料の供給は分子線の照射量で決まっており，VPE法のように気相中の輸送や反応を考慮する必要がない点である．表面上での反応のみを考えればよく，その意味で，成長過程の見通しや制御性に優れている．供給が分子線の飛来数と直結していることから，原料の供給はシャッターにより分子線を遮断すれば，急峻にオン，オフすることができるメリットがある．

超高真空にすることは別の効果ももたらす．残留ガスが非常に少ないため，成長速度を例えば，0.01 nm/s 程度に落としても十分高純度な結晶成長が可能である．成長速度を落とし，上述のシャッター開閉を利用することで，原子層レベルの多層構造の作製を行うことができる．

超高真空であるので，RHEEDやオージェ電子分光，X線光電子分光，走査電子顕微鏡などの表面分析技術や観察技術が利用可能である．成長表面を大気にさらすことなく表面を分析することで，酸化や不純物の吸着の影響なしに，成長時の真の表面を測定できる．とくに，成長中に成長表面をリアルタイムに観察すると，結晶成長の様子をつぶさに観察することができ，これはMBE法の非常に大きな武器となる．とくにRHEEDは装置構成上組み込みやすく，ほぼすべてのMBE装置が備えている．

プラズマなどによる励起種を用いた成長もMBE装置で行われている．真空度が高いので，プラズマ生成室で生成した活性種が失活することなく基板に到達可能である．MBEは超高真空での成長といわれるが，成長中必ずしも超高真空である必

要はない.例えば,窒化物や酸化物の成長では窒素や酸素の原料ガスにより装置内の真空度は 10^{-3} Pa 程度の場合もある.この場合,装置内を満たしているのは原料であり,原料ガス以外の不純物気体の分圧については 10^{-8} Pa 以下である.ただし,圧力が 10^{-2} Pa となると,分子線の平均自由行程が短くなり,供給源から基板に達する前にほかの分子と衝突が起こり,反応が生じたり,供給量が分子線に比例しなくなったりする.平均自由行程が原料・基板間距離より長いことが,MBE 法と VPE 法を区別する条件ともいえる.

VPE 法では塩化物や水素化物などそれ自体で安定なガスを原料として用いている.基板表面で化学反応を生じさせて,結晶成長を起こす必要があり,その活性化エネルギーを超えるための熱(温度)が必要である.一方 MBE 法では加熱蒸発させた活性な原料を供給するために,VPE 法よりも低温で成長を行うことができる.熱平衡から大きく外れた条件とすることができ,高温では相分離などにより成長できない材料や,高温では安定ではない結晶構造を得られる可能性がある.温度が低いことはヘテロエピタキシャル成長では,基板と成長層の熱膨張係数の違いによる問題を低減できるというメリットもある.

b. MBE 装置

図 2.6 に MBE 装置の概略図を示す.超高真空排気システムを備えたステンレスチャンバーが基本となる.排気装置としては,GaAs 系ではスパッタイオンポンプやクライオポンプなどのため込み型ポンプがよく使われていた.拡散ポンプは見かけ上の到達真空度は良好だが,そのままでは作動オイルによる表面汚染があるので,

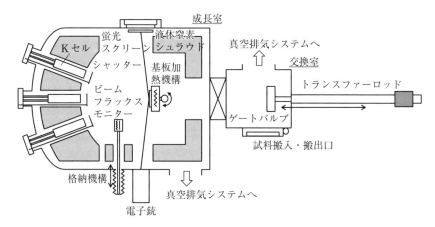

図 2.6 MBE 装置

必ず液体窒素トラップを併用する必要がある．最近ではターボ分子ポンプがよく使われている．オイル汚染を気にする場合は，磁気軸受けを用いたターボ分子ポンプと，オイルフリーのスクロールポンプを利用する．ベーキングにより徹底的な脱ガスを行い，超高真空を実現する．

真空度をさらに向上するために，液体窒素シュラウド（クライオパネルともよばれる）がチャンバー内に設置されている．結晶成長実験の前に，シュラウドを液体窒素で満たし，残留気体を吸着させて真空度をさらに高める．水や二酸化炭素，酸素などのバックグラウンドを大きく下げることができる．成長中には，液体窒素シュラウドは，シュラウドに入射した原料の分子（原子）を吸着する働きもある．Kセルから基板に入射した分子で結晶に取り込まれなかったものは再蒸発するが，再蒸発した分子はシュラウドに吸着されるので，再び基板に入射することはない．基板への原料供給はKセルから直接基板に入射する分子線だけに限定され，これがMBE法の一つの重要要素となっている（シュラウドで吸着できない気体などは例外となる）．成長中はシュラウドを液体窒素で完全に満たす必要がある．液体窒素の液面が下がると，シュラウドに吸着していた不純物が再蒸発し，かえって不純物が増えてしまうからである．したがって，ランニングコストとして液体窒素が大きな割合を占めることになる．なお，それほど不純物に敏感ではない系の成長では，水冷式のチャンバーシステムも使われており，ランニングコストを大幅に低減することができる．

基板ホルダーの導入にはロードロックシステムが使われる．基板の出し入れで大気解放するのは小さな交換室のみである．交換室を十分に排気してから，基板ホルダーをメインチャンバーにトランスファーロッドを使って導入する．不純物を嫌うシステムでは，中間室を設けて交換室で排気後に中間室に導入する．中間室で基板ホルダーの加熱を行い，基板およびホルダーからの脱ガスを行ってからメインチャンバーに導入するシステムもある．中間室に複数の基板ホルダーを収納できるシステムもあり，複数の基板ホルダーの脱ガスをあらかじめ行っておくことで効率的に成長を行うことができる．

装置には四重極質量分析器が取り付けられており，常に残量気体をモニターするのが一般的である．ベーキングをどれほど行えばよいかなどもこの計器をもとに判断できる．分析器としては，チャンネルトロンによる増倍機能をつけた高感度のものが適している．また，質量分析器をヘリウムにあわせれば，ヘリウムリークチェックも行うことができる．装置のメンテナンス後には，開閉したフランジにつ

いてヘリウムリークチェックを行ってからベーキングする．

基板加熱機構は基板を加熱するとともに，位置，角度の調整機構を有しており，RHEED観察に適したポジションに試料をもってくることができるようになっている．RHEEDの観察は面内の複数の方向から行う必要があり，面内回転機構も有している．また，膜厚の面内分布を緩和するために，面内回転を常時行いながら成長する（結晶成長条件出しでは，あえて回転を止めて面内分布から原料供給量依存性をみるということも行われる）．

c. 原料供給方式

高温CVD法で製造された高純度熱分解窒化ホウ素（pyrolytic boron nitride：PBN）などのるつぼをヒーターで加熱し，るつぼ内の原料を蒸発させるエフュージョンセル（Kセル）が最も一般的に用いられる．GaやAlなどは融点以上で使用するので，液体からの蒸発となる．これに対して，例えばGaAsのドーピングのためのSiの場合は必要な蒸発量は微量であり，融点以下で用いるので固体からの蒸発（昇華）となる．エフュージョンセルには高度な温度制御が必要となり，さまざまな工夫がされている．熱放射を最小限に抑えるためラジエーションシールドが施されており，また，RHEEDの電子ビームに影響を与えないようにヒーターには無誘導巻きが施される．

原料供給量はるつぼの温度により制御する．るつぼの開口は比較的大きくクヌーセン条件（開口が非常に小さく，るつぼ内で原料と気相が熱平衡状態）にはなっておらず，原料の液面位置に依存する．供給量を毎回測定することが必要である．原料供給量の単位は，単位面積，時間あたりの原子（あるいは分子）の飛来数（$cm^{-2} \cdot s^{-1}$）となる．絶対量の測定のためには，再蒸発が生じないように十分に冷却した基板に入射，堆積させ，その付着量から求めるが，日々の測定には不便なので，電離真空計の原理を用いたビームフラックスモニターが使われる．これは，基板と蒸発源の経路に直線導入機構や回転機構により電離真空計を挿入して，その部分の圧力を測定する．前述の絶対量の測定を一度行っておけば，圧力とフラックスの対応がとれる．主原料については測定が可能であるが，ドーパントなどの場合はフラックスが非常に小さいので測定は困難である．この場合は，蒸気圧曲線のデータから供給量を推測する．

GaAsの成長においては，Gaエフュージョンセルのるつぼ先端に付着したGaが液滴となりるつぼ内に落下したときの突沸に起因するオーバルディフェクトの問題があった．これを防ぐため，るつぼ先端をるつぼ底部より高温に保つエフュージョ

ンセルが開発された．一方 Al の場合は，るつぼ側面を Al がはい上がる現象があり，るつぼから Al がはみ出してヒーターをショートさせてしまうなどのトラブルを引き起こす場合がある．これを防ぐために，るつぼ先端を底部より低温にして，そこで Al を食い止めるセルが開発されている．

As や P は蒸気圧が高く，るつぼ温度が低くなり精密な温度制御が難しい．そこで，ある程度高温にした蒸発室とニードルバルブを組み合わせたバルブドセルが開発された．バルブドセルのメリットは安定性だけではなく，バルブの開閉により直ちに原料供給を変えることができることにもある[17]．多層構造で異なる供給量が必要な場合，エフュージョンセルではそれに応じて複数本のセルを用意する必要があるが，バルブドセルであれば 1 本で済む．また，バルブの先に高温のクラッキング部を設ければ，例えば，As から蒸発した As_4 を GaAs の成長により適した As_2 に熱分解(クラッキング)して供給することができる(バルブドクラッキングセル)．エフュージョンセルについては，材料，供給量，成長環境に応じたさまざまな製品がある．

気体を原料として用いる場合は，ガスセルを用いる．気体の供給量はマスフローコントローラー(mass flow controlor：MFC)の流量制御により行う．気体を成長室に単純なパイプで導入すると，パイプから噴出する分子線の指向性のために均一性の問題が生じる．また，シュラウドでパイプが冷やされて，パイプに原料が付着してしまう．そこで付着を防ぐ程度に加熱され，基板位置で均一性が保たれるように設計されたガスセルが市販されている．ガスセルを高温に加熱できるようにして，ガスセル内で熱分解により活性な原料を供給するガスクラッキングセルもある．GaAs や GaP の成長では，AsH_3 や PH_3 などの気体が用いられる．気体なので供給量の制御や成長中の変更などが容易であるというメリット以外に，消費の激しいV族を気体で供給すると，原料補充のための MBE 装置本体の大気開放頻度を少なくできるというメリットもある．原料に気体を使う MBE 成長法をガスソース MBE (gas source MBE：GSMBE)法とよぶ．Ga や Al のガス原料としては，トリエチル Ga($(C_2H_5)_3$Ga：TEGa)やトリメチル Al($(CH_3)_3$Al：TMAl)などの有機金属が利用される．有機金属を原料に用いる場合は有機金属 MBE(metal organic MBE：MOMBE)法とよぶ場合もある．

Si の MBE ではある程度の Si の供給量が必要であり，通常のるつぼの抵抗加熱では実現困難である．その場合は，電子ビーム(electron beam：EB)加熱による蒸発させる EB セルが使われる．また，ドーピングなどで微量の炭素が必要な場合は，

高純度グラファイトを通電加熱し昇華蒸発させる昇華セルなども利用可能である.

2.1.4 励起種を用いた真空蒸着

供給した原料を高温で分解して供給するクラッキングセルを紹介したが,より活性な,あるいは高いエネルギーの原料を供給する蒸着法(MBE法に限らない)をここでは紹介する.

a. 励起種を用いる方法

GaN や AlN の MBE 法ではプラズマによって励起した窒素が用いられている[18]. 窒素ガス(N_2)は化学的に極めて安定で反応しない. NH_3 を用いてある程度の基板温度で成長を行えば基板上で NH_3 の分解が起こり,成長が可能であるが,それでは MBE の低温成長というメリットが生かせない. そこで,N_2 をプラズマにして活性種として供給する方法が広く用いられている. プラズマ中では,原子状窒素(N^*),励起分子(N_2^*),原子イオン(N^+),分子イオン(N_2^+)などが存在するが,プラズマ発光分光分析と成長速度の対応関係から主に N^* が成長に寄与していることがわかっており,N^* を効率よく生成するセルが開発されている. 当初,プラズマ生成室に石英が使われていたが,スパッタリングにより Si,O が生じ,不純物として取り込まれてしまうということで,現在は PBN 製のものが一般的である. また,結晶にダメージを与える可能性のあるイオンを除去するために,プラズマ生成室出口のオリフィス付近に平行平板電極を設けて電場を印加しイオンの軌道を曲げて基板に到達しないようにするなどのことも行われる. プラズマは 13.56 MHz の高周波やマイクロ波による励起が一般的である. プラズマを用いる MBE をプラズマ援用 MBE(plasma-assisted MBE:PAMBE)とよぶこともある.

b. イオンを用いる方法

基板にイオンビームを照射する,あるいは原料をイオンとして加速して基板に照射させることで,表面のマイグレーションや反応,密着性を促進する蒸着方法が提案されている.

工業的に利用されているイオンを用いた蒸着手法として,イオンプレーティングがある[19]. プレーティングとはめっきであり,化学薬品を使う通常のめっきに対して,真空めっきとよばれることもある. 真空槽中に Ar などの不活性ガスを導入し,放電によりプラズマを生成する. 蒸着原料がプラズマを通り過ぎる過程でイオン化し,基板に印加した負バイアスで加速して衝突させる. 強い付着力や複雑形状への均一な製膜という特徴があり,コーティング技術として広く用いられている. 不活

性ガスではなく反応性ガスを用いて化合物を製膜する反応性イオンプレーティングという手法もある.

イオンをより直接的，かつ，制御された形で用いる蒸着法として，イオン生成室で原料のイオンを生成し，所望のイオンを質量分析により選択し，所望のエネルギーに加速(あるいは減速)して供給するイオンビーム蒸着法がある．ダイヤモンド状炭素(diamond-like carbon：DLC)の堆積に効果があることが報告されている[20]．原料は通常の加熱蒸発により供給し，原料とは別のイオンビームを基板に照射してエネルギーを与えることで，膜質や平坦性を改善するイオンビーム援用蒸着法があり，さまざまな材料に応用されている[21]．イオンビームとしてクラスターイオンビームを用いる手法もある[22]．

文　献

1) L. Holland : "Vacuum Deposition of Thin Films"（Chapman and Hall, 1963）.
2) K. L. Chopra : "Thin Film Phenomena"（McGraw-Hill, 1969）.
3) 金原　粲：『薄膜の基本技術 第3版』（東京大学出版会，2008）.
4) 例えば，権田俊一 編著：『分子線エピタキシー』（培風館，1994）.
5) 吉田貞史：『薄膜』（培風館，1990）.
6) 金原　粲・藤原英夫：『薄膜』（裳華房，1979）.
7) 村上俊一：『薄膜—その機能と応用』（金原　粲 編），2.2.1項（日本規格協会，1991）p. 25.
8) 森本章治：『薄膜ハンドブック 第2版』（日本学術振興会薄膜第131委員会 編），I編 1.1.4（オーム社，2008）p. 38.
9) 吉田貞史：『薄膜・光デバイス』（吉田貞史・矢嶋弘義 著），5章（東京大学出版会，1994）p. 88.
10) 宮﨑誠一，田畑　仁，吉田貞史，酒井　朗，志堂寺栄治，藤原裕之，白藤　立，吉本昌広，堀　勝：『薄膜ハンドブック 第2版』（日本学術振興会薄膜第131委員会 編），I編 1.7節（オーム社，2008）p. 201.
11) S. Yoshida : CRC Critical Rev. in Solid State and Materials Science, **11** (1984) 287.
12) G. Günther : Z. Naturforshung, **13a** (1958) 1018.
13) H. Freller and K. G. Günther : Thin Solid Films, **88** (1982) 291.
14) J. E. Davey and T. Pankey : J. Appl. Phys., **39** (1968) 1941.
15) L. Esaki and R. Tsu : IBM J. Res. Develop., **14** (1970) 61.
16) A. Y. Cho and J. R. Arthur : Progress in Solid-State Chemistry, **10** (1975) 157.
17) J. R. Arthur : Surf. Sci. **500** (2002) 189.
18) O. Ambacher : J. Phys. D : Appl. Phys., **31** (1998) 2653.
19) D. M. Mattox : J. Vac. Sci. Technol., **10** (1973) 47.
20) P. J. Fallon, V. S. Veerasamy, C. A. Davis, J. Robertson, G. A. J. Amaratunga, W. I Milne, and J. Koskinen : Phys. Rev. B, **48** (1994) 2287.
21) J. K. Hirvonen : Materials Sci. Rep., **8** (1991) 215.
22) A. Takagi and I. Yamada : Jpn. J. Appl. Phys., **12** (1973) 315.

2.2 スパッタリング

スパッタリング(sputtering)とは,高エネルギーイオンや原子のターゲット材料への衝突により,ターゲットの構成原子がその表面からたたき出される現象をいう.この現象を用いて基板上に薄膜を堆積させることができる.一般には,真空容器中に設置したターゲットを陰極,基板を陽極として,希ガスを導入後の両極間にグロー放電を発生させ,希ガスイオン(スパッタリングではArイオンが最もよく用いられる)による高エネルギー粒子を発生させている.

スパッタリングでは,数百eV以上の大きな運動エネルギーでターゲットに入射した希ガスイオンがターゲット原子と弾性あるいは非弾性衝突を繰り返す過程で,イオンの運動エネルギーの一部がターゲット原子に与えられる.このターゲット原子がさらにほかのターゲット原子と衝突を繰り返して(衝突カスケード),表面近くで大きな運動エネルギーをもったターゲット原子がターゲット表面から射出し,プラズマ中を輸送され,基板上において原子状で堆積して薄膜を形成する.

2.2.1 グロー放電プラズマの基礎

プラズマは,イオンと電子に電離した気体であり,正負の電荷がほぼ等しく,電気的に中性となっている.

a. 放電開始条件(火花条件)

平行平板電極(電極間距離d)間に圧力pの気体を導入して,両電極間に直流電圧Vを印加したとき,放電開始条件(火花条件)を満たすと,両電極間にプラズマが発生する.この設定はスパッタリング装置でいえば直流二極スパッタリングに相当する.この放電開始条件は,放電開始電圧が圧力と電極間距離との積pdに依存することを示すもので,パッシェン(Paschen)の法則とよばれ,次のように表される.

$$V = \frac{Bpd}{\ln\left\{\left(\frac{A}{\Phi}\right)pd\right\}} \quad (2.9)$$

ここで,Vは放電に必要な電極間電圧,A,B,Φは定数である.その導出過程では,電子が電場方向に加速され中性原子に衝突して中性原子を電離させるα作用と,電離した陽イオンが陰極と衝突して二次電子(γ電子)を発生させるγ作用を考慮している.パッシェンの法則ではVが最小となるpdの値が存在し,その値は気

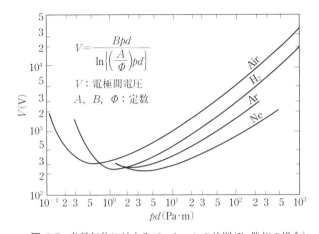

図 2.7 各種気体に対するパッシェンの法則(Fe 陰極の場合).
〔武田 進:『気体放電の基礎 新訂版』(東京電機大学出版局,1990) p.67 をもとに許可を得て一部改変〕

体の種類,電極の材質によって異なる.この法則は,プラズマ発生装置の設計を行ったり,異常な放電を抑制したりするようなときに,重要な指針を与えてくれる.その概要を図2.7に示す[1].

b. プラズマの発生

生成された持続的な放電はその電流密度に応じて各種の放電に分類されるが,ここではスパッタリングで主に用いられる電流密度の低いグロー放電に限定する.このグロー放電プラズマ中の大部分のガスは中性分子であり,イオン密度・電子密度が低いため,弱電離プラズマに分類される.また電子温度(電子の運動エネルギーを温度換算したもの)に比べてイオン温度(イオンの運動エネルギーを温度換算したもの)が極端に低いため,低温プラズマあるいは非平衡プラズマともよばれる.図2.8に直流グロー放電の概要とその電位分布を示す.数 Pa 弱の Ar ガスを満たした真空容器に数 cm 離して平行平板電極を設置し,そこに数百 V の電圧を図のように印加すると,容易にグロー放電を発生・維持することができる.この放電は,陰極および陽極の前面に存在する陰極シースおよび陽極シースとよばれる発光の弱い箇所と,陽光柱とよばれる発光の強い部分からなる.陰極シースの中には,電位勾配(電場)は強いが発光が弱い陰極暗部とよばれる領域が存在する.そのほかにもこのシースは,発光強度や電子・イオン密度などに応じて細かく分類されるがここでは割愛する.いずれにせよ,この陰極シースでの大きな電場が希ガス陽イオンの加速,ひいてはスパッタリングを引き起こすことになる.さらにその右側には陽極に

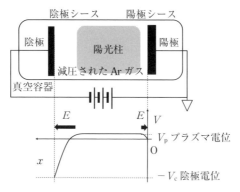

図 2.8 直流グロー放電の概要と電位分布

向かって伸びる陽光柱があり，イオン濃度と電子濃度がほぼ等しく，電位もほぼ一定となっている．一方，陽極シースにも陽極暗部があり，陰極暗部に比べてその広がりは小さいが，逆方向の小さな電位勾配が存在することが多い．

陰極シースから陽光柱にかけての領域での α 作用（空間中での電子衝突による希ガスのイオン化）と陰極表面での γ 作用（イオン衝突による陰極からの二次電子放出）により前述のように放電が維持される．陰極シースでは陰極から放出された二次電子が気体分子の最低励起エネルギーにまで加速されるまでは気体分子を励起できないので，発光が弱くなっている．陽光柱の領域は陰極シースで十分加速された電子の高エネルギー成分により分子を励起するため強く発光する．

2.2.2 スパッタリングの基礎過程

陽イオンがターゲットに衝突したときにターゲットから放出されるものの中で最も重要な粒子はターゲット物質の中性の原子であるが，これが薄膜を形成する．そのほかに図 2.9 に示すように，多くの希ガス中性原子やわずかな希ガス陽イオンのほかに，二次電子，フォトン，X 線などがある．スパッタリング現象では，陽光柱から陰極暗部の端に到達した陽イオンはこの強い電場で加速され，運動エネルギーを得てターゲットと衝突し，イオンは運動量交換をしてターゲット原子を弾き飛ばす．同時に，二次電子を発生し，二次電子は電場によってイオンと逆方向に加速され，プラズマ中にたたき込まれて中性希ガスを電離させる．ターゲット原子は，陽極に設置された基板に堆積して薄膜を形成する．そのほかにもプラズマ中には図のように，ターゲットへの希ガス陽イオン衝突に伴い希ガスイオンが電荷交換して中

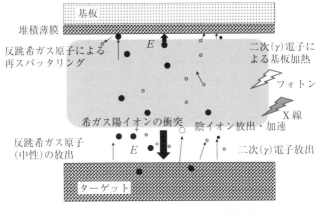

図 2.9 スパッタリングにおける各種過程

性化し陰極シースの逆電場をすり抜け基板に衝突する反跳希ガス原子，ターゲットから放出され陰極シースの電場で加速され基板に衝突する二次電子，雰囲気ガス中の酸素分子から生成され陰極シースで加速され基板に衝突する陰イオンなど，2次的に発生する各種粒子も存在する．これらの粒子は，スパッタリングによる薄膜堆積では，化合物薄膜組成ずれや意図しない基板温度上昇を招いてしまうこともあり，実際の薄膜堆積においては注意が必要である．

スパッタリングによる薄膜堆積の長所としては，① 薄膜の付着強度が強い，② 材料ターゲットを用意さえすれば当該材料の薄膜化が容易，③ 大面積基板上への均一製膜が可能，④ 反応性ガスの導入により酸化物・窒化物まで広範囲の材料の薄膜化が可能，などが挙げられよう．短所は，① 堆積速度が遅い，② 雰囲気圧力が高い，③ 高エネルギー粒子衝突による薄膜への照射損傷が大きい，などである．ここで陽イオンのターゲットへの衝突から生じたターゲット原子の放出過程・輸送・堆積過程を順に調べてみよう．

a. 堆積粒子の放出過程

希ガスイオンが大きな運動エネルギー(数百 eV 以上)をもってターゲットに入射すると，ターゲットと次のような相互作用を行う．希ガス陽イオンがターゲット原子と弾性または非弾性衝突し，その運動エネルギーの一部がターゲット原子に付与される．その運動エネルギーがターゲットの結晶ポテンシャル障壁より大きければ，ターゲット原子は反跳して正規位置から移動し，反跳ターゲット原子がさらにほかのターゲット原子と衝突を繰り返し，衝突の連鎖(衝突カスケード，ノックオ

ン)を発生する．ターゲット原子の運動エネルギーがターゲット表面でその表面結合エネルギーより大きいときに，ターゲット表面からターゲット原子が放出される．以上の過程をモンテカルロシミュレーションした結果を図 2.10 に示す[2]．

別のシミュレーションによれば[3]，スパッタ粒子のエネルギーは，ターゲットを衝撃する希ガスイオン入射エネルギーにはあまり依存せず，15 eV 付近にピークをもち，数百 eV にまで裾を有する広いエネルギー分布をしていることがわかっている．ターゲットから放出されたスパッタ粒子のエネルギーは真空蒸着の熱蒸発原子の運動エネルギー(約 0.1 eV)より 1〜2 桁大きくなり，基板と膜との相互作用に大きく影響し，薄膜の基板への強固な付着力や，薄膜上での再スパッタリング発生など，長短両面にわたって，スパッタリングによって形成された薄膜を特徴づけている．

b. スパッタリング率

上記のような原子どうしの衝突を，古典的な剛体球モデルで考えると，運動量保存則とエネルギー保存則から，入射原子の質量とターゲット原子の質量が一致したときに，最大の効率でエネルギー伝達が生じることが予測される．実際のスパッタ

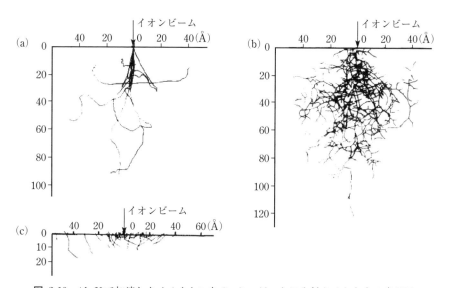

図 2.10 4 keV で加速した Ar^+ イオンを Cu ターゲットに入射させたときの各原子の軌跡．(a) 入射 Ar^+ イオンの軌跡，(b) 入射 Ar^+ イオンによりノックオンされた Cu 原子の軌跡，(c) スパッタされて飛び出した Cu 原子の軌跡
〔T. Ishitani and R.Shimizu：Phys. Lett. A, **46** (1974) 487 より〕

リングをこのような単純なモデルでは完全には説明できないが，大まかな議論としては妥当である．1個の陽イオンの衝突により何個のターゲット原子が飛び出すかを，スパッタリング率 S とよぶ．このスパッタリング率とはスパッタリングによる薄膜堆積速度を推定するうえでも重要なパラメーターである．図 2.11 にスパッタリング率 S の測定値と計算値のターゲット原子番号依存性を示す．実験値・計算値とも各種ターゲットに 400 eV の Xe^+ イオンを照射したときのものである[4]．計算においては，ボルツマン (Boltzmann) の輸送方程式を用いて，イオンとターゲット原子衝突，ターゲット-ターゲット原子衝突，ターゲット原子の結合エネルギーを考慮している．ターゲットの原子番号により S が周期的に振動するのは，主にターゲット原子の結合エネルギーが振動するためである．

c. 堆積粒子の輸送過程と薄膜形成過程

スパッタリングではターゲットから飛び出す粒子の大部分は電気的に中性な単原子分子と考えてよい（ここではほかの粒子の放出は 2 次的効果と考え無視する）．しかし，a 項で述べたピークエネルギーが 15 eV のスパッタ粒子が必ずしもこのエネルギーをもったまま基板に到達するわけではない．スパッタリングでは放電ガス

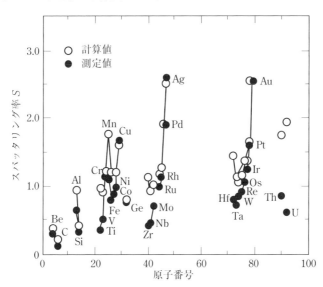

図 2.11 各種ターゲットに 400 eV の Xe^+ イオンを照射した際のスパッタリング率 S のターゲット原子番号依存性（●測定値，○計算値）
〔P. Sigmund：Phys. Rev., **184** (1969) p. 383 より〕

(希ガスや反応ガス)の中性原子・分子がプラズマ中に大量に存在し，一般的な放電気体圧力では，スパッタ粒子の平均自由行程は1cm程度になる．ターゲット-基板間距離は数cm程度であるから，スパッタ粒子は基板に到達する前に数回以上の衝突を経験する．この衝突により当初保有していた運動エネルギーのほとんどを失い，室温での放電ガス原子の運動エネルギーと同じようになってしまい，その運動方向もランダムとなる．この現象は一般に熱化(thermalization)とよばれる．したがって，高いガス圧力に設定した際には，堆積粒子は拡散的に基板上に到達して薄膜として堆積することになる．逆に，あえてガス圧力を低く設定すれば，高エネルギー粒子による堆積が可能となる．このような堆積粒子の多様性が，スパッタリングによる薄膜形成の多様性を生み出しているともいえる．

d. 薄膜作製法におけるスパッタリングの位置付け

現在の各種薄膜堆積法において，堆積粒子が有するエネルギー範囲の概要をまとめて図2.12に示す．実線の四角は各薄膜堆積法における典型的なエネルギー範囲，

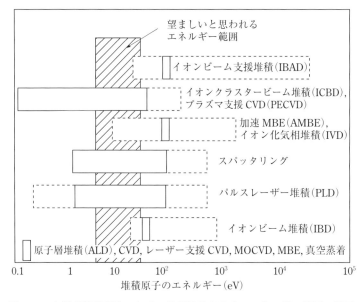

図 2.12 各種薄膜堆積法における堆積粒子が有するエネルギー範囲の概要．
実線は典型的なエネルギー範囲，破線は制御可能なエネルギー範囲．
縦長の斜線の領域は薄膜堆積に望ましいと思われるエネルギー範囲．
〔G. K. Hubler: "Pulsed laser deposition of thin films" (D. B. Chrisey and G. K. Hubler eds.), Chapter13 (John Wiley and Sons, 1994) p. 327 より〕

破線の四角は制御可能なエネルギー範囲，斜線をつけた縦長四角は薄膜堆積に望ましいと思われるエネルギー範囲をそれぞれ示している[5]．熱蒸発や熱分解をベースとする原子層堆積(atomic layer deposition：ALD)，化学気相堆積(chemical vapor deposition：CVD)，分子線エピタキシー(MBE)，真空蒸着では 0.1 eV 程度と最もエネルギーが低く，イオンビーム支援堆積(ion beam-assisted deposition：IBAD)やイオン化気相堆積(ionized vapor deposition：IVD)のように高エネルギーイオンを積極的に使用する堆積法では 100 eV 程度と最もエネルギーが高くなっている．スパッタリングはプラズマ支援 CVD(plasma-enhanced CVD：PECVD)やパルスレーザー堆積(PLD)とともに，一般的な薄膜堆積に望ましいと考えられるエネルギー範囲を包含している．この薄膜堆積に望ましいエネルギー範囲というのは議論のあるところで，半導体薄膜で欠陥生成を極力抑制しなければならない特殊な場合には，このエネルギー範囲の下限は 0.1 eV 付近まで広がることもある．

2.2.3 スパッタリングによる薄膜作製装置

a. 直流二極スパッタリング

これまでスパッタリングの基礎過程を議論してきたが，それらはスパッタリングの基礎である直流二極スパッタリングと考えてよいので，これ以上は立ち入らない．

b. 高周波スパッタリング

直流二極スパッタリングは簡便な方法であるが，ターゲットが絶縁体になると衝突する陽イオンや二次電子放出のためターゲットが帯電してスパッタリングを継続的に行うことができない．そのために高周波(radio frequency：rf，通常は 13.56 MHz)放電を利用した高周波スパッタリングが開発された．高周波電場を希ガスに印加すると，電子と希ガス原子の大きな質量比の違いから，電子のみがほぼ高周波電場に追随して加速度運動するのに対して，希ガスイオンはほとんど動けない．したがって，直流二極放電の火花条件の重要な因子であった γ 作用の寄与は減少し，α 作用が放電開始・維持に主に寄与することになる．装置の概要を図 2.13 に示す．ここでは基板電極が接地され，ターゲット電極には後述する自己バイアスのためのブロッキングキャパシターおよび整合回路を通して高周波電源が接続されている．

一般的にプラズマ中に金属電極を差し込み，その金属電極に印加する直流電圧 V と電極に流れる直流電流 I を測定すると，電子とイオンとの質量数の大きな違いから図 2.14 のような整流特性を示す[6]．$-V_f$ は浮遊電位とよばれるプラズマ中の固体表面の電位であり，その固体に流入する正味の電流がゼロになるように決定さ

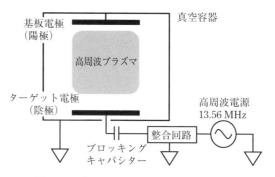

図 2.13 高周波スパッタリング装置の構成

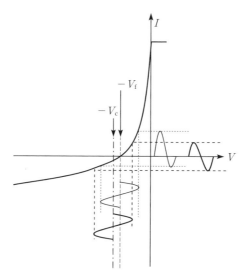

図 2.14 プラズマの I-V 曲線における整流効果
〔髙村秀一：『プラズマ理工学入門』(森北出版，1997) p.178 より〕

れている．今このようなプラズマに，この浮遊電位を基準に高周波電圧が印加されると，プラズマの整流特性(非線形特性)により正側の半周期に流れる電子電流が負側の半周期に流れるイオン電流より大きくなる．もし，この回路で電極と直列にキャパシターが接続されていたり，電極の表面に絶縁体が接地されていたりして，直流電流が流れないようにすると，金属電極の直流電位は浮遊電位より負側にさらに深くなり定常状態を維持可能なように自己調整される．この自己バイアス効果により当該電極には定常的に負の直流バイアス($-V_c$)がかかり，定常的に絶縁物の

スパッタリングが可能になる．もちろん通常は図2.13のようにブロッキングキャパシターが入っているので，金属ターゲットでもスパッタリング可能である．

また，一方の電極上のターゲットだけをスパッタリングするためには，ターゲット電極の面積 A_c が他方の電極面積 A_d に比べて十分小さくなければいけない．グロー放電空間とターゲット電極間にかかる電圧 V_c とグロー放電と空間と面積の広い電極間にかかる電圧 V_d との比は，両電極の面積逆比の2乗として式(2.10)のようになる．文献によっては計算の仮定設定の違いより右辺の2乗の代わりに4乗とする文献もある．

$$\frac{V_c}{V_d} = \left(\frac{A_d}{A_c}\right)^2 \tag{2.10}$$

通常，ターゲット電極の面積に比べて，もう一方の電極面積は基板設置用のフォルダーや真空容器の内壁の全面積に相当し，かなり広くなっている．すなわち容易にターゲット電極には大きな自己バイアスが印加されることになり，スパッタリングが可能となっている．

直流二極スパッタリングでも高周波スパッタリングでも，ターゲット材料が一様にスパッタリングされ有用なスパッタリング法だが，欠点として堆積速度が遅く，ターゲットから飛来する二次電子による意図しない基板加熱や，高エネルギーの陰イオン衝撃による堆積した薄膜の損傷などの問題点を有している．

c. マグネトロンスパッタリング

前記の問題を解決するために考案されたのがマグネトロンスパッタリングである．図2.15のようにターゲット背面に永久磁石を装着してターゲット表面から中心に至る平行な漏洩磁場を発生させている．このターゲット前面の平行磁場成分により，ターゲット表面から放出された二次電子はローレンツ力により，ターゲット上をドリフト運動することになり，低い放電ガス圧力下においても効率的に電離作用を誘起することが可能となり，大電流密度放電による堆積速度の向上が図られている．またこれにより先に述べた二次電子による基板加熱を抑制することも可能で，低温・高速スパッタリングとなる．欠点としては，平行磁場成分が局所的に存在するターゲット表面のみが選択的にスパッタリングされるためターゲットの利用効率が悪いことや，強磁性体ターゲットでは磁路がターゲットにより短絡されるため漏洩磁場が著しく弱められマグネトロンスパッタリングができないことなどが挙げられる．

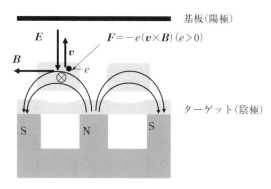

図 2.15 マグネトロンスパッタリングの原理

d. 反応性スパッタリング

　反応性スパッタリングとは，雰囲気ガスとしてスパッタリングに不可欠な希ガスだけではなくて，O_2 や N_2 ガスなどを加えて，ターゲットから飛来する元素を酸化あるいは窒化させるような反応を伴うスパッタリングのことである．高周波スパッタリングやマグネトロンスパッタリングなどのような特別の装置を指すわけではない．反応性スパッタリングも大きく分けると2通りあり，酸化物薄膜を作製するときに，すでに十分酸化されているセラミクスターゲットを用いる場合と，純金属ターゲットを用いて堆積過程で酸化させる場合がある．セラミクスターゲットの場合でも，通常は堆積された膜で不足する酸素を補うために酸素ガスを添加し，反応を誘起することが必要である．また，セラミクスターゲットの場合，酸化膜の堆積速度が遅くなったり，ターゲットから飛び出した酸素による陰イオンが陰極シースの電場により加速され薄膜を損傷したりするという欠点が挙げられている．一方，金属ターゲットの場合は，堆積速度は改善されるが，酸素ガス分圧の違いにより堆積速度や酸化の程度が大きく異なり，スパッタリング条件の制御が難しい面がある．例えば，イットリア安定化ジルコニア(YSZ)薄膜をYとZrの複合ターゲットから堆積した際，YSZ薄膜の堆積速度は酸素流量比によって大きく変化する．図 2.16(a) はその結果を示したものである[7]．特徴的なのは，酸素流量比の増減過程で堆積速度にヒステリシスが現れることである．AからBの過程は金属モードとよばれ，堆積速度は高いが堆積膜は金属となり，Bを越えると堆積速度は激減して酸化物モードとなる．逆にCからDの過程では，酸化物モードで堆積速度は遅いままである．このヒステリシスは金属ターゲット表面が酸化されるかどうかによっ

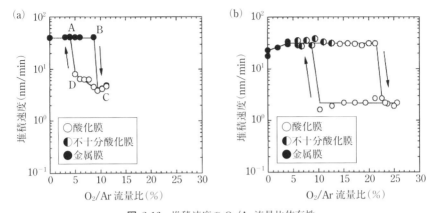

図 2.16 堆積速度の O_2/Ar 流量比依存性
〔T. Hata, S. Nakano, Y. Masuda, K. Sasaki, Y. Haneda, and K. Wasa : Vacuum, **51** (1998) 583 より〕

ている．良好な酸化膜の安定的な高速堆積を図るため，希ガスと酸素ガスの導入口を分離したり，スパッタリング槽と薄膜堆積槽を開口付きの隔壁で空間分離したりするなどの工夫が行われている．図2.16(b)は後者の工夫を施してYSZ膜を堆積した結果を示したもので，高い堆積速度を維持しながら酸化膜が堆積していることがわかる．この改善の理由は，ターゲット表面の酸化を抑制しつつ金属モードでターゲットをスパッタリングしながら，基板上に輸送し，効率的に酸化可能にしたためである．

e. そのほかのスパッタリング法

近年，既存のスパッタリング法での種々の問題を解決するため，表2.1のようなそのほかの方法もいろいろ考案され，多くが実用に供されているので参考にされたい．とくに産業用途として，対向ターゲットスパッタリング法は以前より実用に供されており，最近はパルススパッタリング法も注目されている．

文　献

1) 武田　進：『気体放電の基礎 新訂版』（東京電機大学出版局，1990）.
2) T. Ishitani and R. Shimizu：Phys. Lett. A, **46** (1974) 487.
3) 水谷道夫，佐々木公洋，畑　朋延：電子情報通信学会誌 C-Ⅱ，**J81-C-Ⅱ** (1998) 245.
4) P. Sigmund：Phys. Rev., **184** (1969) p. 383.
5) G. K. Hubler："Pulsed laser deposition of thin films" (D. B. Chrisey and G. K. Hubler eds.), Chapter13 (John Wiley and Sons, 1994) p. 327.
6) 高村秀一：『プラズマ理工学入門』（森北出版，1997）.

2　薄膜作製法

表 2.1　そのほかのスパッタリング法

名　称	原　理	長　所	文献
アンバラントマグネトロンスパッタリング（UMS）	磁場をターゲット近傍のみならず，基板付近まで漏洩させ，意図的に基板のプラズマ照射を増加させている．	プラズマにより基板クリーニング可能で，膜の基板への付着力を増加させることができる．	8)
イオン化スパッタリング	高周波コイル堆積層内に入れ堆積粒子をイオン化し電場で加速し基板上に堆積させる．	堆積粒子に指向性を付与し，アスペクト比の高いヴィアホールなどに膜を埋め込むことが可能．	8)
デュアル（ツイン）スパッタリング	二つのターゲットを設置してそれらに交互に交流電圧（あるいは二極性パルス）を印加する．	陽イオン照射によるスパッタリングと，それに伴う帯電を逆相での電子照射で中性化することにより，アーク発生を抑制し，定常的な反応性スパッタリングを可能にする．	8)
パルススパッタリング	プラズマ生成のために電力を，デューティ比の小さなパルスで投入し，低い基板温度を維持しながら，高密度プラズマを発生させることができる．	高エネルギー粒子を用いた堆積で，堆積粒子の基板上でのマイグレーションを促進し，基板温度の低減に有効である．	10)
ラジカル支援スパッタリング，デジタルスパッタリング	反応性スパッタリングの一種で，金属の不完全酸化膜堆積と強力なラジカル源による酸化過程を，空間的・電気的に完全分離する．	金属の堆積過程と酸化過程を分離することによりそれぞれの独立制御が可能となり安定な高速製膜が可能となる．	9)
ECR スパッタリング	静磁場とマイクロ波源を用いて電子サイクロトロン共鳴（electron cyclotron resonance：ECR）により高密度プラズマを生成する．	低温・低損傷で高品質薄膜の堆積が可能．	9)
対向ターゲットスパッタリング	対向する二つのターゲット電極を設置し，その間に磁場印加することによりプラズマを閉じ込め，その傍らに配した基板上に膜を堆積させる．	低ガス圧力で放電可能となり，プラズマからの粒子衝撃や二次電子衝撃を抑制可能．磁性体ターゲットも利用可能．	9)
イオンビームスパッタリング	スパッタリングガスの生成槽とスパッタリングおよび薄膜堆積槽を分離することにより，それぞれの過程を独立制御することを可能にしている．	スパッタリングおよび堆積等をプラズマフリーにすることで，その雰囲気圧力を自由に設定可能であり，スパッタリング素過程の研究に適している．	9)

7) T. Hata, S. Nakano, Y. Masuda, K. Sasaki, Y. Haneda, and K. Wasa : Vacuum, **51** (1998) 583.
8) 金原　粲：『薄膜の基本技術』(東京大学出版会，2008).
9) 森本章治，神谷　玖，中野武雄，星　陽一，草野英二，鈴木寿弘，広野　滋，中川茂樹，石井　清，遠藤民生，重里有三，長江亦周：『薄膜ハンドブック　第2版』（日本学術振興会薄膜第131委員会　編），I編 1.1.2節(オーム社，2008) p. 44.
10) J. W. Shon, J. Ohta, K. Ueno, A. Kobayashi, and H. Fujioka : Scientific Reports, **4** (2014) 5325.

2.3 化学気相成長

2.3.1 化学気相成長の概要と特徴

　化学気相成長は，基板近傍に供給した気体状の原料を，熱，プラズマなどを駆動力として気相および基板表面で反応させ，薄膜を得るプロセスである(図2.17)．真空蒸着やスパッタリングなどの物理的製膜手法に比べて，化学反応を用いる点が最大の特徴であり，気相を用いた製膜であることを踏まえて chemical vapor deposition (CVD) と称される．結晶薄膜のエピタキシャル成長も可能であり，その場合は vapor phase epitaxy (VPE) とよばれることもある．

　まず，製膜に化学反応を用いる利点を考えたい(図2.18)．真空蒸着，スパッタリングなど，膜を構成する原子を気相から表面に供給して製膜する場合，入射した原子(あるいはそのクラスター)は1に近い確率で膜表面に取り込まれる．一方，CVDの場合は，表面近傍に供給する原料の一部しか表面に取り込まれないように化学反応を設計する．このために，化学的に安定な原料をより反応性の高い物質に少しずつ気相で反応させたり，原料自体を膜表面と穏やかに反応させたりして，原料が膜に取り込まれる確率を非常に小さくする．逆にいえば，このような形で反応する原料を選んでCVDに用いる．その結果，表面に入射する原料分子の大部分は膜に取り込まれずに別の場所に移動する．この原理を用いれば，大面積にわたり原料を比較的均一に供給することが可能になる．したがって，CVDは一度に多数の

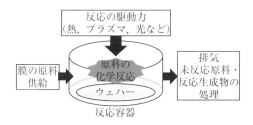

図 2.17　化学気相成長(CVD)の基本概念

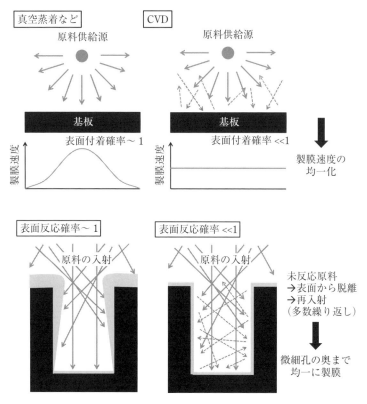

図 2.18 CVD による膜厚均一性に優れた製膜．(a) ウェハー面内の膜厚均一性，(b) 微細構造内部の膜厚均一性

ウェハーを処理できる，大量生産に適した製膜法である．また，ウェハー面内の巨視的な均一性のみならず，デバイスでしばしば用いられるトレンチや貫通孔などの微細構造の内部にも膜厚均一性に優れた製膜が可能である．この特徴は，電子デバイスだけでなく，有機材料表面のガス透過防止膜などにも有用である．

化学反応を製膜に用いることで，高品位な膜を得やすいことも利点である．化学反応により表面に形成される酸化膜や窒化膜は，その反応の性質に由来して化学量論を満たした緻密な膜になりやすい．これは，絶縁膜やハードコーティング膜に大変有用である．また，エピタキシャル成長においては，表面のテラスに不規則に核発生した原子はステップに取り込まれた原子に比べて不安定であるため，原料の分解で生じた副生成物によりエッチングされやすい．すなわち，製膜の逆反応により

表面の不安定位置に付着した原子を除去しやすいため，安定した結晶成長を行いやすい．

以上は，CVD の潜在的な利点であり，化学反応の設計，すなわち原料選択，製膜条件の設定，適切な形状を有する装置の設計などによりはじめて可能となるものである．このような CVD プロセスの設計は，化学反応が関与するため，物理的な製膜手法に比べて非常に複雑になりやすい．CVD のメカニズムに立脚したプロセスの最適化が不可欠であるが，そのためには，CVD の本質を巧みに抽出したモデルを頭に描いて取り組む必要がある．本節では，多岐にわたる CVD プロセスの概要と基本的な考え方を述べるが，より詳しい解説は文献 1～5 を参照されたい．

2.3.2 CVD の装置構成

a. 原料の選択および供給

CVD の特徴を発揮するために，原料の選択は最も重要な要素の一つである．CVD 原料に求められる性質をまとめると，以下のようになる．

（ⅰ）安定に保管でき，原料容器から基板表面まで安定かつ高濃度で輸送可能であること．このためには，水分や酸素などを排したうえで室温に保った密封容器の中で分解せず，気体として供給するためにある程度以上の蒸気圧を有する必要がある．また，複数の原料の反応により製膜を進める際に，低温の原料供給ラインの中では原料どうしが反応せず，高温場に至ってはじめて反応が開始されることが望ましい．しかし，原料どうしの反応を防ぐことはしばしば困難であるため，反応しやすい原料は供給ラインを分離し，基板付近ではじめて混合する形をとることも多い．

（ⅱ）高温に保たれた基板付近の気相あるいは基板表面で，穏やかに反応すること．高温で反応が進行することは，(i)で述べた室温での化学的安定性と矛盾しやすいが，原料が基板を素通りしては製膜が進行しないので，安定性と反応性のよいバランスをとる必要がある．とくに，原料の分解・製膜反応が不十分であると，原料由来の不純物が膜に取り込まれる危険性がある．典型例が有機金属原料を用いた CVD で得た膜における炭素や水素などの不純物である．このような不純物混入を防ぐために，膜を構成する元素を有する主原料以外に，化学反応により原料の分解を促進するための副原料を用いることも多い．例えば，W の製膜には主原料である WF_6 のほかに H_2 を供給し，F 原子の除去を促進する．

（ⅲ）原料の精製が容易であること．膜の不純物は，上記のように原料自体に由来して取り込まれる場合もあるが，原料の製造過程で混入する水分などの不純物もやっかいな不純物要因となる．したがって，高純度の膜を得るためには高純度原料の使用が不可欠であり，また原料供給過程で不純物が混入しないように高気密仕様の原料供給ラインと反応器を用いる必要がある．多くのCVD原料は，多段の蒸留過程により高度に純化できるが，原料と水の蒸気圧特性が近い場合などは蒸留による精製が困難となり，その化学物質はCVD原料に適さないことになる．

膜の構成元素を含む化学物質のうち，以上の要件を満たしてCVD原料としてよく用いられるのが，水素化物（SiH_4, NH_3, AsH_3 など），ハロゲン化物（WF_6, $TiCl_4$ など），さらに各種の有機金属錯体や有機金属化合物である．ある元素を含むCVD原料を探す際に，安定性や高温での適切な反応性を満たす水素化物やハロゲン化物が存在すればそれらを用い，なければ種類の豊富な有機金属錯体や化合物の中からCVD原料に適したものを探すことになる．ただし，錯体や化合物を構成する有機配位子自体がCVDの条件で分解しにくいことが条件である．また，原料の分子量が大きくなると蒸気圧が下がる傾向があることにも注意が必要である．

次に，原料の供給法について述べる．多くの水素化物のように，蒸気圧が高く室温で主に気体として存在する原料は，ガスボンベに密封して保管し，流量制御装置を経て反応器へと供給される．この際，ボンベの圧力が反応器よりも十分高い必要がある．原料の蒸気圧が足りない場合は，窒素や水素などの不活性ガスで希釈して，ボンベ内部の圧力を高めることもある．塩化物や有機金属原料は，蒸気圧が低く室温付近で主に液体状態をとることが多い．原料保管容器の温度を上げることで蒸気圧を高めて気体として扱うことも可能であるが，この場合原料供給ラインの温度を保管容器の温度よりも上げておかないとライン中に原料が凝縮してしまうため，装置構成が面倒になる．通常は，容器内に液体原料を封入し，不活性ガス（しばしばキャリアガスとよぶ）を液体原料に泡として吹き込み，飽和蒸気圧の原料を不活性ガスに乗せて取り出す「バブリング」という動作を行う（図2.19(a)）．泡が原料液体中に十分長い時間滞在しないと，原料蒸気圧が飽和値まで上がらない場合があるので，ガスの吹き込み口に微小な泡を形成する工夫が必要である．

バブリングにおける原料供給量は，容器の圧力と温度，そしてキャリアガスの流量によって決まる．原料の飽和蒸気圧 P_{src} は温度の関数であり，クラウジウス-クラペイロン（Clausius-Clapeyron）の式によって表される．

2.3 化学気相成長　75

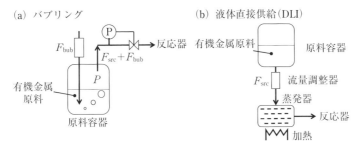

図 2.19　蒸気圧が低い原料の供給法

$$\log P_{\mathrm{src}} = A + \frac{B}{T} \tag{2.11}$$

ここで，A と B は原料固有のパラメータである．キャリアガスを F_{bub} 流すと原料が蒸発して F_{src} の流量が生じること，原料容器の全圧力 P の中で，バブリングガスが $P-P_{\mathrm{src}}$，原料ガスが P_{src} の圧力を占めることから

$$\frac{F_{\mathrm{src}}}{F_{\mathrm{bub}}} = \frac{P_{\mathrm{src}}}{P - P_{\mathrm{src}}} \tag{2.12}$$

$$F_{\mathrm{src}} = \frac{P_{\mathrm{src}}}{P - P_{\mathrm{src}}} F_{\mathrm{bub}} \tag{2.13}$$

のように原料供給量を設定できる．

バブリングは，液体だけでなく固体原料にも利用できる．この場合，容器内に固体を充填して，キャリアガスが充填層内を十分長い時間通過するような容器の設計が必要だが，容器の中の原料が少なくなるとキャリアガスとの接触時間が不十分になり，原料蒸発量が飽和値に至らず原料供給量が減る危険がある．

キャリアガスを用いたくない場合には，図 2.19(b) のように蒸発器に液体原料を直接供給して反応器へと供給する手法も利用可能である．ただし，蒸発器の温度は原料を完全に蒸発させつつ分解を防ぐ範囲に注意深く設定する必要がある．

b. CVD 反応器

CVD の操作圧力は，分子線エピタキシー（真空蒸着）のような高真空雰囲気から，大気圧を超えて加圧雰囲気まで，バラエティーに富んでいる．原料の分解を熱で行うかプラズマなどの高エネルギー粒子存在下で行うかによっても，反応器形状が異なる．これらの詳細は，次節で詳しく述べる．いずれの場合も不純物の混入を防ぐ気密容器を用いるが，不純物の除去は高真空への排気か，あるいは高純度ガスで容

器内を十分にパージするなど，操作圧力によって方針が異なる．

c. 除害系

CVD 反応器から排出される気体は，未反応原料や反応副生成物を含むため，大気に排出する前に適切な処理が必要である．とくに，大気圧 CVD の場合，装置が簡略になる一方で，排出ガスをきちんと回収・処理する仕組みを忘れてはならない．多くの原料は，水などと反応させて無害化したり，固体吸着剤に吸蔵させ，後でまとめて無害化処理を行う．ハロゲン化物を原料に使う場合には，反応後にハロゲン化水素が生じて金属配管を腐食させることがあり，注意が必要である．

2.3.3 CVD 反応器の基本構造

a. 熱 CVD の反応器

(1) 減圧反応器(図 2.20(a))

CVD は，真空蒸着に比べて，原料の表面への取り込み確率が低い分，一定の製膜速度を得るために反応器内の原料圧力は高く設定される．それでも，原料のみを反応器に供給する場合には，反応器内は分子流領域の低圧力となる(基板表面に毎秒 1 原子層の原子・分子フラックスを与える圧力がおよそ 10^{-4} Pa なので，表面での取り込み確率が 10^{-4} であっても，1 Pa の原料分圧があれば毎秒 1 原子層の堆積速度が得られる)．主原料のほかに同程度の圧力の副原料や希釈用の不活性ガスを導入しても，反応器は分子流領域に入る．この場合，多数のウェハーを重ねたバッ

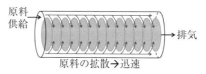

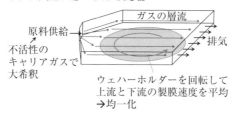

図 2.20 熱 CVD 反応器の基本構造

チ式の大型反応器であっても，原料供給量口の形状に特段の工夫を施すまでもなくウェハー全面に原料を均一に供給できる．一方，CVDにおいては気相に出る反応副生成物の除去も重要な要素であるが，分子の気相拡散は分子流領域では十分速いので問題ない．これらの理由から，原料や，同程度の量の添加ガスを供給する減圧CVDの場合，生産性が求められる場面ではしばしば100枚規模のウェハーを一括処理する大型のバッチ式反応器が用いられる．

(2) 大気圧に近い反応器(図2.20(b))

一方，バブリングで原料を供給するために原料よりもはるかに大量のキャリアガスを必要とする場合，CVD反応器内部の圧力は必然的に高くなる．また，III-V族窒化物半導体の結晶薄膜成長において窒素に関連した化学種の分圧を大きくする必要がある場合のように，反応性が低い原料(この場合はNH_3)を極めて大きな分圧で供給したい場合，反応器の圧力は大気圧以上になることもある．このような圧力条件では，ガスの流れは粘性流となり，大面積の基板に対して均一に原料を供給するためには流れ場の最適化が不可欠となる．とくに，後で詳しく述べるように，基板表面への原料および製膜中間種の輸送には基板表面近傍の物質移動境界層(流れの影響が及ばず淀んだ空間で，その中を原料などの分子が濃度勾配を駆動力とする拡散によりゆっくりと移動する)の厚さが重要になるため，境界層を基板表面に均一に形成するような反応器形状の設計が重要である．ウェハーを狭い間隔で重ねて装填するバッチ式の反応器では，隣接するウェハーの空隙全体が物質移動の境界層になってしまい，原料の供給がウェハーの周辺部に偏ってしまう(原料がウェハーの中心部に拡散する前に，ウェハー表面での反応により消費されてしまう)．したがって，大気圧付近で行うCVDでは，処理が必要なウェハーを平面上にずらりと並べて，すべてのウェハーが比較的大きな空間に接するような装置形状をとることが多い．その中でのガスの流れが層流になるよう，導入口および排気口の設計を工夫する．最も単純な配置は，ウェハーと対向壁面で囲まれた空間をガスが横方向に流れる横型反応器であろう．このとき，多数のウェハーを設置するとホルダーがメートル級のサイズになってしまう．すると，原料ガス供給の上流と下流で原料濃度差がつくことを回避できないため，ホルダーを回転させて原料供給を時間的に平均化する．大面積にわたり原料供給を均一化する試みとして，ウェハーホルダーに対向する壁面からシャワー状に原料ガスを供給する反応器もよく用いられる．このような反応器を，シャワーヘッド型とよぶ．このタイプの反応器であっても，大型のウェハーホルダーの中央部と外周部では，ガスがウェハー上空に滞在する時間に

差が出る．原料が気相で分解する反応系では，このような滞在時間の不均一がウェハー面内で膜特性の分布を生む原因となるため，シャワーヘッド型反応器に関しても流れの解析と最適化は重要である．

基板近傍への原料供給を気体の層流に委ねるメリットの一つは，キャリアガスに乗せて供給する原料をバルブで瞬時に切り替えることにより，ウェハー近傍に供給する原料を急峻に切り替え可能なことである．原料の置換に分子の拡散を利用する低圧 CVD 反応器に比べて，ガスの流れで原料を「押し流す」層流型の反応器のほうが急峻な原料切り替えが可能である．原料を供給するタイミングを精密制御して量子井戸などの微細な薄膜構造を成長する化合物半導体の CVD には，層流型の反応器を使う．

以上の説明は，円盤状のウェハー表面に製膜する光・電子デバイスプロセスを念頭に置いたものであった．しかし，CVD は切削工具の表面コーティングや容器のガスバリア膜形成など広範な用途に用いられており，反応器形状もバラエティーに富む．しかし，常圧に近い反応器のみでガス流れの制御が重要となるなどの基本的な考え方は，上記の議論と共通している．

b. プラズマ CVD 反応器

プラズマ CVD プロセスでは，プラズマ中に存在する数～数十 eV の電子を用いて原料ガスを分解する．このため，原料が導入口から反応器に入った後，基板表面に到達するまでにプラズマ中の高エネルギー電子と接触する必要がある．図 2.21 に例示した反応器では，スパッタリング装置のターゲットがシャワーヘッド型のガス導入口に置き換えられた形となっている．RF バイアスを印加されたシャワーヘッドの近傍に容量結合によってプラズマが生成し，そこに含まれる電子が導入口からの原料と接触して分解反応が進行する．スパッタリングと同様に，高エネ

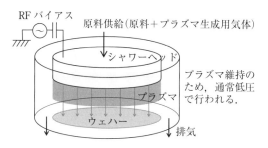

図 2.21 プラズマ CVD 反応器の基本構造

ギーのイオンを基板表面に照射したくないので,基板は接地されたステージに置くのが基本である.

各種のプラズマ源が利用可能であることはスパッタリングやエッチングプロセスと同様で,誘導結合プラズマ(inductively coupled plasma:ICP),マイクロ波プラズマなどプラズマ源により装置形状は異なる.原料ガスのみではプラズマの維持に必要なガス解離による電子の供給を十分に行えないこともあり,その場合は原料とともに電離しやすい希ガスを導入する.キャリアガスで原料を希釈するのと似ているが,この場合は原料供給の目的でなくプラズマ維持の目的のために希釈ガスを用いる.原料を含むガスは,図2.21のように電極を兼ねたシャワーヘッドから導入して原料が直ちにプラズマと接触する形にしてもよいし,プラズマ維持のためのガスと別に基板付近に導入してもよい.どのような原料導入口のデザインを用いる場合でも,原料がプラズマと接触すると迅速に反応するため,後続する気相反応によりさまざまな化学種が生成することに注意が必要である.これらの化学種は,膜の前駆体として製膜に寄与することが期待されるが,表面での反応性が高すぎて微細構造への製膜が不均一になったり,膜表面で反応する前に気相反応して微粒子を形成したりすることがある.後者はガスが導入されてから排気されるまでの時間が長いと起こりやすくなる.このため,ガスの反応器内の滞在時間を短くするような設計が必要となる.

2.3.4 CVDで製膜できる膜とその原料

a. 熱 C V D

熱CVDに用いる反応の例を表2.2に示す.これらは,① 原料単体で分解して膜を生成するもの,② 適切な副原料との反応により膜を形成するもの,の2種類に分かれる.膜が複数元素を含む場合は,通常②の反応系が用いられる.

①の代表例は,SiH_4あるいはSiH_2Cl_2を原料とするシリコンのCVDである.同じ単一元素の膜でも,金属の製膜には金属化合物原料とともにH_2などの還元剤を用いることが多い.化合物薄膜のCVDでは,酸化膜にはO_2を,窒化膜にはNH_3を副原料として用いることが多い.酸化剤としてはH_2Oも考えられるが,原料との反応が迅速に進みすぎて気相で微粒子を形成しやすいなどの問題があり,あまり用いられない.例外として,CO_2とH_2を混ぜて供給し,シフト反応によりH_2Oを徐々に生成する場合がある.炭化物には,CH_4などの炭化水素原料に加えて分解反応を促進するためのH_2を一緒に副原料として用いる.

表 2.2 熱 CVD により形成される膜と用いる原料の例

	膜	原料	備考
低圧	Si	SiH_4	アモルファス,多結晶
	Ge	GeH_4	
	SiO_2	SiH_4, O_2	
	Si_3N_4	SiH_2Cl_2, NH_3	
	Al	$(CH_3)_2AlH$	
	W	WF_6, H_2	
	TiN	$TiCl_4$, NH_3	
	TiC	$TiCl_4$, CH_4, H_2	高硬度被覆膜,表面保護膜
	Al_2O_3	$AlCl_3$, CO_2, H_2	高硬度被覆膜,表面保護膜
やや減圧	Si	SiH_2Cl_2	エピタキシャル
	GaAs	$(CH_3)_3Ga$, AsH_3	エピタキシャル

〔K. L. Choy: Prog. Mater. Sci., **48** (2003) 57 より〕

b. プラズマ CVD

プラズマ CVD(プラズマ援用(あるいは支援)CVD の簡略形)では,高エネルギーの電子により原料を分解するため,基板および気相の温度を熱 CVD に比べて大幅に下げることができる.また,CH_4 など単体では熱分解が困難な分子も,電子衝突により分解するので原料として用いることができる.プラズマ CVD に用いる反応の例を表 2.3 に示す.反応系の設計指針は,熱 CVD の場合と同様である.

c. 原子層堆積(atomic layer deposition:ALD)

ALD は熱 CVD の一種であるが,2 種類の原料 A,B を交互に供給して均一かつ緻密な膜を基板表面に形成するプロセスである.原料 A は膜の主要構成元素を含

表 2.3 プラズマ CVD により形成される膜と用いる原料の例

膜	原料	製膜温度(℃)	備考
SiO_2	SiH_4, N_2O	200〜300	H が混入し,量論になりにくい.
SiH_4	Si_3N_4, NH_3	〜350	H が混入し,量論になりにくい.
アモルファス Si	SiH_4	<300	H が混入.太陽電池,TFT 用途
W	F_6, H_2	350	
アモルファスカーボン,DLC	CH_4, C_2H_2 など	<400	高硬度被覆膜,表面保護膜

〔K. L. Choy: Prog. Mater. Sci., **48** (2003) 57 より〕

み，基板表面に吸着するが単体では反応せず，原料Bと反応してはじめて膜になるように反応系が設計される．原料Aは各種有機金属化合物やハロゲン化物，原料Bには酸化膜であればH_2OもしくはO_2，窒化膜であればNH_3，金属膜であれば還元性のあるH_2などが用いられる(表2.4)．適切な原料の選択とともに，基板および反応容器の温度を低めに設定して原料Aの気相および表面における反応を抑制する．

原料Aは，供給期間中に基板表面に吸着する．原料Aの表面吸着量は飽和するので，原料の供給が不均一でも，十分長い時間原料Aを供給し続ければ，表面全体で原料Aの吸着量が均一になる．同様な原理で，微細な孔の内部表面にも均一な原料Aの吸着層が形成されていく．その後，原料Aと反応する原料Bが表面に入射し，原料Aと反応して所望の膜を生じる．原料Aが吸着した量しか膜は生成しないので，原料Bの供給時間も十分長くとればよい．原料Aの飽和吸着が膜の均一性を担保し，原料Bと表面反応して膜を形成することが，膜の化学量論や緻密さの起源となる．

表 2.4 原子層堆積(ALD)により形成される膜と用いる原料の例

膜	原料A	原料B
Al_2O_3	$AlCl_3$ または $Al(CH_3)_3$	H_2O または O_2
SiO_2	$SiCl_4$ または $Si(OC_2H_5)_4$	H_2O
TiO_2	$TiCl_4$ または $Ti(OC_4H_9)_4$	H_2O
SnO_2	$SnCl_4$	H_2O
SnO_2	$Sn(CH_3)_4$	N_2O_4
AlN	$AlCl_3$ または $Al(CH_3)_3$	NH_3
Si_3N_4	$SiCl_4$ または $SiCl_2H_2$	NH_3
Si	$SiCl_4$ または $SiCl_2H_2$	H_2
Cu	$CuCl_2$ または $Cu(hfac)_2$	H_2
Ru	$RuCp_2$ または $Ru(thd)_3$	O_2
Pt	$Pt(acac)_2$	H_2

hfac＝ヘキサフルオロアセチルアセトン
Cp＝シクロペンタジエン
thd＝2,2,6,6-テトラメチル-3,5-ヘプタンジオン
acac＝アセチルアセトン

〔R. L. Puurunen : J. Appl. Phys., **97** (2005) 121301 より〕

ALDは，名称のうえでは原子層となっているが，原料Aの供給期間中に複数原子層分の飽和吸着が起こり，1サイクルで成長するのは単一原子層ではなく複数原子層である場合が多い．それでも，数原子層ごとに成長するので成長速度は非常に小さい値にとどまる．したがって，ALDは，厚さは不要だが均一性や緻密性が重視される絶縁膜，表面保護膜やバリア膜などに用いられることが多い．

2.3.5 CVDにおける反応のモデリング

a. 化学反応の分類：素反応と総括反応

例えばCH_4の燃焼は化学反応の一例であり，その反応式は次のように書くことができる．

$$CH_4 + 2O_2 \longrightarrow CO_2 + 2H_2O \tag{2.14}$$

この式は1 molのCH_4が2 molの酸素と反応して，1 molのCO_2と2 molのH_2Oを生成することを表現するという意味で正しい式である．これを化学量論式とよぶ．しかし，実際のCH_4の燃焼は，CH_4 1分子と酸素2分子とが衝突して進行するわけではない．実際には，CO，C_2H_6，H，CH_3，OHなど多くの分子や反応活性で短寿命な分子（ラジカル）が存在し，以下のようなさまざまな反応が進行している．

$$\begin{aligned} CH_4 + OH &\longrightarrow CH_3 + H_2O \\ CH_3 + CH_4 &\longrightarrow C_2H_6 + H \\ CO + OH &\longrightarrow CO_2 + H \end{aligned} \tag{2.15}$$

これらの反応はいずれも，書かれたとおりに起こる．例えば，一番上の反応なら，CH_4 1分子とOHラジカル1分子が衝突して反応し，CH_3ラジカルが1分子とH_2Oが1分子生成する．このように，単独で進行し，分子的経路に直接対応した反応を素反応とよぶ．CH_4の燃焼の例では，炎の中で進行する素反応の数は数百にも達する．

反応現象は，このように多くの素反応から成り立つ複合現象である．しかし限られた温度や濃度の範囲で考える場合，多くの素反応を1～2の化学量論式で近似することができる．このような近似的な反応を，総括反応とよぶ．その速度は，反応に関与する無数のラジカルを無視して，原料分子の濃度の関数として近似的に表される．

b. 反応速度式と反応次数

ほとんどの場合，反応速度は原料分子Aの濃度C_Aに正の相関をもつ．多くの素反応から成り立っている反応であっても，反応速度がC_Aに比例するという場合が

多い.こういう反応を1次反応とよび,その速度 r は

$$r = -\frac{dC_A}{dt} = kC_A \tag{2.16}$$

と書くことができる. k は反応速度定数で,アレニウス型の温度依存性をもつ.

$$k = A\exp\left(-\frac{E_a}{RT}\right) \tag{2.17}$$

ここで,A は頻度因子,E_a は活性化エネルギー,R は気体定数,T は温度である.ボルツマン分布に従ってエネルギーをもつ原料分子のうち,反応に必要なエネルギーしきい値 E_a 以上のエネルギーをもつ分子のみが反応することが,アレニウス型の温度依存性の起源である.式(2.16)と(2.17)から,反応速度の対数 $\log r$ を温度の逆数 $1/T$ に対してプロットすると,線形な関係が得られ,傾きが活性化エネルギー E_a に比例することがわかる(頻度因子 A や原料濃度 C_A の温度依存性は,指数関数の項に比べて十分小さく無視できる).これが,化学反応が関与するプロセスの解析に広く用いられるアレニウスプロットである.

一般的には,

$$A + B \longrightarrow C \tag{2.18}$$

という反応の速度が

$$r = kC_A{}^n C_B{}^m \tag{2.19}$$

と記述できる場合には,A に関して n 次反応,B に関して m 次反応,全体として $n+m$ 次反応であるという.ただし,3分子以上の衝突で起こる素反応は極めて稀で,素反応の次数は2次以下が普通である.素反応の組合せである総括反応に関しても,反応速度は原料濃度の2次以下になることが多い.また,2次以上の総括反応に関しても,反応速度定数はアレニウス型の温度依存性をもつ.

このように,化学反応の速度式は決して単純ではないが,限られた条件の範囲では,最も影響の大きな分子の1次反応として化学反応の速度式を近似できる場合が多い.例えば,式(2.14)に示した CH_4 の燃焼反応の速度は,CH_4 濃度と O_2 濃度の両方に依存するが,CH_4 濃度が O_2 濃度に対して十分に小さければ,反応の進行による O_2 濃度変化は無視できるほど小さいので,反応は CH_4 の1次反応であると近似することができる.CVD の反応をモデリングする際には,このような反応の簡略化が不可欠である.

c. 律速段階

多くの化学反応が関与する系の場合,全体の進行速度としては最も遅い反応の速

度がみえる．この最も遅い反応を律速段階とよぶ．CVDにおいては，図2.22に示すように，気相・基板表面における反応だけでなく原料分子および製膜中間種の物質移動が製膜速度に関与している．したがって，原料分子の反応過程だけでなく，原料あるいは製膜中間種（膜の前駆体）の基板表面への物質移動が製膜の律速段階になる可能性がある．一例として，有機Cu原料((hfac)Cu(tmvs))[*1]を用いたCuのCVDでは，原料から反応活性な分子が生じる気相反応が律速段階である．また，SiH_4を用いた低圧CVDでは，SiH_4が分解してシリコン膜とH_2を生じる表面反応が律速段階となる．同じシリコンのCVDでも，$SiHCl_3$を原料とし大気圧に近い条件で行われるプロセスでは，原料の基板表面への物質移動が律速段階になる．これは，高い圧力の下では原料の気相拡散が遅くなるためである．

同じプロセスでも，製膜温度によって律速段階が変化する現象がしばしば観測される．原料が表面で直接反応するCVDの系を考えよう．図2.23に示すように，

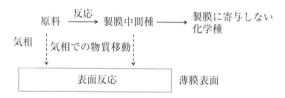

図2.22 CVDにおける反応と物質移動過程

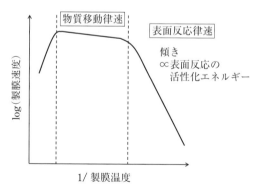

図2.23 物質移動律速と表面反応律速が切り替わる状況での製膜速度のアレニウスプロット

[*1] hfac：ヘキサフルオロアセチルアセトン
tmvs：トリメチルビニルシラン

温度が低い($1/T$が大きい)領域では，アレニウス型の温度依存性に従って原料の表面反応速度が遅くなり，製膜速度は原料の表面反応の速度にほぼ等しくなる．この領域では，製膜速度のアレニウスプロットの傾きは，表面反応の活性化エネルギーに比例する．温度が上昇すると表面反応速度は飛躍的に増大するが，一方で原料の基板表面への物質移動速度は原料の拡散係数に比例し，その温度依存性は小さい(気体中の分子の拡散係数は，その並進速度と平均自由行程に比例するが，いずれも温度依存性は小さい)．したがって，高温領域では原料の基板表面への物質移動が律速段階となり，アレニウスプロットの傾きは非常に小さい．なお，温度が非常に高い領域では，製膜速度が温度とともに減少することがある．この原因として，原料自身の気相反応により製膜に寄与しない分子(あるいは微粒子)が生じて製膜に至る原料分子が減ること，生成した膜の熱分解あるいは反応副生成物による化学的なエッチングにより膜厚が減少することが考えられる．

2.3.6 CVD 反応器内での製膜速度分布

a. 概　　要

CVD 反応器内に形成される原料および製膜中間種の濃度分布は，製膜速度分布を決定する因子として重要である．一方，流れや拡散，原料の気相・表面反応が複雑に絡むため，正確な濃度分布を求めることは，化学反応過程を取り込んだ数値流体力学シミュレーションに頼らざるを得ない．ここでは，CVD における製膜速度分布に関して直観的な理解を得るために，状況を大胆に簡略化してモデリングすることを試みる．対象は，物質移動が律速になりやすい大気圧に近い CVD 反応器とし，例として横型反応器を取り上げる．議論を単純化するため，反応器全体が均一な温度に設定されていると仮定しよう．

図 2.24 に示すように，流れ方向および基板を含む壁面の法線方向における原料濃度分布を考えよう．原料はガスの流れに乗って下流に輸送されつつ，基板を含む壁面での製膜反応により消費される．したがって，原料濃度は下流に向けて減少する．反応系によっては，原料は直接表面で反応せずに，まず気相で表面反応活性の高い製膜中間種を生成し，次いでその中間種が表面での製膜反応により消費されることもある．この場合，製膜速度分布を支配する製膜中間種の濃度は，流れ方向にピークをもつ形をとる．一方，基板を含む壁面の法線方向では，原料(あるいは中間種)の濃度は以下のような分布をとる．表面から離れた気相(バルク)では，流れに乗った原料輸送により一定のバルク濃度となる．一方，壁面では原料(あるいは

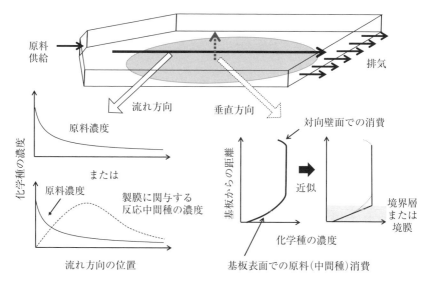

図 2.24　大気圧に近い横型 CVD 反応器内部の原料および製膜中間種の濃度分布

中間種)は製膜反応により消費されるため,その濃度は壁面近傍で減少する.この分布は一般的に複雑であるが,壁面ごく近傍での原料(あるいは中間種)濃度の傾きをバルク濃度まで外挿し,直線で濃度分布を近似することがある.壁面から線形な濃度勾配が存在する領域を,境界層あるいは境膜とよぶ.

このような境界層近似は,流れとそれに由来する化学種濃度分布の複雑さを境界層厚さに集約するものであり,見通しはよくなるが,一方で境界層厚さをどう求めるのかという問題が常に残る.典型的な形状の流路に関しては,境界層厚さは流体計算により求められている.例えば,流体入り口から十分に離れて発達した層流に関しては,円筒の場合,境界層厚さは直径の 3.66 分の 1,2 枚の平行な無限に広い板に囲まれた流路内では,境界層厚さは板の間隔の 7.54 分の 1,などである.

b.　基板に垂直方向の濃度分布と製膜速度

発達した層流の中では,壁面に垂直な流速成分は存在しないので,壁面に入射する原料(あるいは製膜中間種)のフラックス(単位面積・単位時間あたりのモル数)J は,図 2.25 に示す濃度分布に由来する壁面への分子の拡散速度で決まる.すなわち,原料(あるいは製膜中間種)の気相拡散係数 D に濃度勾配をかけたものになる.

$$J = D\frac{C_b - C_s}{\delta} = k_d(C_b - C_s), \qquad k_d = \frac{D}{\delta} \tag{2.20}$$

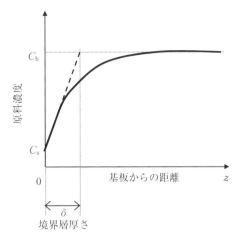

図 2.25 基板の法線方向に沿った原料あるいは製膜中間種の濃度分布

ここで，C_b, C_s はそれぞれ気相のバルク，壁面近傍における濃度，δ は境界層厚さである．k_d は，気相拡散係数を境界層厚さで割ったもので，物質移動の速度定数というべきものである．一方，定常状態において，J は壁面での製膜反応による原料(あるいは製膜中間種)の消費速度に等しい．

$$J = r = k_s C_s \tag{2.21}$$

ここで，表面反応は原料(あるいは製膜中間種)の濃度の 1 次反応であると近似する．k_s は表面反応速度定数であり，アレニウス型の温度依存性をもつ．式(2.20)および式(2.21)から，設定した反応条件から計算可能な C_b によって製膜速度を表すと，

$$r = k^* C_b, \quad \frac{1}{k^*} = \frac{1}{k_d} + \frac{1}{k_s} \tag{2.22}$$

となる．これにより，$k_d \ll k_s$ のときは $r = k_d C_b$(物質移動の速度定数が製膜速度を決める→物質移動律速)，$k_s \ll k_d$ のときは $r = k_s C_b$(表面反応の速度定数が製膜速度を決める→表面反応律速)というように，遅い過程の速度が製膜速度を支配する，律速段階の考え方を定量化できる．

Ⅲ族元素の塩化物とⅤ族元素の水素化物を原料としてⅢ-Ⅴ族半導体のエピタキシャル結晶を製膜するハライド気相エピタキシー(halide vapor phase epitaxy：HVPE)法のように，反応副生成物が膜をエッチングする，すなわち製膜の逆反応が同時進行する場合には，壁面近傍の原料(あるいは製膜中間種)濃度が平衡値 C_e を

超えた分のみが製膜反応を進める．

$$J = r = k_s(C_s - C_e) \tag{2.23}$$

式(2.20)および式(2.23)から，

$$r = k^*(C_b - C_e), \quad \frac{1}{k^*} = \frac{1}{k_d} + \frac{1}{k_s} \tag{2.24}$$

すなわち，バルクの原料(あるいは製膜中間種)濃度に関しても，平衡値 C_e を超えた分のみが製膜に関与する形となる．律速段階の速度定数(k_d または k_s)が濃度項にかかることは，製膜の逆反応がない場合と同様である．

式(2.24)は，以下のように変形できる．

$$r = k^* C_e \alpha, \quad \alpha = \frac{C_b - C_e}{C_e} \tag{2.25}$$

ここで，α は原料濃度が平衡値を超える度合いを表し，結晶成長理論における過飽和比に対応するものである．製膜の逆反応が同時進行する系では，平衡濃度が大きければ，過飽和比が小さくても，すなわち逆反応の寄与が大きくても製膜速度を増大させることができる．一方，膜のエッチングが製膜と同時進行することは，製膜したエピタキシャル結晶の表面から，不安定な位置に付着した原子を除去することになり，高品位な結晶を成長できるメリットを生む．このように，HVPE など逆反応が存在する CVD は，高速で高品位な結晶を成長できる可能性を有する．

c． 反応器流れ方向の濃度分布と製膜速度

壁面の法線方向への原料の取り込み(製膜)速度に関しては，式(2.22)のとおり気相バルクの原料濃度 C_b と律速段階の速度定数(k_d または k_s)を用いて表すことができた．これを利用して，壁面の法線方向の濃度は C_b で一様であると近似し，流れ方向の原料濃度分布を考えてみよう．図 2.26 に示すように，反応器の流れ方向に

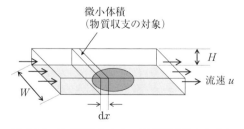

図 2.26 反応器流れ方向の原料濃度分布を考えるためのモデル

長さ $\mathrm{d}x$ の短冊状微小区間を考える．この短冊内で，原料濃度は一様で $C(x)$ をとると近似しよう．実際には反応器の断面内で分布は存在するが，断面方向に濃度を平均化したら $C(x)$ になると考える．同様に，断面内の流れ方向流速を平均化した u で，気体が一様に流れていると近似する．ところてんを押し出すようなイメージなので，押し出し流れ近似とよぶこともある．

以上の仮定のもとで，短冊内における原料分子の物質収支を考える．

$$uC(x)HW = uC(x+\mathrm{d}x)HW + k^*C(x)W\mathrm{d}x \quad (2.26)$$

左辺は上流からの流入，右辺第1項は下流への流出，第2項は反応器下部壁面における原料の消費をそれぞれ表す．ここでは，原料の消費は下部壁面でのみ起こると仮定しているが，ほかの壁面での原料消費を考えても議論は本質的に同じである．k^* は，律速段階の速度定数（k_d または k_s）をとる．

式(2.26)を反応器入り口の原料濃度が C_in であるという境界条件の下で解き，

$$C(x) = C_\mathrm{in}\exp\left(-\frac{k^*}{Hu}x\right) \quad (2.27)$$

を得る．すなわち，壁面での原料消費により，原料濃度は流れ方向に指数関数的に減少する．製膜速度は式(2.22)のように気相バルクの原料濃度に比例するので，製膜速度も流れ方向に指数関数的に減少する．

このように，横型流れのCVD反応器において，原料ガスの濃度分布をなくすことは不可能であり，分布の程度は $k^*/(Hu)$ に依存する．分布を抑制するためには，

- 製膜反応の実効的な速度定数 k^*（k_d または k_s）を小さくする
- 反応器の高さを増して，原料を消費する表面に対する気相の体積の割合を増やす
- ガス流速を増やす

の3項目が有効であることがわかる．まとめれば，原料が壁面での製膜反応により消費される前に原料を流れによって下流に輸送することで，反応器内の原料濃度分布を抑制することができる．一方で，これは，ほとんどの原料を未利用のまま反応器から排気することになり，非常に経済性の悪い方策といえる．このように，反応器内の製膜速度を均一化することと，原料の利用効率を上げることは二律背反の関係にある．現実的な対応策は，反応器内でのウェハーの設置位置（上流と下流）を周期的に入れ替えたり，ウェハー自体を回転させることにより，ウェハー間やウェハー面内の製膜速度を平均化することである．

2.3.7 微細孔内での製膜速度分布

すでに述べたように，CVD の特徴は，微細構造内部に均一に製膜できることにあるが，それは反応条件次第である．図 2.27 に示す $TiCl_4$ と NH_3 を用いた TiN の CVD では，NH_3 分圧が低いほうが $TiCl_4$ 由来の製膜反応が遅くなり，$TiCl_4$ の表面への取り込みよりも孔内部への気相拡散のほうが相対的に優勢になることで孔内部まで $TiCl_4$ が均一に分配され，均一な製膜が達成される．

このような微細溝内部の製膜速度分布は，反応器内部の巨視的な製膜速度分布と同様に，原料(あるいは製膜中間種)の物質移動と表面反応のバランスで決定される．微細溝内部には流れが存在しないので，物質移動は気相拡散のみで起こる．図 2.28 に示すように溝内部に深さ dx の微小区間を考えて，そこでの原料(あるいは製膜中間種)の物質収支を考える[6]．

$$Wd\left\{-D\frac{dC}{dx}\bigg|_x\right\} = Wd\left\{-D\frac{dC}{dx}\bigg|_{x+dx}\right\} + 2d\,dx(k_sC) \tag{2.28}$$

左辺は上部からの流入，右辺第 1 項は下部への流出，第 2 項は側壁面での製膜における消費をそれぞれ表す．また，C は原料(あるいは製膜中間種)の濃度，D は気相拡散係数である．表面反応は原料濃度の 1 次と仮定して，速度定数を k_s としてい

(a) 被覆性良好 (b) 被覆性不良

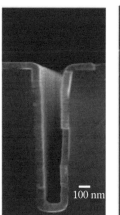 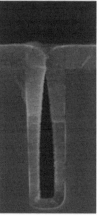

100 nm

図 2.27 Si 基板に加工した微細溝(トレンチ)内部への TiN 製膜例
〔K. Jun, Y. Egashira, and Y. Shimogaki : Jpn. J. Appl. Phys., 43 (2004) 7287 より〕

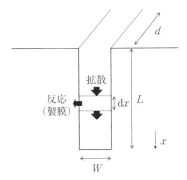

図 2.28 微細溝内部での製膜と原料拡散のモデリング

る．溝入り口での濃度 C_0，溝の底 $(x=L)$ で原料の壁面へのフラックス $D(dC/dx)$ が表面反応速度 k_sC に等しいという境界条件のもとで式(2.28)を解くと，溝内部の原料濃度分布が得られる．

$$\frac{C}{C_0}=\frac{\cosh\left(\phi\dfrac{L-x}{L}\right)+\dfrac{W}{L}\dfrac{\phi}{2}\sinh\left(\phi\dfrac{L-x}{L}\right)}{\cosh(\phi)+\dfrac{W}{L}\dfrac{\phi}{2}\sinh(\phi)} \tag{2.29}$$

ここで，ϕ は濃度分布の急峻さを決める因子であり，溝の寸法のほか，k_s と D の比に依存する．

$$\phi=L\sqrt{\frac{2}{W}\frac{k_s}{D}}=\frac{L}{W}\sqrt{\frac{3}{2}\eta} \tag{2.30}$$

ϕ が大きいほうが，すなわち k_s/D が大きい（反応のほうが拡散よりも速い）ほうが原料濃度の分布が急峻になり，溝内の膜厚均一性が悪化する．式(2.30)最後の項は，圧力が低く原料分子の平均自由行程が溝の幅 W よりも大きい分子流領域で成立する．この式からは，溝のアスペクト比 L/W が大きく，また分子の表面付着確率 η が大きいと ϕ が大きくなり，溝内の膜厚均一性が悪化することが明確である．

2.3.8 まとめ

CVD の特徴は，原料の化学反応を利用することで，原料の膜への取り込み確率を適度に低い値に制御可能な点にある．これにより，大面積にわたる膜厚均一性や，微細構造への被覆性に優れた製膜が可能になる．また，化学反応の自己整合性

を利用した膜の化学量論の制御も CVD の特徴である．

　CVD に用いる原料は，安定供給と基板近傍での分解を両立する必要がある．CVD で製膜できる膜種は，原料と反応条件の存在次第で決まる．

　CVD においては，膜の制御性（厚さ・組成）・大面積での均一性を実現する反応器設計が重要である．膜厚均一性向上の指針は，減圧 CVD の場合は基板の温度均一性にほぼ集約されるが，大気圧に近い CVD の場合は，原料の気相反応・基板表面への輸送・表面反応のすべてを考慮する必要がある．このためには，律速段階を同定して，その速度過程を考慮した反応器設計が必要であるが，同時に，不必要に複雑なモデリングを避け，製膜に本質的な反応のみを近似的に取り込んだ反応モデリングが重要である．

文　献

1) 日本学術振興会薄膜第 131 委員会 編：『薄膜ハンドブック 第 2 版』（オーム社，2008）．
2) 権田俊一 監修：『薄膜作製応用ハンドブック 第 2 版』（エヌ・ティー・エス，2020）．
3) C. Y. Chang and S. M. Sze eds.: "ULSI Technology"（McGraw-Hill, 1996）．
4) A. C. Jones and M. L. Hitchman eds.: "Chemical Vapour Deposition: Precursors, Processes and Applications"（Royal Society of Chemistry, 2009）．
5) 菅原活郎，前田和夫 編集：『次世代 ULSI 製造のための表面反応プロセス』（サイエンスフォーラム，1992）．
6) H. Komiyama, Y. Shimogaki, and Y. Egashira: Chem. Eng. Sci., 54（1999）1941.

2.4　印　刷　法

　本章ではここまで，気相堆積法について述べてきた．本節では，最近になって機能性薄膜の作製法として重要性が増している印刷法について簡単に紹介する．

　近年，薄膜を基本としたエレクトロニクス製品の製造に印刷技術を用いようとする動きが活発化している．従来は，薄膜の堆積と加工に高温での基板上への堆積・焼成・フォトリソグラフィー・エッチングといったプロセスが用いられてきたが，一般に製造に時間がかかり，かつコストがかかる．印刷によるパターン化薄膜の直接作製が可能となれば，製造コストの低減やタクトタイムの大幅な短縮が期待できる．また，印刷法には低温プロセスであるという大きな利点がある．そのため，プラスチックやポリマーなどの基板上への薄膜形成が可能となり，フレキシブルな各種製品への適用が期待されている．また，有機薄膜など，高温プロセスに適していない材料の製膜が可能であること，大面積の製膜が容易であることも印刷法の重要

な長所である．近年の技術開発によって，一部のディスプレイ，無線タグ，プリント基板などでは印刷法を用いた製膜プロセスが採用されはじめている．印刷による製膜に適した材料も開発されてきている．

印刷とは，本来は「画像・文字などの原稿からつくった印刷版の画像部に印刷インキを付けて，原稿の情報を紙などの上に転移させ多数複製する技術」と定義されている．しかし，近年のデジタル化によって，印刷版を使用しない電子写真方式やインクジェット方式による印刷が広く採用されるようになってきている．ここではインクジェット法のような「原稿を複製する技術」[1] も印刷法に含めて，その機能性薄膜作製への適用について述べる．薄膜作製に用いられる印刷法の概略を図 2.29 に[2]，それぞれの印刷法で用いられるインキの粘度を図 2.30 に示した．各印刷法の特徴を，フォトリソグラフィー法と対比して表 2.5 にまとめた．

スクリーン印刷は原版となるスクリーン製版にパターニングし，スクリーンメッシュ越しにインキを転写させることで製膜する技術である．スクリーン印刷はさまざまなインキに対応できる．原版となるスクリーン製版のメッシュを通過できれば，ほとんどのインキを転写することができる．これがスクリーン印刷の最大の特徴である．また，厚みのコントロールが容易にでき，ほかの印刷技術と比較して厚

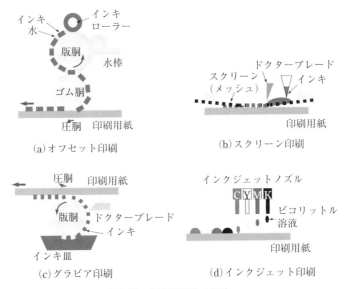

図 2.29 各種印刷法の概略
〔八瀬清志：「有機分子デバイスの製膜技術 II　印刷法」，応用物理，77 (2008) 173 より改変〕

94　2　薄膜作製法

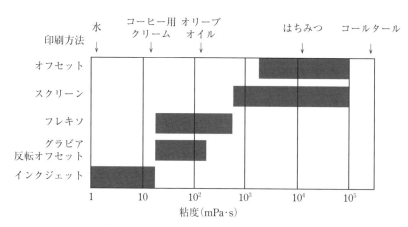

図 2.30　各印刷法に用いられるインキの粘度

表 2.5　各種印刷法とフォトリソグラフィー法

	スクリーン印刷	グラビアオフセット印刷	インクジェット法	反転オフセット印刷	フォトリソグラフィー法
線幅 (μm)	70〜	20〜100	30〜	5〜	3〜
工程	・印刷 ・焼成	・印刷(インク充填/受理/転写) ・焼成	・印刷 ・焼成	・印刷(インク塗布/パターニング/転写) ・焼成	成膜 レジスト塗布 露光 現像 エッチング レジスト剥離
生産速度	速い	速い	遅い	遅い	—
長所	・投資コストの安さ	・スクリーン印刷よりも高精細が可能	・版が不要 ・多品種少量生産に最適	・フォトリソグラフィーと同等の細線形成が可能	・完成度の高さ ・高精細のパターン形成が可能
主な課題	・70μm以下の細線は形成困難	・再現性の悪さ	・高精細パターン形成には基板上への親撥処理が必要	・工程制御が困難で技術確立されていない	・工程数が多い ・初期投資大 ・材料ロスが多い

く印刷できることも大きなメリットである．製造にかかるイニシャルコストが比較的安いことも特徴の一つである．

　グラビア印刷はシンプルな機構の印刷法である．グラビアロール（版胴）にローラーまたはディッピングによりインキングし，ドクターブレードによりセル以外の余分なインキをかきとった後に転写する．通常のグラビア印刷機は，1000 mm 以上の幅のフィルムや紙などに印刷することが可能である．印刷速度は，包装材料分野では 100〜500 m/min 以上，電子材料分野では 10〜50 m/min 程度である．グラビア版からゴム胴にインキを転写させて印刷するオフセット印刷では，ガラス面など硬い材料への印刷が可能となっている．オフセット印刷では粘度の高い材料を用いるので，スクリーン印刷よりもさらに微細なパターンの製膜が可能である．オフセット印刷で機能性インキ，樹脂，導電ペーストなどの高解像度印刷が行われている．

　また，フォトリソグラフィー法と同等の精細度を実現できる印刷手法として反転オフセット印刷法がある[3,4]．この印刷方法は，PDMS（ポリジメチルシロキサン）等のシリコーンゴム上に均一なインク薄膜を塗布し，溶剤をある程度蒸発させた後に，凸版をインク面に押し当てて不要なインクパターンを取り除き，最後にブランケット上に形成されたパターンを基板へ転写する．一般的な印刷法では流動性の高いインクを基材上に転写するため，基材上でインクが流動し，その結果正確なパターンを形成することが困難となる．一方，反転オフセット印刷法では，インクのパターン形成および転写をインクが流動性を失った状態（半乾燥状態）で行うため，ほかの印刷方法と比べて極めてシャープな画線を得ることができる．そのため薄膜トランジスター（thin film transistor：TFT）等の高機能なエレクトロニクス部材への応用が期待されてきた．しかしながら，反転オフセット印刷法は，半乾燥インクの凝集力，半乾燥インクとシリコーンゴムとの密着力，半乾燥インクと抜き版との密着力などを任意の範囲に精密に制御する必要があり，工程管理の複雑さから量産に使えるようなレベルで技術確立されていないという課題がある．

　インクジェット法では，所望の液滴を基板に着弾させることにより，印刷版などを使うことなく，任意の形状を描画する手法である．印刷版を必要としないため，有版印刷ではコスト面から難しい少量多品種の製作にも対応可能となる．またこのデジタル製造の特徴を活かして，フィルム基板に発生した非線形ひずみを補正しながら高精度にインクを着弾させるひずみ補正技術（フレキシブルアライメント）が提案されている[5]．一方，インクジェット法では，所望の形状を得るためには形状全面にわたってインクジェットヘッドを掃引し着弾させる必要があり，有版印刷と比

較するとタクトタイムの点では分が悪くならざるを得ない．またインクジェット法では，粘度の低いインクを用いるため，着弾後に基板上でインクが大きく流動し，矩形性に優れた精細なパターンが形成できないという課題もある．そのため基板上に露光技術などを用いて，親液／撥液の潜像パターンを形成し，その後インクジェット法で液滴を着弾させることでインク液滴を親液パターン領域へ誘導することで，矩形性に優れた精細なパターン形成をすることが可能となる．

ナノインプリントは原版を樹脂などの基板に押し当てることでナノメートルオーダーのサイズの微細構造を精密転写する技術で，印刷と同様，リソグラフィーなどを用いない低コストなパターニング手法として近年注目されている．基本的な転写原理は，熱プレス法の代表であるホットエンボッシングや紫外線硬化樹脂を型に充填して光硬化させる2P(photo polymerization)成形法と同じ成形加工技術である．ディスプレイ用光学シートや太陽電池テクスチャーフィルムなどに応用されている．

文　献

1) 日本印刷産業連合会 編：『印刷技術基本ポイント　枚葉オフセット印刷編』(印刷学会出版部，2010)．
2) 八瀬清志：「有機分子デバイスの製膜技術II　印刷法」，応用物理，**77** (2008) 173．
3) Y. Kusaka, N. Shirakawa, S. Ogura, J. Leppäniemi, A. Sneck, A. Alastalo, H. Ushijima, and N. Fukuda：ACS Appl. Mater. Interfaces, **10** (2018) 24339．
4) Y. T. Cho, Y. Jeong, Y. J. Kim, S. Kwon, S.-H. Lee, K. Y. Kim, D. Kang, and T.-M. Lee：Appl. Sci., **7** (2017) 1302．
5) 西　眞一：日本写真学会誌，**76** (2013) 362．

3 薄膜評価法

3.1 膜厚・形状評価

3.1.1 形状評価・膜厚測定

a. 膜厚の定義

一般に「膜厚」は，平坦な基板上に形成された平坦な表面をもち均一な厚さの連続膜，すなわち平行平板状の膜を想定し，その表面と裏面との幾何学的距離で定義される[1~3]．しかし，現実には均一な厚さに堆積されておらず，例えば島状やステップ状に堆積した不均一な膜もある．また，ミクロにみれば表面に凹凸があったり，膜中に空隙が含まれている場合もある．これらを考慮して，「膜厚」には①形状膜厚，②質量膜厚，③物性膜厚の3種類の定義がある[1]．①は薄膜の幾何学的形状から求まる膜厚で，幾何学的厚さともよばれている．表面に凹凸がある場合には，それを何らかの方法で平均化した面を考え，膜厚を求める．②は形状を問わず膜の単位面積あたりの質量を膜の密度で割った値である．実際の膜の密度はわからない場合が多いので，通常はバルク物質の密度値を用いる．③は薄膜の物理的性質，例えば電気抵抗や電気容量など，値が膜厚に依存する性質を用いて求める膜厚である．この場合も，その膜の物性はわからない場合が多いので，バルク物質の物性値（上記例の場合は抵抗率や誘電率）を用いて膜厚に換算する．各々の膜厚の測定には，それぞれの定義に則した測定法がある（表3.1）．本章では，最も一般的に使用されている幾何学的な厚さを意味する①形状膜厚について主に解説する．

b. 探針プローブ

(1) 触針法

試料に対する特別な処理を必要とせず，大気中にて簡便に測定可能であるため，広く手軽に利用されている手法である．先端部にダイヤモンドあるいはサファイア

表 3.1 各種原理を利用した膜厚測定法

膜厚の定義	測定原理	測　定　法
形状膜厚	機械的段差	触針法
	光学的段差	多重反射干渉法 X線干渉法 等色次数干渉法 二光線干渉法
	「力」，トンネル電流	走査電子顕微鏡法 原子間力顕微鏡法 トンネル顕微鏡法
質量膜厚	質量	化学てんびん法 マイクロてんびん法 ねじりてんびん法 水晶振動子法
	原子数	比色法 蛍光X線法 イオンプローブ法 放射化分析法 原子吸光法 原子発光法
物性膜厚	電気的特性	電気抵抗法 ホール電圧法 うず電流法 電気容量法
	光学的特性	干渉色法 偏光解析法 光吸収法

〔犬塚直夫, 高井裕司：『薄膜成長の話』（早稲田大学出版, 1990）p.67 より〕

を付けた金属探針(触針，スタイラスとよばれることもある)を試料表面に接触させながら走査し，表面形状(凹凸)や膜厚を示す段差を探針の垂直方向の変位として機械的，光学的あるいは電気的に拡大して検出する．変位の拡大率は $10^4 \sim 10^6$ 倍程度である．例えば電気的拡大法として，垂直方向の動きを，触針に連動した鉄心の動きとして捉え，逆位相に接続されたコイルの出力差として検出する方法(差動トランス法)(図3.1(a))や，金属板とコイルとのギャップに依存するインダクタンスの変化を測定する方法(誘導法)(図3.1(b))などがある[4]．

標準的な測定の膜厚範囲はフルスケールで $5 \sim 600\,\mu\mathrm{m}$ (広範囲レンジ：$\sim 2000\,\mu\mathrm{m}$

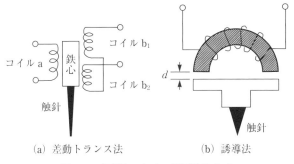

(a) 差動トランス法　　(b) 誘導法

図 3.1 触針法における膜厚検出方式

もある)であり，幅広い走査範囲(スキャン長：10～20 mm)にわたって分解能の高い測定ができる．スキャン速度(2 μm/s～25 mm/s)と針圧(1.0～100 mg)を調整することにより，0.5 nm 程度の垂直方向の分解能が得られている．ただし，表面が平滑でない試料の場合には，触針がスムースにスキャンできず，スパイク的なノイズが入る場合がある．また，コンピューター制御による自動測定・データ処理により，2次元的な膜厚のマッピングも可能な装置も存在する．

針圧(触針の重荷)は測定対象により通常 1.0(オプションで 0.03)～100 mg で調整するが，有機物薄膜や In, Sn のような軟らかい材料の薄膜の場合には，探針が膜にめり込んで正確な膜厚が測れなかったり，膜表面に傷を付けてしまう恐れがある．一般に触針の先端径は 0.02～25 μm であり，針圧が小さくても試料表面には大きな力が加えられていることになる．球とみなされた針の先端の半径を R，ヤング率を E_1(ダイヤモンドのヤング率は $1×10^{12}$ N/m²)として，荷重 W を針にかけてヤング率 E_2 の試料を測定する場合，触針の試料にめり込んだ部分(接触円)の半径 a は，ヘルツ(Hertz)の式により下記のように示される[5]．

$$a = \{(3/4)WR(k_1+k_2)\}^{1/3} \tag{3.1}$$

$$k_1 = (1-\nu_1)^2/E_1, \quad k_2 = (1-\nu_2)^2/E_2 \tag{3.2}$$

ここで，ν_1, ν_2 は触針，試料物質のポアソン比である(金属は一般に約 0.3，ダイヤモンドは 0.21)．接触面における平均圧力を P_m とすると $P=\pi a^2 P_m$ の荷重が試料にかかっていることになる．この値が降伏応力の約 1/3 以上になる荷重で試料に塑性変形が生じる可能性がある[6]．

また本手法を用いて薄膜の膜厚を測る場合には，試料作製の際に膜厚に対応する段差ができるような工夫をしておく必要がある．

(2) 走査トンネル顕微鏡法

走査トンネル顕微鏡(scanning tunneling microscope：STM)[7]は，金属針(一般に探針とよばれる)を利用する点では前述の触針法と同様である．しかしSTMは膜厚の分解能が極めて高く，実空間で原子・分子の存在を直接観察することのできる手法である．本手法がほかの膜厚測定法に比べてとくに優れた高さ方向の分解能を有する理由は，その測定原理にある．導電性の探針(WやPtなど)と試料の間に電圧をかけて，探針を試料表面に約1 nm程度まで近づけると，探針と試料の間にトンネル電流が流れる(図3.2)(触針法と異なり，本手法では探針と試料とは接触していない)．このトンネル電流は探針-試料表面間距離に対して指数関数的に変化するため，距離の変化に非常に敏感である．

詳細な議論は参考文献7,8に譲り，ここではエッセンスのみを述べる．トンネル電流 I は次の式で表される．

$$I \propto V\rho \exp(-\sqrt{\phi}z) \tag{3.3}$$

ここで，V はバイアス電圧，ρ は試料の電子状態密度，ϕ はトンネル障壁高さ(近似的には試料と探針の仕事関数の平均値)，z は探針-試料表面間距離である．したがって，例えば $z=1$ nmの場合，距離 z が0.1 nm変化すると，トンネル電流は約1桁変化する．実際の測定では，トンネル電流を一定にするために圧電素子にかける電圧を変化させることで針の上下動を制御して，高さ分解能は0.001 nm程度を実現している(コンスタント電流モードの場合)．また，針の横方向の動きも同様に圧電素子で制御され，探針にもよるが原子サイズオーダーの分解能が得られている．さらに，トンネル電流を一定に保つように探針を上下させながら試料表面に沿って走査し，このとき圧電素子に加えた制御電圧を記録・画像化すれば試料表面状態を原子や分子スケールの正確さで表面凹凸を観察することが可能である(図3.2(a))．

また，上記の電流 I，電圧 V，距離 z の関係式(3.3)から，

$$(dI/dV)/(I/V) \propto \text{電子状態密度}\ \rho \tag{3.4}$$

$$d(\ln I)/dz \propto \phi^{1/2} \tag{3.5}$$

の関係がある．試料を負電位にすると試料の価電子帯から探針へ電子がトンネルし(図3.3(a))，逆に正電位とすると探針から試料の伝導帯へ電子がトンネルする(図3.3(b))．このため，フェルミ準位を挟んで価電子帯から伝導帯の電子状態を連続的に知ることができる(図3.3(c))．式(3.4)より，距離 z を一定に保ち，電圧変化に対する電流変化を測定することで，試料表面の局所的な電子状態密度(ρ)を計測

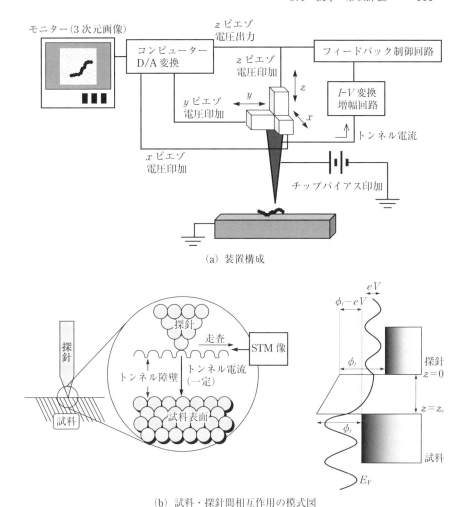

(a) 装置構成

(b) 試料・探針間相互作用の模式図

図 3.2 STM 装置の(a) 構成と(b) 試料・探針間相互作用の模式図

できる．また式(3.5)より電圧一定条件下で距離 z の変化に対するトンネル電流 I 変化を測定することで有効バリア高さ(仕事関数(ϕ))が測定可能である．このように，試料表面の凹凸形状ばかりでなく試料(表面)の電子状態密度や有効バリア高さなどの物性情報を知ることができることも本手法の特長である．

　繰り返しになるが，本手法の原理のエッセンスは，トンネル電流が距離 z の変化

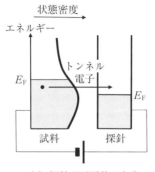

(a) 探針が正電位のとき

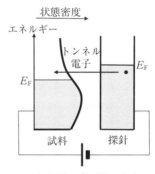

(b) 探針が負電位のとき

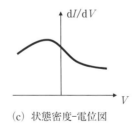

(c) 状態密度-電位図

図 3.3　STMによる電子状態密度測定の原理

(表面の凹凸に相当)に対して指数関数的に変化するため，数 pm 程度のわずかな z の変化でも検出可能な点であり，これが原子スケールの厚さ検出感度を実現している理由である．ほかの代表的な顕微鏡(光学顕微鏡(optical microscope：OM)および走査電子顕微鏡(scanning electron microscope：SEM))と3次元分解能を比較したものを図3.4に示す．これをみれば，STM法が2桁以上垂直方向(膜厚方向)の

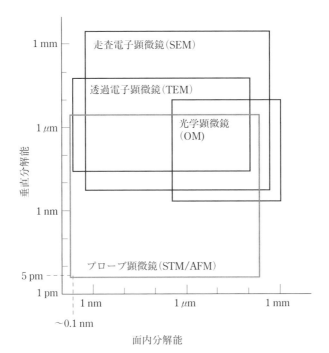

図 3.4　STM，AFM とほかの代表的な顕微鏡との 3 次元分解能の比較

分解能に優れていることがわかる．また同測定は真空環境にとどまらず，大気中や液中でも可能であり，多彩な環境下での表面形状や膜厚計測にも対応している．また透過電子顕微鏡(transmission electron microscope：TEM)とは異なり，実空間像をみていることから，像(イメージ)の解釈が比較的容易であることも本手法の特長であるといえる．

(3)　原子間力顕微鏡法

上述の STM は極めて分解能の高い表面形状観察法であるが，トンネル電流を検出するため電気伝導性が良好な薄膜の表面形状や厚さ測定に限定される．一方，STM に動作機構が類似した原子間力顕微鏡(atomic force microscope：AFM)[8] は電流測定ではないため，絶縁体薄膜であっても厚さ測定が可能である．図 3.5 に示すように「カンチレバー」とよばれるプローブと試料表面間に働く力を検出することを原理にしている．試料-カンチレバー間に働く力は，カンチレバーのたわみにより検知されるが，これはカンチレバー裏面で反射されたレーザー光を 4 分割のフォ

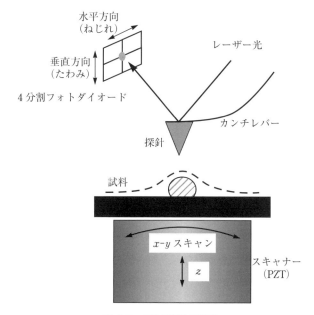

図 3.5 AFM 装置の原理

トディテクターで受け，四つのディテクターの光起電力の出力差により検出する．各分割ディテクターの出力差が一定となるように，スキャナー(PZT のような圧電材料で構成される)で試料台を上下させることで，カンチレバーは点線で示されるような軌跡を描く．よって，膜厚に相当する段差があるとき，スキャナーの上下方向の駆動量が試料の厚さ(膜厚)となる．カンチレバー(図3.6(a))は Si あるいは Si_3N_4 で作製されており，柔らかいばね(ばね定数は 0.1〜数十 N/m)の先端に鋭い探針がついている．斥力範囲において力 F は距離 z に対して

$$F = -kz \quad (k：ばね定数) \tag{3.6}$$

の1次関数で表されている．この変位を4分割光検出器を用いた光てこ方式で計測することにより，垂直方向の分解能は原子レベル(0.01 nm)が実現可能である．一般に最大約 $2\,\mu m$ 程度までの大きさの凹凸が評価できる．一方，探針先端の曲率半径(R)が高さ方向の移動量(z)と比べて大きい場合，水平分解能(δx)は R に依存する．図3.6(b)の場合($R \ll z$)には表面形状を忠実に描けるが，試料に鋭い突起がある場合のように $R > z$ の場合，探針のたどる軌跡は図3.6(c)の破線(コンボリューション)のようになり，突起高さを h とすれば

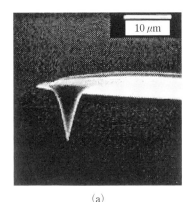

(a)

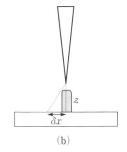
(b)

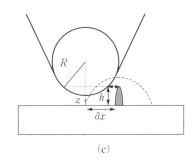
(c)

図 3.6 (a) カンチレバーのSEM像と(b, c) 探針先端と試料の大小関係((b) $R \ll Z$の場合，(c) $R \geq Z$の場合)

$$\delta x \fallingdotseq z + [R^2 + (R-h)^2]^{1/2} \fallingdotseq (2Rh - h^2)^{1/2} \qquad (3.7)$$

となる．一般に使用されているカンチレバーの先端曲率半径は 50 nm 程度であり（最近は 10 nm 以下のものも容易に入手可），高さ 3 nm の突起物を観察すると，δx = 17 nm となる．孤立して存在する凸部（量子ドットや，細線など）の高さ（膜厚）計測では問題とならないが，水平方向の分解能以下に隣接して複数の凸部が存在する際には，注意を要する．

AFM の最大の特徴は「力」を検出するため，観察試料の導電性を要求しない，つまり絶縁性の薄膜を観察できる点にある．また，測定に必要な探針の荷重が約 $10^{-9} \sim 10^{-7}$ N（試料との接触面積（半径 10 ～数十 nm）を考慮すると単位面積あたりの荷重は約 10^{-2} N/m² となる）であり，これは触針法の場合の $1/10^5 \sim 1/10^4$ と極めて小さく，試料に対するダメージをほとんど無視することができる．

これまで AFM 法の弱点として，測定範囲が比較的狭い（通常 20 μm × 20 μm 程

度,専用の広範囲計測用圧電素子を用いれば,200 μm×200 μm 程度)こと,測定に数分〜十数分程度の時間を要する点があった.しかし電気制御系の装置改良により,ミリ秒オーダーでの探針掃引が可能となり,TV レートでの画像取得が可能となっている[9].

さらに高感度化の観点からは,非接触モードとよばれる周波数変化を検出する方法により[10],垂直方向の分解能のみならず,水平方向にも原子サイズレベルの分解能が達成されている.本手法は,従来の探針が試料表面に接触する計測方法(図 3.7(a))であったのとは異なり,図 3.7(b)に示されるように,振動中心(図 3.7(c)の

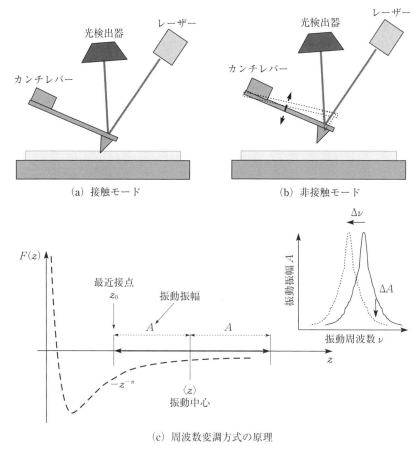

(a) 接触モード　　(b) 非接触モード

(c) 周波数変調方式の原理

図 3.7　接触モード AFM と非接触モード AFM

⟨z⟩点)を起点に探針を振動させる非接触計測法である．周波数変調方式によって動作する原子間力顕微鏡であり，frequency modulation-AFM(FM-AFM)とよばれている．これはSTM並の高い空間分解能とAFMの汎用性をあわせもつ観測手法として注目されている．従来からの汎用的なAFMは，サンプル-探針間に働く力Fが，探針を含む片もち梁(カンチレバー)のばね定数kを介して$F=-kx$の関係に従う変位xの変化を読み取るというAM(amplitude modulation)検出であった．これに対しFM-AFM法は，大変感度の高い周波数検出のため，原子サイズレベルでの計測を実現している[11,12]．

原子サイズレベルの3次元凹凸情報以外にも，探針をさまざまな物質で修飾(コーティング)することで化学結合力，磁気力などの表面相互作用の大きさを計測することも可能である[13,14]．参考として表3.2に各種プローブ顕微鏡の検出原理・対象，分解能および距離依存性を比較して示した．

c. 光プローブ

(1) 多重反射干渉法(トランスキー(Tolansky)法)

膜厚測定の最も基本となる方法である[1~4]．先の触針法の場合と同様に，薄膜の堆積により基板上に生じた段差の大きさを測定する手法である．いわゆる光の等厚干渉縞が，膜厚に対応する段差でずれることを利用する．光のコヒーレント長以下の間隔で向かい合わせに設置した反射面間では，光は何度も反射を繰り返し，「多重干渉」によって鋭い干渉縞が得られる．反射面の反射率を高くすると，干渉縞の

表3.2 各種プローブの検出原理・対象と分解能，距離依存性

プローブ	検出機構	イメージング	X-Y分解能	距離依存性
STM	トンネル電流	表面形状 電子状態密度 仕事関数	0.001 nm	トンネル効果 $\propto \exp^{-1}$
AFM	原子間力	表面形状 化学結合力	0.01 nm	ファン・デル・ ワールス力 $\propto 10^{-6}$
NSOM	近接場光	誘電率変化 PL，ラマン散乱	10 nm	(光しみ出し長) (〜波長)
MFM	磁気力 磁気モーメント	磁区	20 nm	磁気力 $\propto 10^{-3}$
KFM	ケルビン力 クーロン力	電位分布 仕事関数	0.1 nm	クーロン力 $\propto 10^{-1}$

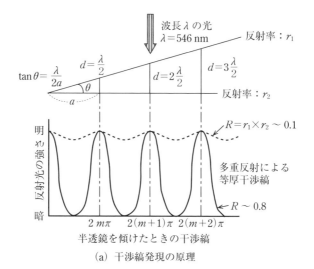

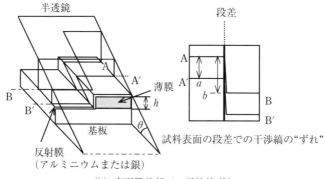

図 3.8　干渉法による膜厚測定

幅が小さくなって，読み取り精度が著しく向上する．多重反射干渉法による膜厚測定の原理を図 3.8 に示す[4]．

半透鏡を試料表面に対してわずかに θ だけ傾けると，図 3.8 のように試料表面と半透鏡との間の距離 d が $d = n(\lambda/2)$ を満たすところだけ光が強め合って明縞となり，それ以外のところでは暗くなり，干渉縞が生じる．ここで λ は光の波長である．薄膜形成時に基板の一部を覆うか，薄膜形成後エッチングして膜厚 h に対応する段差を形成しておけば，段差により干渉縞にずれが生じる．この隣り合う干渉縞の間隔を a，段差での縞のずれを b とすれば

$$\tan\theta = \frac{\lambda}{2a} = \frac{h}{b} \tag{3.8}$$

であり,これらの式から段差(膜厚)h は

$$h = \left(\frac{b}{a}\right) \cdot \left(\frac{\lambda}{2}\right) \tag{3.9}$$

で与えられる.よって,干渉縞の間隔 a と段差による干渉縞のずれ b を測定することにより,段差すなわち膜厚 h を求めることができる.

半透鏡には通常ガラス基板(オプティカルフラット)の片面に Ag または Al 膜を 50 nm 程度蒸着したものを用いる.半透鏡の傾斜角 θ を小さくするほど干渉縞の間隔 a が大きくなり,高精度での膜厚測定ができる.光源には一般に高圧水銀灯とフィルターを組み合わせて得られる波長 546 nm の緑色光を利用することが多い.

この方法は,干渉縞が十分鋭ければ,b/a を 1/100 程度の精度で測定できるので,膜厚を 5～10 nm 精度で測定可能である.この方法の利点は,a,b の絶対値を知る必要がなく,その比のみわかればよい点であり,測定値の参照値が使用光の波長のみであるので,信頼度は非常に高く,一般的な膜厚測定法として広く用いられている.この方法は精度が高いので,ほかの測定法の較正にも利用される.ただし,高精度の測定には試料表面での高い反射率が必要であることや,物質の差による反射の際の位相変化の差の影響をなくすために,あらかじめ試料の膜のあるところとないところの両方に反射率の高い Ag 膜などを均一にコーティングしておくことが必要である.

(2) エリプソメトリー(楕円偏光解析)

試料の表面で光が反射するときの偏光状態の変化を観測することにより,薄膜の膜厚や光学定数などを求める方法である.材料にもよるが,一般には 0.1～数百 nm 程度の厚さを評価することができる.

エリプソメトリーでは偏光子(polarizer)と補償子(compensator,位相調整器)を透過させた光を試料表面に斜入射させ,反射した光を検光子(analyzer)を透過させて光検出器で検出して s 偏光(senkrecht wave:入射面に垂直な電場)と p 偏光(parallel wave:入射面に平行な電場)の振幅反射率比(フレネル反射係数比)と位相差を測定する(図 3.9).通常の反射率測定では,反射に伴う光強度の変化量(物理量一つ)を測定するのに対し,エリプソメトリーでは,光の振幅と位相変化を測定するため,二つの物理量を求めることが可能である.

s 偏光と p 偏光の反射に伴う複素振幅をそれぞれ R_s,R_p とし,その比を

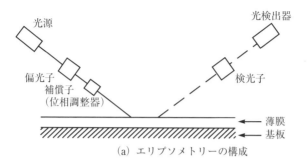

(a) エリプソメトリーの構成

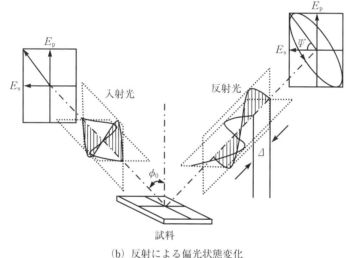

(b) 反射による偏光状態変化

図 3.9 (a) エリプソメトリーの構成と(b) 反射による偏光状態変化

$$R_p/R_s = \tan \Psi e^{i\Delta} \tag{3.10}$$

と表したときの $\tan \Psi$ を反射振幅率比(Ψ(プサイ)はエリプソメトリー角), Δ(デルタ)を位相差という.

複素反射率 R_s, R_p は薄膜の厚さ d や光学定数(屈折率と消衰係数), 基板の光学定数(これらを光学パラメーターという)の関数として与えられるので, $\tan \Psi$ と Δ からこれらの測定波長に対する光学パラメーターを求めることができる. 例えば, 透明な薄膜の場合には, 基板の光学定数がわかっていれば, 薄膜の厚さと屈折率が求まる. また, 基板の光学定数は膜のない基板でのエリプソメトリー測定から求めることができる[15]. このように同じ光の s 偏光と p 偏光の複素振幅比を解析するた

め，光源の強さや検出器感度などに影響されることのない測定法であるといえる．

実際のエリプソメーターでは，偏光子（入射側）および検光子（検出側）を用いて，検光子を回転させて反射光の偏光状態を観測し，Ψ と Δ を検出する"回転検光子法"や，光弾性変調器（photoelastic modulator：PEM）により高速で Ψ や Δ を検出する"位相変調法"などが用いられている．

物質の光学定数は波長の関数である．よって，エリプソメトリー測定を種々の波長で行えば，光学定数の波長依存（波長分散）が求まる（これを分光エリプソメトリーという）[15,16]．測定された $\Psi(\lambda)$，$\Delta(\lambda)$ から，膜厚 d，屈折率 $n(\lambda)$ および消衰係数 $k(\lambda)$ などのパラメーターを求めるには，光学定数あるいは誘電率に対する代表的なクラシカル（古典力学）分散式などを用いたモデル計算の結果と，実験で得られた測定カーブとの差異が最小となるように最小二乗法によるフィッティングを行う．このようにして，ある波長範囲で Ψ や Δ を波長の関数として測定することにより，膜厚（d）と膜物質の光学定数（複素屈折率（N））または複素誘電率（$\bar{\varepsilon}$））の波長依存を知ることができる．

$$N = n + ik \quad (n：屈折率, \ k：消衰係数) \quad (3.11)$$

$$\bar{\varepsilon} = \varepsilon_r + i\varepsilon_i \quad (\varepsilon_r：誘電率実部, \ \varepsilon_i：虚部) \quad (3.12)$$

膜厚変化 δd は位相差変化 $\delta\Delta$ から，

$$\delta d = \frac{\lambda}{4\pi N \cos\theta} \delta\Delta \quad (3.13)$$

と求められるので，Si 上の SiO$_2$ 薄膜や Au 上の有機物薄膜の膜厚測定では，例えば $N=1.5$，$\theta \sim 70°$，$\lambda = 400$ nm，$\delta\Delta = 0.02°$（位相差測定能）とすると，膜厚測定感度は，$\delta d = 0.01$ nm と見積もられる[16]．

ただし，エリプソメトリーでは光を斜め方向から入射する（入射角は通常 70～75°程度）ため，レーザー光を使って光を絞っても面内方向の分解能は 1 μm 程度である．また光を利用した非接触測定であるため，比較的大きな面積（ウェハーサイズ）を短時間（数秒程度）で測定可能であるが，膜厚などの定量測定には適切な構造モデルと物性パラメーターが必要となる．原理などの詳細は参考文献 3, 16 を参照されたい．ほかの代表的な膜厚評価法（AFM と SEM）との比較を表 3.3 に示した．

d. レーザー共焦点顕微鏡

レーザー共焦点方式による膜厚測定について説明する．走査レーザー顕微鏡の機能として，レーザーを波長とほぼ同じ大きさのビームスポットに絞り込み，ビームスポットを試料面上で 2 次元スキャンし，試料面からの反射／散乱光を検出する．

表 3.3 エリプソメトリー，AFM，SEM による膜厚評価比較

	エリプソメトリー	AFM	SEM
適用範囲	膜厚 光学定数	膜厚 表面形状観察(超高分解能)	膜厚 表面形状観察(高分解能)
観察試料の制限	光学的平滑表面が必要 サンプルサイズの制限はないが一般には屈折率等の明らかな材料の膜厚計測に限定	すべての試料の計測可 $2\mu m$ 程度の凹凸まで測定可 サイズは一般には数 cm 程度だが，30 cm ウェハー測定可能なものあり	すべての試料の測定可 ただし導電性処理必要 サンプル調整必要(断面加工)
サンプルへのダメージ	非接触光学測定のため，ダメージの心配なし	測定モードにより異なる (接触モード：探針によるダメージの影響あり．非接触モードはダメージなし	サンプル調整時のダメージ 観察時電子線によるダメージ
分解能 垂直方向	~ 0.1 nm	0.01 nm	1 nm
分解能 水平方向	$\sim 1\mu m$	$1\sim 0.1$ nm	
所要測定時間	数 s/イメージ	数 min/イメージ	TV 像~1 min/イメージ
膜厚測定に要求される事項	定量解析には光学モデル必要	エッジまたはステップ必要 モデル不要	試料加工・調整 モデル不要

これにより表面の凹凸イメージを得ることができる．この機能に加えて共焦点顕微鏡の特徴としてビームスポットからの反射／散乱光を結像面に置かれたピンホール(数~数十 $\mu m\phi$)を通して検出する(図 3.10)．焦点があった部分だけを選択した焦点深度の極めて浅い画像を得ることが可能であり，試料を焦点方向に移動させながら(試料台を上下方向に動かして)画像取得することで，試料表面の立体構造・膜厚計測ができる．

被写体深度および分解能は，ピンホールのサイズのみならずレーザー波長および対物レンズの開口数(NA)により決まる．ピンホールサイズが十分小さいとき，x-y 方向の分解能および z 方向の分解能 δ_{xy}, δ_z はそれぞれ

$$\delta_{xy} = a\frac{\lambda}{NA} \tag{3.14}$$

$$\delta_z = b\frac{\lambda}{n-\sqrt{n^2-NA^2}} \tag{3.15}$$

と表せる．ここで，NA は対物レンズの開口数，λ はレーザー波長，n は屈折率(通

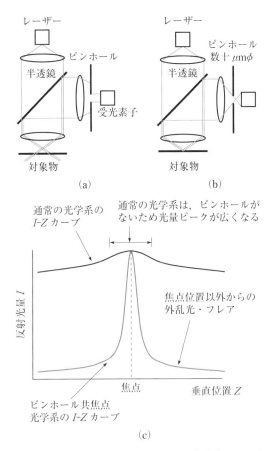

図 3.10 共焦点レーザー顕微鏡による膜厚計測の原理

常 $n=1$, 油浸 $n=1.3\sim1.4$). また $a=0.37\sim0.51$, $b=0.68\sim0.82$, ピンホールが極限小のとき $a=0.37$, $b=0.64$ をとる[17,18]. 膜厚感度として, 共焦点顕微鏡では～100 nm, 共焦点レーザー顕微鏡では 10 nm 以下とされているが, 実際にはその数倍程度の 50 nm レベルの感度を有している.

e. 水晶振動子法

これまで述べてきた膜厚測定法は, エリプソメトリーを除いて, 薄膜を形成しながら測定するその場 (*in situ*) 測定には不向きである. それに対し, 本手法は薄膜の堆積中に刻々と変化する膜厚を動的に測定可能な代表的な手法である[1,19]. 原理は, 水晶振動子の固有振動数がその質量によって変化することを利用したものである.

一般にATカット（z軸に対して35.15°カット：厚み滑り振動数1670 kHz·mm）した水晶（α-SiO$_2$）の両面に電極を形成した水晶振動子に交流電圧を印加すると，圧電効果により振動が起こり，共振周波数の測定から固有振動を検出することができる．水晶振動子に薄膜が付着すると，その薄膜質量分だけ水晶振動子全体の質量が大きくなったことになり，その質量変化に対応して固有振動数が減少する．水晶振動子の固有振動数νは

$$\nu = \frac{v}{\lambda} = \frac{N}{l} \tag{3.16}$$

$$N = \frac{1}{2}\sqrt{\frac{G}{\rho}} \tag{3.17}$$

で与えられる．ここで，λは波長，vは音速，lは水晶振動子の厚さ，Gは水晶の剛性率，ρは水晶の密度，Nは周波数定数である．したがって，厚さの微小変化dlに対して，振動数変化$d\nu$は，

$$d\nu = -\left(\frac{\nu^2}{N}\right)dl \tag{3.18}$$

となり，厚さの変化は振動数の変化に比例する．密度ρの水晶板の厚さが変化する代わりに，密度ρ_fの物質が厚さdxだけ堆積し

$$\rho \cdot dl = \rho_f \cdot dx \tag{3.19}$$

が成立するとき，膜厚変化dxによる振動数変化$d\nu$は

$$d\nu = -\left(\frac{\nu^2}{N}\right)\left(\frac{\rho_f}{\rho}\right)dx \tag{3.20}$$

で与えられる．通常よく用いられるのは，固有振動数が5〜6 MHz程度であり，振動数変化が100〜500 kHzになる程度までは比例関係が近似的に成り立ち，使用可能である．多くの薄膜でしばしば観察される大きな内部応力（ストレス）が発生するものは振動子の使用寿命が短い．膜厚変化に対する振動数変化は薄膜物質の密度に依存する．例えば，質量膜厚1 nmに対する振動数変化は表3.4に示すように，密度が大きい物質ほど振動数変化が大きい．20 Hzの周波数変化が検出可能とすれば，Auの場合は0.1 nm，Agの場合は約0.2 nmの最小感度で膜厚変化を検出できる[1,4]．

この手法の優れた点は，温度や経時変化の少ない面方位にカットした水晶振動子の発振を利用していることである．また，本手法を用いれば，その場（*in situ*）膜厚測定，すなわち製膜速度の測定ができ，その情報を蒸着源などにフィードバックす

表 3.4 膜厚 1 nm の変化に対する水晶振動子の固有振動数変化

薄膜材料	原子量	密度(g/cm³)	膜厚 1 nm あたりの振動数変化(Hz/nm)
Al	27	2.70	22
Cu	64	8.93	73
Ag	108	10.50	85
Au	197	19.28	157

〔金原 粲:『薄膜の基本技術 第3版』(東京大学出版会, 2008) p.144 をもとに作成〕

ることにより製膜速度制御が容易に実現できることである.ただし本手法で測定されるのは,水晶振動子上での膜厚変化である.このため,実際に薄膜が形成される基板と水晶振動子との位置関係から膜厚の違いをあらかじめ測定して較正しておく必要がある.

f. そのほかの膜厚測定方法

代表的な膜厚測定方法を紹介したが,これら以外にも表 3.1 に示したように,電子顕微鏡(TEM,SEM)を用いた側面,破断面観察による直接測定や,X 線干渉法,蛍光 X 線法や電気抵抗測定などの物性測定法などがある.詳しくは他書を参考にされたい[1〜4, 20, 21].

文 献

1) 金原 粲:『薄膜の基本技術 第3版』(東京大学出版会, 2008).
2) 吉田貞史:『薄膜』(培風館, 1990).
3) 日本学術振興会薄膜第131委員会 編:『薄膜ハンドブック 第2版』(オーム社, 2008).
4) 犬塚直夫,高井裕司:『薄膜成長の話』(早稲田大学出版, 1990) p.67.
5) D. Tabor: "The Hardness of Metals" (McGraw-Hill, 1959).
6) D. Tabor: J. Appl. Phys., **7** (1956) 159.
7) C. J. Chen: "Introduction to Scanning Tunneling Microscopy" (Oxford, 1993) p.43.
8) R. Wiesendanger: "Scanning probe microscopy and Spectroscopy" (Cambridge, 1994) p.210.
9) T. Ando, T. Uchihashi, and T. Fukuma: Prog. Surf. Sci., **83** (2008) 337.
10) 表面科学会誌, **20** (1999) 306, 352 および **23** (2002) 132.
11) K. Yokoyama, T. Ochi, A. Yoshimoto, Y. Sugawara, and S. Morita: Jpn. J. Appl. Phys., **39** (2000) L113.
12) J. V. Lauritsen and M. Reichling: J. Phys. Cond. Matter., **22** (2010) 263001.
13) C. D. Frisbie, L. F. Rozsnyai, A. Noy, M. S. Wrighton, and C. M. Lieber: Science, **265** (1994) 2071.
14) E. L. Florin, V. T. Moy, and H. E. Gaubm: Science, **264** (1994) 415.
15) 吉田貞史,矢嶋弘義:『薄膜・光デバイス』(東京大学出版会, 1994) p.62.
16) 藤原裕之:『分光エリプソメトリー 第2版』(丸善出版, 2011).

17) 河田　聡：『超解像の光学』第3章（学会出版センター，1999）.
18) G. S. Kino and T. R. Corle : "Confocal Scanning Optical Microscopy and Related Imaging Systems"（Academic Press, 1996）.
19) S. K. Vashist and P. Vashist : J. Sensors, **2011**（2011）ID 571405.
20) 日本表面科学会　編：『表面分析図鑑』（共立出版，1994）.
21) 日本表面科学会　編：『表面科学の基礎と応用』（エヌ・ティー・エス，1991）.

3.2　結晶構造評価

3.2.1　はじめに——回折法による構造評価

　薄膜結晶における原子・分子の配列や形態は，その機械的，電気的，化学的性質に影響を与える．結晶構造に対する有力な解析手段の一つに回折法がある．回折とは，媒質中の波の位相がそろう（ずれる）ように干渉して，その強度を強め（弱め）合うような散乱現象であり，結晶に照射されたX線などの電磁波や，電子線や中性子線などの物質波は，その構造と形態を反映した回折を起こす．回折パターンの解析によって，単位格子構造，格子欠陥構造，残留ひずみ，組成，電子構造など，結晶に関わるさまざまな情報を取得することができる．本節では，まず回折結晶学の基礎に触れ，さらに薄膜構造解析に頻繁に利用されるX線回折と，電子線回折および透過電子顕微鏡法について解説する．

3.2.2　結晶と回折・散乱

a.　複数の原子からの散乱

　位相のそろった同一波長の波を結晶に入射させた場合，各格子面で散乱された波は，格子面間隔に依存する異なる経路を経て結晶外へと出射する．散乱波の位相がそろい，互いに強め合う条件とは，その経路差が波長の整数倍に等しいときであり，これがブラッグ（Bragg）の条件である．この経路差の考え方をもとに，図3.11に示す二つの原子による散乱でつくられる合成波を求めよう．ここでは位置ベクトルが，それぞれ，r_1, r_2 の原子1, 2に，波数ベクトル k の波を入射し，波数ベクトル k' の散乱波が生じた場合を考える．λ を波長とすると $|k|=1/\lambda$ であるが[*1]，k と k' の絶対値は同一であり，弾性散乱，すなわち散乱によってエネルギーは変化しないとする．このとき，散乱ベクトル K は次式で定義される．

[*1]　固体物理学などの分野では通常 $k=2\pi/\lambda$ で定義されるが，回折学では $k=1/\lambda$ とする場合が多い．本節では後者に従うことにする．

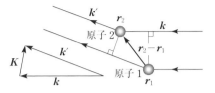

図 3.11　2原子からの散乱

$$K = k' - k \tag{3.21}$$

この K を用いて表される経路差を角度に換算することによって，原子1と2による散乱波の位相差 ϕ が，

$$\phi = -2\pi K \cdot (r_2 - r_1) \tag{3.22}$$

と求まる[1]．単一原子による散乱波振幅（原子散乱因子）を $f(K)$ と表すと，原子1による散乱波振幅 $f_1(K)$ に対して，原子2による散乱波振幅は，この位相差分だけずれた $f_2(K)\exp[-2\pi i K \cdot (r_2 - r_1)]$ となる．したがって，r_1 を原点とすれば，合成波の振幅 $F_2(K)$ は，

$$F_2(K) = f_1(K) + f_2(K)\exp(-2\pi i K \cdot r_2) \tag{3.23}$$

となる．複数の原子からの散乱は，それぞれの原子の原子散乱因子，原子の位置ベクトル，および散乱ベクトルによって記述できるので，複数の格子点位置 r_p に存在する原子からの合成散乱波振幅 $F_p(K)$ は，次式となる．

$$F_p(K) = \sum_p f_p(K)\exp(-2\pi i K \cdot r_p) \tag{3.24}$$

複数の散乱波の位相がそろうとき，合成散乱波振幅は最大になる．その条件は，式(3.24)における $K \cdot r_p$ が整数になるときであり，結晶の (hkl) 面に対応する逆格子ベクトルを g_{hkl} としたとき，

$$K = g_{hkl} \tag{3.25}$$

であれば満たされる．すなわち，波の散乱ベクトルが結晶の逆格子ベクトルに等しい場合である．これはラウエ(Laue)の回折条件とよばれ，後に示すように，ブラッグの条件と本質的に同等である．

b. 結晶からの散乱

結晶は単位格子の周期配列であるため，その構造を明らかにするうえでは，単位格子からの散乱波振幅を求めることが極めて重要である．上記の多原子からの散乱波振幅の導出を，単位格子内の n 個の原子による散乱波振幅に拡張し，最大振幅を得るラウエの回折条件(式(3.25))を当てはめると，単位格子構造に特有な散乱波

振幅である結晶構造因子 F_{hkl} が次式で与えられる.

$$F_{hkl} = \sum_{j=1}^{n} f_j(\boldsymbol{g}_{hkl}) \exp(-2\pi i \boldsymbol{g}_{hkl} \cdot \boldsymbol{r}_j)$$

$$= \sum_{j=1}^{n} f_j(\boldsymbol{g}_{hkl}) \exp[-2\pi i (hx_j + ky_j + lz_j)] \qquad (3.26)$$

ここで $\boldsymbol{r}_j$ は単位格子内の原子位置を表すベクトルであり,その座標は (x_j, y_j, z_j) である.ただし,$0 \leq x_j, y_j, z_j \leq 1$ である.F_{hkl} の具体的な計算例については,ほかの文献を参照されたい[1].

次に,結晶全体からの散乱を考えよう.原子散乱因子 $f(\boldsymbol{K})$ を有する原子の並びを位置ベクトルで表したのと同様に,結晶構造因子 F_{hkl} を有する単位格子の並びを位置ベクトル $\boldsymbol{r}_m$ として,有限な大きさの結晶を表すことにする.$\boldsymbol{a}, \boldsymbol{b}, \boldsymbol{c}$ を単位格子の基本ベクトル,m_1, m_2, m_3 を整数とすれば,

$$\boldsymbol{r}_m = m_1 \boldsymbol{a} + m_2 \boldsymbol{b} + m_3 \boldsymbol{c} \qquad (3.27)$$

である.結晶全体からの散乱波振幅 $H(\boldsymbol{K})$ は,この $\boldsymbol{r}_m$ に対応した散乱波の経路差を考慮すればよいので,式(3.24)と同様に,

$$H(\boldsymbol{K}) = F_{hkl} \sum_m \exp(-2\pi i \boldsymbol{K} \cdot \boldsymbol{r}_m) \qquad (3.28)$$

が得られる.実際に観測される回折波の強度 $I(\boldsymbol{K})$ は散乱波振幅の2乗で与えられるので,式(3.28)の右辺の指数関数の総和を $G(\boldsymbol{K})$ とおくと,

$$I(\boldsymbol{K}) = |F_{hkl}|^2 |G(\boldsymbol{K})|^2 = |F_{hkl}|^2 L(\boldsymbol{K}) \qquad (3.29)$$

となる.式(3.29)の $L(\boldsymbol{K})$ はラウエ関数とよばれ,m に関する総和を単位格子の $\boldsymbol{a}, \boldsymbol{b}, \boldsymbol{c}$ 軸に沿って,それぞれ,$0 \sim (M_1-1), 0 \sim (M_2-1), 0 \sim (M_3-1)$ の和とすると,

$$L(\boldsymbol{K}) = \frac{\sin^2(\pi M_1 \boldsymbol{K} \cdot \boldsymbol{a})}{\sin^2(\pi \boldsymbol{K} \cdot \boldsymbol{a})} \cdot \frac{\sin^2(\pi M_2 \boldsymbol{K} \cdot \boldsymbol{b})}{\sin^2(\pi \boldsymbol{K} \cdot \boldsymbol{b})} \cdot \frac{\sin^2(\pi M_3 \boldsymbol{K} \cdot \boldsymbol{c})}{\sin^2(\pi \boldsymbol{K} \cdot \boldsymbol{c})}$$
$$= L_1(\boldsymbol{K}) \cdot L_2(\boldsymbol{K}) \cdot L_3(\boldsymbol{K}) \qquad (3.30)$$

となる.$L_1(\boldsymbol{K})$ を図3.12に示す.$\boldsymbol{K} \cdot \boldsymbol{a}$ の値が整数のとき $L_1(\boldsymbol{K})$ は最大値 M_1^2 をもち,ピークの半値幅は $1/M_1$ となる.つまり,M_1 値が大きい(小さい)とき,ピークは強度が大きく(小さく),かつシャープ(ブロード)になる.ここで,M_1, M_2, M_3 は結晶内の各軸方向の単位格子数であり,結晶の大きさに対応していることに注意されたい.つまり,ラウエ関数は,結晶の大きさや形によって逆格子点,すなわち回折スポットの強度やプロファイルが変化することを意味している.薄膜のように

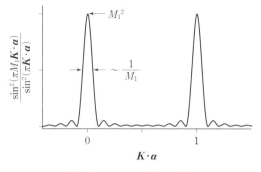

図 3.12　ラウエ関数 $L_1(\boldsymbol{K})$

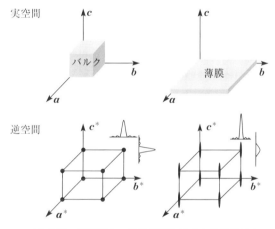

図 3.13　実空間上の結晶形状と対応する逆格子点

面内に広がり,かつ法線方向,すなわち厚さが極端に薄い結晶では,図 3.13 のような異方性をもつ回折ピークプロファイルとなる.

c.　エバルト (Ewald) 球

入射波と散乱波がラウエの回折条件を満たすとき,散乱波の強度が強くなる.このことを逆格子空間上で表記してみよう.逆格子を用いれば,結晶(格子)構造は,原点と,原点から $1/d$ (d は格子面間隔) の大きさをもつベクトルの終点で構成される点の集合になる.また,回折を起こす波は長さ $1/\lambda$ (λ は波長) のベクトルによって表される.まず,図 3.14 のように,ある結晶構造に対応した逆格子点に対して原点 O を決め,結晶に対する波の入射方向と反対方向に,$k=|\boldsymbol{k}|=1/\lambda$ (λ は波の波

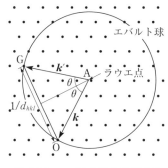

図 3.14 エバルト球と逆格子点

長)の長さで直線 $\overline{OA}$ を引く．この直線を半径として描いた球がエバルト球であり，中心をラウエ点という．エバルト球は，入射波が散乱され得るあらゆる方向の点の集まりといえる．ここで，$\overline{OG}$ を (hkl) 面に対応する逆格子ベクトル g_{hkl} とし，エバルト球が逆格子点 G を切ったとする．G を終点としてラウエ点から引いたベクトル，すなわち散乱波 k' は式(3.5)のラウエの回折条件を満足している．さらにブラッグ角 θ を導入すれば，図より三角形 OAG は $\overline{AO}=\overline{AG}=1/\lambda$ より二等辺三角形になる．$\overline{OG}=1/d_{hkl}$ であるから(d_{hkl} は逆格子ベクトル g_{hkl} に対応する格子面の間隔)，結局，以下のブラッグの式が導かれる．

$$2d_{hkl}\sin\theta=\lambda \tag{3.31}$$

以上のように，エバルト球が逆格子点を切るとき，入射波はその逆格子点に対応する格子面においてブラッグ反射を起こし，散乱波は強められる．

3.2.3　X 線回折によるひずみ系ヘテロエピタキシャル薄膜構造の解析

a.　X 線回折装置

X 線は波長域 0.01〜10 nm 程度の電磁波である．物質に照射された X 線は，主として原子を構成する電子によって散乱される．X 線は進行方向と垂直に電場と磁場が振動する横波であり，物質内の電子は，主として X 線の電場によって，この波と同じ周期で強制振動を起こす．加減速運動する電子によって，その振動運動と同じ周期の電磁波が放射され，これが X 線の散乱波として観測される．図 3.15 は X 線回折実験を行ううえでの装置構成を示している．入射 X 線を薄膜試料表面に対して角度 ω で照射し，X 線入射方向と角度 2θ をなす方向に検出器を構える．薄膜試料の特定の格子面で回折が起きるとき，角度 θ はブラッグ角に相当する．θ と ω

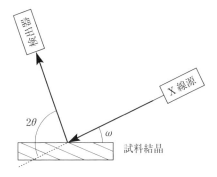

図 3.15 X線回折実験装置の基本構成

は薄膜表面と回折させる格子面が完全に平行になるときに一致するが，実際は薄膜試料が傾いて設置されている場合や，後に述べる非対称面（試料表面に対して傾斜した格子面）を用いた回折では等しくならない．回折強度の測定には，試料の回転に同期して検出器を回転させる機構をもつ ω-2θ ゴニオメーター装置が最も頻繁に用いられる．そのほかに，試料の回転や移動に多くの自由度をもつ装置や，X線源や検出器を独立に回転させる装置など，今日では多種多様な機構がある．

b. ひずみ系エピタキシャル薄膜の結晶構造解析

エピタキシャル成長とは，基板結晶の影響を受けて，結晶形，方位，構造などがそろって結晶が成長する現象である．とくに，半導体材料では，基板と同種の結晶構造をもち，異なる格子定数を有する格子不整合系の異種（ヘテロ）薄膜を成長させるヘテロエピタキシャル成長が頻繁に行われる．このとき，ヘテロ薄膜の格子は，成長条件に依存して，基板の格子の影響を受けてひずんだり，逆に成長中にそのひずみが緩和されるなどして，格子構造がさまざまに変化する．また，とくにひずみ緩和に伴って膜中に導入される格子欠陥によって，格子が部分的に変形し，互いにわずかに方位が傾いた結晶の集合（モザイク結晶）となる場合もある．

こうした構造の解析にあたり，X線回折には，大きく分けて二つの測定方法がある．一つは格子面間隔を求めるための ω-2θ 測定であり，もう一つは，モザイク結晶のような結晶方位の揺らぎを評価するためのロッキングカーブ測定である．ω-2θ 測定では，入射X線に対して試料を回転させるとき，検出器を試料回転角の2倍の角度で動かす．その様子の逆格子空間における表記が図3.16(a)であり，測定では $\Delta\omega = \Delta\theta$ の関係を満たすように ω と 2θ を変化させる．これは対象とする逆格子点に対して，原点とその逆格子点を結ぶ方向に観測点を走査していることにほか

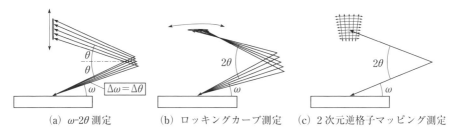

(a) ω-2θ 測定　　(b) ロッキングカーブ測定　　(c) 2次元逆格子マッピング測定

図 3.16　各測定における入射波と回折波の逆空間上での幾何学関係

ならない．

図3.17は，Si(001)基板上に二段階ひずみ緩和法[2)]によってエピタキシャル成長させた $Si_{1-x}Ge_x$ 薄膜の，表面に平行な(004)面を回折面とした ω-2θ 回折プロファイルである．図中下段より，第1-$Si_{0.7}Ge_{0.3}$ 層成長後，600℃熱処理後，第2-$Si_{0.7}Ge_{0.3}$ 層成長後に相当する．$Si_{0.7}Ge_{0.3}$ 薄膜は Si 基板に対して約1.2%大きい格子定数を有しているため，Si 004 回折ピークに比べて低角度側に $Si_{0.7}Ge_{0.3}$ 004 回折ピークが観察される．第1段階成長では，$Si_{0.7}Ge_{0.3}$ 回折ピークは最も低角にあり，

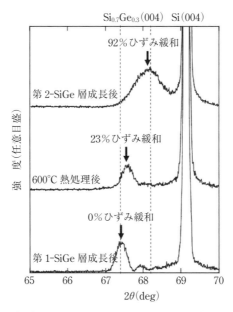

図 3.17　Si(001)基板上に二段階ひずみ緩和法でエピタキシャル成長させた $Si_{0.7}Ge_{0.3}$ 薄膜の ω-2θ(004)回折プロファイル

対応する(004)面間隔は，それと垂直な格子面がSi基板に合わせてひずんで成長しているので，ポアソン比に従い広がっている．熱処理および第2段階成長につれて$Si_{0.7}Ge_{0.3}$(004)面間隔は減少し，無ひずみ$Si_{0.7}Ge_{0.3}$薄膜の値に近づいていく．薄膜成長の各過程において，こうした回折ピーク角度(すなわち，格子面間隔)の変化をトレースすることで，薄膜に残留するひずみを評価することができる．

一方，ロッキングカーブ測定では，X線入射方向に対する検出器の角度(2θ)を固定し，X線入射角ωを変化させる．実際には，X線に対して試料を揺り動かす(rocking)ように回転させるため，このようによばれる．図3.16(b)は本測定の逆格子空間表記であり，観測される逆格子点(回折ピーク)の幅が，格子面方位の揺らぎの度合いを表している．Siのバルク結晶のように完全性が高い結晶では，回折ピークの半値幅は数秒以下であるが，ひずみ系のヘテロエピタキシャル薄膜においては，ミスフィット転位などの存在によって結晶性が損なわれ，半値幅が数百秒程度まで増加する場合がある．

ω-2θ測定が逆格子の原点を中心とした動径方向へ，またロッキングカーブ測定がそれと垂直な方向への観測点の走査であることから，これらを組み合わせて2次元的に逆格子空間を観測する方法が2次元逆格子マッピング測定である．図3.16(c)に示すように，本方法では2θを少しずつ変化させながらωを変えて観測点を走査することで，注目する逆格子点まわりを2次元的に走査する．とくに非対称面を回折面として得る回折ピーク近傍の2次元逆格子マッピングは，ひずみ系ヘテロエピタキシャル薄膜のひずみ緩和状態を定量的に評価するうえで不可欠である．

図3.18に，基板よりも格子定数が大きく，かつ同じ結晶構造を有する薄膜をエピタキシャル成長させた際に観測される非対称逆格子マップと，各逆格子点(回折スポット)に対応する薄膜の格子構造の模式図を表す．Q_XおよびQ_Z軸は，それぞれ，薄膜の面内および法線方向の格子面間隔の逆数を表している．今，基板結晶からの回折ピークが点Aに観測されているとする．図中に示した線Pおよび線Rは，それぞれ，Q_Z軸に平行な線および点Aと原点Oを結ぶ線である．薄膜からの回折ピークが線P上の点Bに観察された場合は，面内方向の格子定数が基板のそれと等しいことを意味し，基板に拘束された薄膜はポアソン比に従って，それと垂直の膜厚方向に本来の格子定数よりも大きくなるようにひずんでいる．一方，線R上の点Cに観察された場合，薄膜は無ひずみの状態にある．

図3.19は実験的に得られる逆格子マップの一例である．通常，長さの逆数を単位(reciprocal lattice unit：rlu)とした2軸の逆格子平面上に回折強度のコントラス

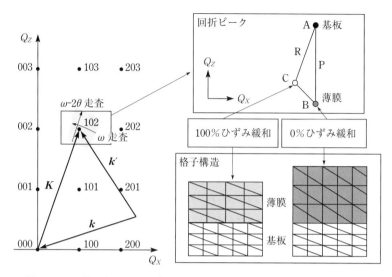

図 3.18 ひずみ系ヘテロエピタキシャル薄膜の非対称 2 次元逆格子マップと,各逆格子点(回折スポット)に対応する薄膜の格子構造

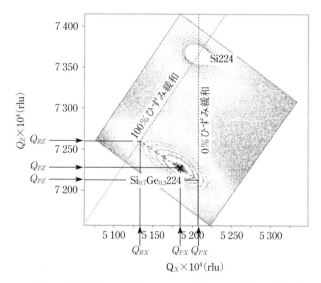

図 3.19 Si(001)基板上 $Si_{0.7}Ge_{0.3}$ エピタキシャル薄膜の非対称 2 次元逆格子マップ

トマップが描かれる．また，実際には，この図のように，完全にひずんだ状態と無ひずみ状態の中間位置に回折ピークが観察される場合が多い．このとき，薄膜のひずみ緩和率は観測ピークの座標(Q_{FX}, Q_{FZ})から求めることができる．とくに，非対称逆格子マッピングでは，面内方向のひずみ緩和率 R_I と法線方向のひずみ緩和率 R_N が独立に与えられ，それぞれは，

$$R_I = \frac{Q_{PX} - Q_{FX}}{Q_{PX} - Q_{RX}} \times 100(\%)$$
$$R_N = \frac{Q_{FZ} - Q_{PZ}}{Q_{RZ} - Q_{PZ}} \times 100(\%)$$
(3.32)

となる．

回折ピークの強度分布にも意味がある．図 3.20 に示すように，楕円状の回折強度分布は，観測対象とした格子面の傾斜広がりと，それによって引き起こされる薄

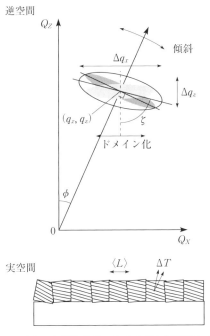

図 3.20 モザイク状薄膜結晶における面内相関長さと微視的傾斜の模式図およびそれに対応する非対称2次元逆格子マップ上の楕円状回折強度

膜面内方向のドメイン化による強度広がりが重なり合ったものである．前者を微視的傾斜(microscopic tilt：ΔT)，後者を面内相関長さ(lateral correlation length：$\langle L \rangle$)と称し，それぞれは，逆格子マップ中の楕円状回折強度の半値幅を与える Δq_x および Δq_z，ピーク座標(q_x, q_z)を用いると，

$$\Delta T = \frac{\sqrt{(\Delta q_x)^2 + (\Delta q_z)^2}}{\sqrt{q_x^2 + q_z^2}} \frac{\cos \xi}{\sin \phi} \qquad (3.33)$$

$$\langle L \rangle = -\frac{1}{\sqrt{(\Delta q_x)^2 + (\Delta q_z)^2}} \frac{\sin \phi}{\cos(\phi + \xi)} \qquad (3.34)$$

となる[3]．ここで，角度 ϕ，ξ は，それぞれ，

$$\phi = \tan^{-1}\left(\frac{q_x}{q_z}\right) \qquad (3.35\text{a})$$

$$\xi = \tan^{-1}\left(\frac{\Delta q_x}{\Delta q_z}\right) \qquad (3.35\text{b})$$

で与えられる．これまでにひずみ系半導体や窒化物半導体など，種々の薄膜に対する解析がなされているが，詳細は文献4に譲る．

c. ナノビームX線回折による微視的評価

薄膜中の局所的なひずみは，それを用いたさまざまな光学的・電気的・機械的素子の性能に大きな影響を与える．そのため，ミリメートルオーダーの巨視的スケールのみならず，サブミクロンスケール領域におけるひずみの評価が肝要である．これに対して，近年，大型放射光施設における高輝度光の利点を有効活用した，試料内微小領域の回折実験が可能となった．「結晶性」とよばれる，概念的に捉えられがちな結晶形態を，より定量的な描像に塗り替える，局所領域における結晶評価が注目されている[5〜15]．

ここでは，薄膜結晶の格子形態をより詳細に解明することができるナノビームX線回折を用いて，窒化物半導体であるAlNエピタキシャル膜中の局所的なひずみ分布を観測した例を紹介する[13]．実験には，高輝度光科学研究センターSPring-8の硬X線アンジュレータービームラインにおけるナノビームX線回折光学システム[11]を利用した．本システムでは，ゾーンプレートとスリットの併用によって，最小100 nmオーダーにまで縮小されたX線(Xナノビーム)を形成することが可能である．観測対象とした試料は，サファイア基板上にあらかじめ有機金属気相エピタキシー(metal organic vapor phase epitaxy：MOVPE)と選択エッチングによって形成したトレンチ-テラス構造[16]の上に，ハイドライド気相エピタキシー(hydride vapor phase epitaxy：HVPE)で再度 AlN をエピタキシャル成長させた比較的厚い膜である．HVPE は，成長速度がおよそ 100 μm/h にまで達する高速成長法であるため，こうした窒化物半導体系の厚膜を効率よく作製し，深紫外領域の発光デバイスの基板として応用する試みが盛んに行われている．とくに，このトレンチ-テラス構造上の AlN 膜では，通常起こりやすいクラックの導入が抑制され，転位密度も低減することが知られている[16]．そのため，膜中のひずみ分布の把握は，AlN 基板結晶のさらなる高品質化に向けた重要課題でもある．

図 3.21 にナノビーム X 線回折による局所ひずみマップ評価の手法を示す．図 3.21(a)は，観測試料である厚さ約 15 μm の AlN 膜の断面 SEM（走査電子顕微鏡）像である．HVPE 成長時に形成された 2 種類のボイドが観察され，それらは結晶の [$\bar{1}$100] 方向に沿ってトンネル状に連なり，[11$\bar{2}$0] 方向に沿うトレンチ-テラス構造に即した周期性をもっている．ここでは X 線ナノビームのサイズが膜厚に対して

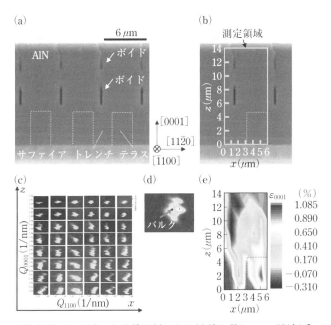

図 3.21 ナノビーム X 線回折による局所ひずみマップ評価手法．(a) 観測試料 AlN 膜の断面 SEM 像，(b) 膜断面の測定領域枠，(c) 2 次元逆格子マップマトリクス，(d) 測定領域内の一つの 2 次元逆格子マップ，(e) 局所 [0001] 方向ひずみマップ

十分に小さいため，図 3.21(b) に示すように，膜断面の測定領域枠内で 1 点ずつ X 線を入射・回折させることによって，膜の成長方向やトレンチ-テラス構造に依存する局所的なひずみ分布を検出することができる．

X線ナノビームに対して試料を x 方向に 1 μm，z 方向に 2 μm ステップで 2 次元的に走査し，測定領域内の合計 48 か所から 2 次元逆格子マップを取得することによって構成した 2 次元逆格子マップマトリクスを図 3.21(c) に表す．個々の 2 次元逆格子マップ中には，各局所領域におけるひずみや格子面傾斜などの情報が含まれており，例えば図 3.21(d) に示すように，2 次元逆格子マップ中で最大強度を与えるピークの座標を，AlN バルク結晶の格子面間隔の文献値と比較すれば，その測定箇所におけるひずみの値を抽出できる．そのようにして，すべての測定箇所について得られた，［0001］方向のひずみ値を表したマップが図 3.21(e) である．この局所ひずみマップから，全体的には界面から膜の表面の方向にひずみが減少していく傾向がつかめる．また，図 3.21(b) の断面 SEM 像と比較すれば，トレンチ-テラス構造に起因する周期的なひずみ分布が観測されると同時に，とくに，ボイドが存在する位置において，ひずみの値が局所的に小さくなっていることがわかる．つまり，ボイドは膜中のひずみを効率的に緩和する効果を有しているといえる．このように，ナノビームX線回折を用いれば，非破壊的に，かつサブミクロンスケールの高い空間分解能で，結晶の格子形態変化を観測することが可能となる．また，X線ナノビームに対する試料の走査は μm から mm にわたる広範囲で制御できるので，マルチスケールの評価ツールとしても期待が高まっている．

3.2.4 透過電子顕微鏡法と電子線回折

a. 透過電子顕微鏡

透過電子顕微鏡(transmission electron microscope：TEM)は試料に電子線を透過させて拡大像および回折像を得る顕微鏡である．図 3.22 に，拡大像および回折像を得る際の結像光路を示す．レンズには磁場型レンズが用いられ，電子が磁場から受けるローレンツ力によって起こす屈折作用が利用されている．電子銃より発した電子線は集束レンズを経て試料に照射される．試料中を透過・散乱した電子線は対物レンズを通過し，像が拡大される．その後，中間レンズ，投影レンズによって像がさらに拡大され，最終的には蛍光板もしくは近年では CCD カメラ上に映し出される．図 3.22 のように，対物レンズの像面(第 1 中間像)が中間レンズの像面になるように焦点を合わせれば拡大像が，また，後焦点面に対してそれを行えば回折像

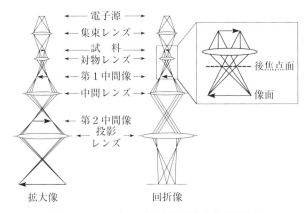

図 3.22 TEM における光学経路を表す模式図

が結像される.

b. 薄膜結晶の電子線回折パターン

荷電粒子である電子は,主として原子核とのクーロン相互作用によって散乱されるため,X線に比べて桁違いに高い散乱効率を有している.また,電子の加速電圧によって運動量を変化させ,任意の波長に設定することができる.相対論補正を考慮すると電子線の波長 λ は次式で与えられる.

$$\lambda = \frac{h}{\sqrt{2m_0 eE(1+eE/2m_0c^2)}} \tag{3.36}$$

ここで,h はプランク定数,m_0 は電子の静止質量,c は光速,e は電子の電荷,E は加速電圧である.波長の目安は加速電圧 200 kV で約 0.0025 nm である.

電子線回折実験では,低速電子線回折の場合を除き,キロボルトオーダーで加速された電子線が用いられる.そのため一般に観察試料の格子定数に比べて電子線の波長が極端に短くなり,逆にエバルト球の半径は逆格子点間隔に比べてかなり大きくなる.式(3.36)をもとにエバルト球半径を算出すると,加速電圧 100 kV で約 270 nm^{-1},200 kV では約 400 nm^{-1} となる.図 3.23(a) は,格子定数 0.287 nm で体心立方格子をもつ Fe 単結晶の (001) 面に垂直に,加速電圧 200 kV の電子線を入射した場合の側面図を模式的に表している.これより明らかに,逆格子点を切る面は平面に近くなり,エバルト球は同時にいくつもの逆格子点を切ることになる.これはラウエの回折条件を満足する複数の逆格子点が存在することを意味している.つまり,電子線の入射方向から見れば,図 3.23(b) に示すような透過波 000 を中心

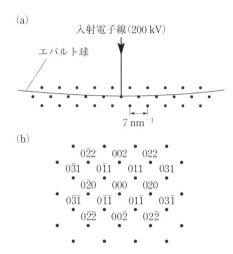

図 3.23 Fe(001)面に 200 kV 電子線が入射した場合の
(a) 逆空間側面図および(b) 回折パターン

とした多数の回折スポットからなるパターンが得られる．また，電子線回折では，本来現れるべきでない禁制反射の位置に回折スポットがしばしば観察される．これは結晶内での回折波が新たな入射波として振る舞い，再度回折されるために生じる現象であり，二重回折もしくは一般に多重回折とよばれる．

試料が多結晶で各結晶粒がランダムな方位を有する場合，回折パターンは同心円になり，これをデバイリングという．デバイリングの半径 r_{hkl} は，

$$r_{hkl} = \frac{\lambda L}{a}\sqrt{h^2+k^2+l^2} \tag{3.37}$$

で与えられる．ここで λ は電子線の波長，a は格子定数，L は電子顕微鏡などの電子回折装置における装置定数であるカメラ長，hkl はブラッグ反射を起こした試料中の格子面指数である．各デバイリングから式(3.37)を用いて求めた $(h^2+k^2+l^2)^{1/2}$ の値は結晶構造に特有な数列となる．一般に回折実験ではカメラ長が与えられるので，デバイリングの半径から未知の物質の結晶構造を決定することができる．図 3.24(a)および(b)は TiN 多結晶薄膜の回折パターンおよびそれに対応する TEM 像であり，デバイリングが観察される．

c. 等厚干渉縞と湾曲干渉縞

TEM 観察の際，試料は電子線が透過できるだけの厚さまで薄片化される．こう

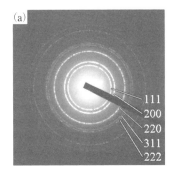 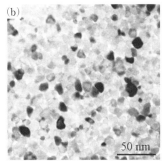

111
200
220
311
222

50 nm

図 3.24 TiN 多結晶薄膜の(a) 電子線回折パターンおよび対応する(b) TEM 像

した薄片試料の TEM 像の解釈にあたって最も基本となる像は，等厚干渉縞と湾曲干渉縞（ベンドコンターともよぶ）である．前者は電子線の透過方向の試料厚さに，また後者は試料の変形具合に依存するコントラストである．透過波に対して回折波の強度が小さい運動学的理論が成り立つ回折条件において，透過波と一つの回折波を取り扱う2波条件のもとでコラム近似を用いると[17]，試料直下における電子線の散乱波の合成振幅 ψ_g は，

$$\psi_g = i\frac{n\lambda F_g}{\cos\theta}\sum_m \exp(-2\pi i \boldsymbol{K}\cdot\boldsymbol{r}_m) \tag{3.38}$$

と表される．右辺先頭の i は入射波に対して位相が $\pi/2$ ずれていることを意味し，n は散乱面における単位格子の密度，F_g は結晶構造因子，θ はブラッグ角，$\boldsymbol{K}$ は散乱ベクトルである．$\boldsymbol{r}_m$ は電子線透過方向 z に沿って数えた m 番目の格子面の位置ベクトルであり，試料内のすべての結晶面からの寄与として足し合わせている．さらに運動学的理論における励起誤差 s の概念を用いて $\boldsymbol{K}=\boldsymbol{g}+\boldsymbol{s}$（$\boldsymbol{g}$ は逆格子ベクトル，すなわち回折面の法線ベクトル），加速電圧 100 kV 以上では散乱角が非常に小さいので $\boldsymbol{k}\|\boldsymbol{k}'$，$\boldsymbol{s}\|\boldsymbol{z}$，試料厚さに対して格子面間隔が十分に小さい，とすれば，式(3.38)の総和は積分に置き換えられて，

$$\psi_g = i\frac{n\lambda F_g}{\cos\theta}\int_0^t \exp(-2\pi i s\cdot z)\,\mathrm{d}z/a = \frac{i\pi}{\xi_g}\frac{\sin\pi ts}{\pi s}\exp(-\pi i s t) \tag{3.39}$$

となる．ただし，t は電子線方向に沿う試料の厚さである．式(3.19)の

$$\xi_g \equiv \frac{\pi a \cos\theta}{n\lambda F_g} \tag{3.40}$$

は消衰距離とよばれ，物質に固有な値である．結局，回折波の強度 I_g は，

$$I_g = \left(\frac{\pi}{\xi_g}\right)^2 \left(\frac{\sin \pi ts}{\pi s}\right)^2 \tag{3.41}$$

で与えられる．式(3.41)の s を一定として試料厚さ t に対する回折波と透過波の強度を表したグラフが図3.25(a)である．また，図3.25(b)には楔形試料で等厚干渉縞が現れる様子を模式的に示した．一方，式(3.41)より，試料厚さが一定で s が変化しても回折波の強度は変化する．s の変化とは回折条件の変化であり，試料が変形して，入射波に対して局所的に格子面が傾斜し，ブラッグ条件が変化することを意味している．ひずみ系薄膜を TEM 観察する際は，薄片化によって試料が湾曲することがよくあり，湾曲干渉縞がしばしば観察される．それぞれの観察例を図3.26に示す．図3.26(a)は透過波を用いて結像した明視野 TEM 像で観察された楔形 Si

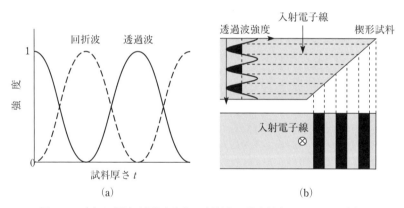

図 3.25 (a) 回折波・透過波強度の試料厚さ t 依存性（ただし，s は一定），(b) 楔形試料で等厚干渉縞が現れる原理図

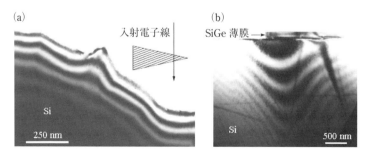

図 3.26 (a) 楔形 Si 薄片試料において観察された等厚干渉縞，(b) Si 基板上 $Si_{0.7}Ge_{0.3}$ 薄膜の断面 TEM 像において観察される湾曲干渉縞

薄片試料の等厚干渉縞である．また，図3.26(b)はSi基板上にエピタキシャル成長したSi$_{0.7}$Ge$_{0.3}$薄膜の断面TEM像であり，試料が不均一に湾曲することによって局所的に干渉縞の間隔が変化している様子が観察される．

d. 回折コントラスト

透過波のみ，もしくは回折波のみを対物絞りで取り込んで形成する像において，試料中の回折条件の変化に対応して得られるコントラストを回折コントラストとよぶ．薄膜中に導入される格子欠陥は，局所的な格子面の変形や傾斜を通して回折コントラストを生み出すので，TEM観察によって，その詳細な構造を把握することができる．

格子欠陥が存在する場合の散乱波振幅 ψ_d は，格子欠陥による変位ベクトル $\bm{R}_m$ を考慮した位置ベクトル $\bm{r}_m'$ を

$$\bm{r}_m' = \bm{r}_m + \bm{R}_m \tag{3.42}$$

と定義して式(3.38)の $\bm{r}_m$ と置換することで求められる．$\bm{R}_m$ を z の連続関数として，先と同様に総和を積分とすれば，

$$\psi_d = \frac{i\pi}{\xi_g} \int_0^t \exp[-2\pi i \bm{g} \cdot \bm{R}(z)] \cdot \exp(-2\pi i s \cdot z) dz \tag{3.43}$$

を得る．ここで，

$$\alpha \equiv 2\pi \bm{g} \cdot \bm{R}(z) \tag{3.44}$$

を不完全性に起因する位相因子とよび，結晶中に格子欠陥が存在しても α がゼロ，すなわち $\bm{g} \cdot \bm{R}(z) = 0$ のとき，式(3.43)は式(3.39)と同一になり，TEM像中に格子欠陥のコントラストは観察されない．この現象を用いて，格子欠陥の構造を決定することができる．基板上に成長させた薄膜結晶中には種々の次元を有する格子欠陥が導入される．このうちとくに1次元欠陥である転位は，ひずみ系薄膜のひずみ緩和挙動を支配し，先述の結晶モザイシティを誘発するだけでなく，その電気的・光学的性質が薄膜デバイスの特性に影響するため，構造の同定が重要である．図3.27はエピタキシャル選択横方向成長によって作製したGaN薄膜中の転位のバーガースベクトル $\bm{b}$ をTEM観察によって決定した例である[18]．図3.27(a)と図3.27(b)は同一視野を示しているが，図3.27(a)の $\bm{g} = 1\bar{1}00$ の回折条件で観察された一部の転位は，図3.27(b)の条件でそのコントラストが極端に減少している．つまりコントラストを失った転位の $\bm{b}$ は $\bm{g} = 000\bar{1}$ に垂直方向に存在することになる（$\bm{b}$ は格子の変位ベクトルにほかならないので，$\bm{R} \sim \bm{b}$ として考えてよい）．六方晶構造をもつGaNの転位の滑り系もあわせて考慮すると，この転位の $\bm{b}$ は(0001)面に平行な

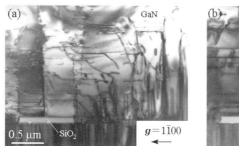
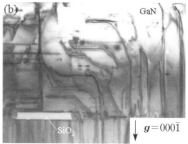

図 3.27 GaN 薄膜中の同一視野を異なる回折ベクトル $g=1\bar{1}00$ (a) と，$g=000\bar{1}$ (b) で観察した TEM 像

$1/3\langle 11\bar{2}0\rangle$ であることがわかる．

e. 位相コントラスト

透過波と少なくとも一つの回折波の干渉効果を利用すると，両者の位相差に依存した位相コントラストが現れる．図 3.28 に示すように，透過波と間隔 d の 1 次元格子による回折波を，対物レンズ・絞りを通過させて結像する場合を考える．後焦点面上の点 h における回折波の振幅を $q(h)$，レンズを通過することによって被る位相変化を $2\pi\chi(h)$，レンズ通過後の透過波(回折波)の波数ベクトルおよび行路を

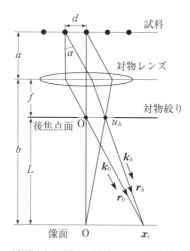

図 3.28 透過波と回折波の干渉による格子縞の結像経路

それぞれ $k_0(k_h)$ および $r_0(r_h)$ とすれば，像面上の位置 x における振幅 $\varphi(x)$ は，

$$\varphi(x) = \sum_h q(h) \exp[2\pi i \chi(h)] \exp[2\pi i (k_h \cdot r_h - k_0 \cdot r_0)] \quad (3.45)$$

となる．ここで透過波と一つの回折波のみの最も単純な場合（$h=0, 1$）を考える（結像に寄与する回折波が二つ以上の場合も原理的には同様である）．それぞれの振幅を，試料厚さに依存する位相項 θ_0, θ_1 を用いて $q(0) = q_0 \exp(2\pi i \theta_0)$，$q(1) = q_1 \exp(2\pi i \theta_1)$ とする．さらに，図のように，後焦点面上の位置を u_h として，幾何学的関係から行路差とレンズ倍率 $M = b/a$ を考慮すると，像強度 $I(x)$ は次式となる．

$$I(x) = q_0^2 + q_1^2 + 2q_0 q_1 \cos\left[2\pi\left\{\chi(1) - \frac{x}{\delta M} + (\theta_1 - \theta_0)\right\}\right] \quad (3.46)$$

式(3.46)の第3項が干渉項であり，x方向に間隔 δM で周期的に変化する像強度，すなわちレンズで拡大された格子間隔である格子縞を表している．また，式(3.46)より，レンズのパラメーター $\chi(1)$ と試料厚さで決まる $(\theta_1 - \theta_0)$ 値に依存して格子縞全体がシフトすることがわかる．つまり，格子縞は原子構造の周期性を反映する像であるが，必ずしも原子位置を直接的に表しているとは限らない．そのため，原子配列を含めた詳細な構造解析を行ううえでは，原子構造を仮定し，TEMの結像パラメーターまでも取り込んだ格子像シミュレーションを行うことが必須とされている．

図3.29(a)はSi(001)基板上にGeを7原子層成長させた超薄膜の断面TEM像で

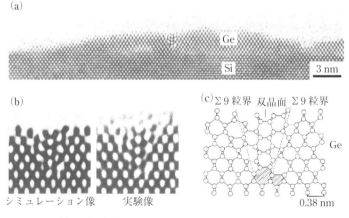

図 3.29 (a) Si(001)基板上にGeを7原子層成長させた超薄膜の断面TEM像，(b) V字型欠陥のシミュレーション像と実験像，(c) シミュレーションに用いたV字型欠陥の原子構造モデル

ある.島状になったGe部分には周囲の原子配列とは異なるV字型の欠陥が観察される.図3.29(b)に,図3.29(a)の欠陥部分の像と図3.29(c)に示す欠陥の原子構造モデルをもとに作成したシミュレーション像を比較した.両者の一致は極めてよく,欠陥は中央部に⟨211⟩表面方位をもつ双晶構造,およびその双晶領域とGeエピタキシャル層の境界に存在するΣ9結晶粒界から形成されていることが明らかになった[19].Σ9結晶粒界はGe原子の5員環と7員環の連鎖構造で構成されるので,エネルギー的に安定であることが知られている.

文　献

1) 酒井　朗:『新インターユニバーシティ固体電子物性』(若原昭浩 編),4章(オーム社,2009) p. 42.
2) A. Sakai, K. Sugimoto, T. Yamamoto, M. Okada, H. Ikeda, Y. Yasuda, and S. Zaima : Appl. Phys. Lett., **79** (2001) 3398.
3) P. F. Fewster : "X-ray Scattering from Semiconductors" (Imperial College Press, 2000).
4) 例えば,B. Liu, R. Zhang, Z. L. Xie, H. Lu, Q. J. Liu, Z. Zhang, Y. Li, X. Q. Xiu, P. Chen, P. Han, S. L. Gu, Y. Shi, Y. D. Zheng, and W. J. Schaff : J. Appl. Phys., **103** (2008) 023504.
5) J. Matsui, Y. Tsusaka, K. Yokoyama, S. Takeda, M. Urakawa, Y. Kagoshima, and S. Kimura: J. Cryst. Growth, **237** (2002) 317.
6) S. Kimura, H. Kimura, K. Kobayashi, T. Oohira, K. Izumi, Y. Sakata, Y. Tsusaka, K. Yokoyama, S. Takeda, M. Urakawa, Y. Kagoshima, and J. Matsui : Appl. Phys. Lett., **77** (2000) 1286.
7) D. E. Eastman, C. B. Stadarescu, G. Xu, P. M. Mooney, J. L. Jordan-Sweet, B. Lai, and Z. Cai : Phys. Rev. Lett., **88** (2002) 156101.
8) S. Mochizuki, A. Sakai, N. Taoka, O. Nakatsuka, S. Takeda, S. Kimura, M. Ogawa, and S. Zaima : Thin Solid Films, **508** (2006) 128.
9) S. Takeda, S. Kimura, O. Sakata, and A. Sakai : Jpn. J. Appl. Phys., **45** (2006) L1054.
10) C. Mocuta, J. Stangl, K. Mundboth, T. H. Metzger, G. Bauer, I. A. Vartanyants, M. Schmidbauer, and T. Boeck : Phys. Rev. B, **77** (2008) 245425.
11) Y. Imai, S. Kimura, O. Sakata, and A. Sakai : AIP Conference Proceedings, **CP1221** (2010) 30.
12) K. Ebihara, J. Kikkawa, Y. Nakamura, A. Sakai, G. Wang, M. Caymax, Y. Imai, S. Kimura, and O. Sakata : Solid-State Electronics, **60** (2011) 26.
13) D. T. Khan, S. Takeuchi, J. Kikkawa, Y. Nakamura, H. Miyake, K. Hiramatsu, Y. Imai, S. Kimura, O. Sakata, and A. Sakai : J. Cryst. Growth, **381** (2013) 37.
14) D. T. Khan, S. Takeuchi, Y. Nakamura, K. Nakamura, T. Arauchi, H. Miyake, K. Hiramatsu, Y. Imai, S. Kimura, and A. Sakai : J. Cryst. Growth, **411** (2015) 38.
15) T. Uchiyama, S. Takeuchi, S. Kamada, T. Arauchi, Y. Hashimoto, K. Yamane, N. Okada, Y. Imai, S. Kimura, K. Tadatomo, and A. Sakai : Jpn. J. Appl. Phys., **55** (2016) 05FA07.
16) Y. Katagiri, S. Kishino, K. Okuura, H. Miyake, and K. Hiramatu : J. Cryst. Growth, **311** (2009) 2831.
17) P. B. Hirsch, A. Howie, R. B. Nicholson, D. W. Pashley, and M. J. Whelan : "Electron Microscopy of Thin Crystals" (Krieger Publishing, 1977).
18) A. Sakai, H. Sunakawa, and A. Usui : Appl. Phys. Lett., **71** (1997) 2259.
19) A. Sakai and T. Tatsumi: Phys. Rev. Lett., **71** (1993) 4007.

3.3 組成・状態分析

3.3.1 はじめに

　薄膜の物性・機能の制御には，前節の結晶構造評価に加えて，化学組成や電子状態の情報が不可欠であることはいうまでもない．化学組成の分析では，元素の同定と濃度測定を行う必要があり，各元素固有の物理量を検出・計測することになる．各元素は，その電子状態，質量および原子核によって特徴づけられるので，その測定手法は，電子状態の直接観察(内殻電子放出など)，電子状態間の遷移に伴う物理現象(光吸収・発光，オージェ電子放出，特性X線放出など)の解析，スパッタやアブレーションによって放出させた原子の質量測定，イオンなどの散乱や反跳現象の解析や核反応に伴う放射線や核種の測定に大別される．一方，状態分析は，隣接原子間の化学結合状態や，構成元素の配位数，原子配列における短距離秩序や長距離秩序の度合いに関する情報を定量評価する必要があり，構成原子間の電荷移動量に伴うポテンシャル変化(化学シフト)や，原子配列の周期性に着目した測定が行われる[1~3]．

　いずれにせよ，測定対象試料に光，電子(陽電子も含む)，原子・分子(励起状態を含む)，イオンを励起源(プローブ)として入射させて，試料の応答を測定・分析する．具体的には，試料との相互作用(反射・散乱・吸収)によるプローブの変化あるいは，相互作用の結果として試料から放出される光，電子，原子・分子，イオンの測定から組成・状態分析が行われる(表3.5)．励起源と検出する物理現象の組み合わせで，さまざまな分析手法が実用化されている(表3.6)．得たい情報に応じて，加熱，電場や磁場印加も行われ，弾性・非弾性散乱でのエネルギー分析(分光)や質量分析に加えて，時間分解，角度分解，偏光特性，スピン偏極特性が調べられる．それぞれの分析手法には，必要な試料サイズ，分析感度(とくに検出下限濃度)，空間分解能やエネルギー分解能，面内分布や深さ方向分析において測定原理上の制約があるため，適用範囲を理解して分析手法を選択する必要がある．本節では，薄膜分野で広く用いられている代表的な組成・状態分析の手法を取り上げて，その分析原理，得られる情報およびその特色について説明する．

3.3.2 原子スペクトルを利用する元素・組成分析[4]

　原子の量子化されたエネルギー準位間の電子遷移は，原子スペクトルとよばれ，

表 3.5 薄膜の組成・状態分析で用いられる励起源と検出対象

励起源 (プローブ)	検出する対象(物理現象)			
	光 (フォトン)	電子	原子・分子 (中性化学種)	イオン
光 (フォトン)	吸収 反射 散乱 回折 発光 蛍光	光電子 (放出・回折) オージェ電子 (放出・回折)	励起 吸着・脱離	光イオン化
電子	発光 特性X線	二次電子放出 オージェ電子放出 回折 散乱	励起 吸着・脱離	中和 イオン化
原子・分子 (中性化学種)	発光 特性X線	電子放出	散乱 吸着・脱離 スパッタ	ペニングイオン化
イオン	発光 特性X線	電子放出	スパッタ	散乱 2次イオン
熱 (フォノン)	熱発光	熱電子放出	吸着・脱離 昇華・蒸発	熱イオン化
電場・磁場		電界電子放出 トンネリング		電界イオン放出

これを指標として，元素を同定することができる．原子化の手段として高周波グロー放電を活用した分析方法が広く用いられており，その手法を高周波グロー放電発光分析(rf-glow discharge-optical emission spectroscopy：rf-GD-OES)とよぶ．薄膜表面をArグロー放電にさらすと，スパッタリングによって薄膜の構成原子が，イオン化や電子・振動励起を伴って，放電空間に放出される．グロー放電内では，イオンと電子の再結合や非弾性衝突，励起原子の脱励起によって，発光(輝線)が生じる．この発光スペクトルをエネルギー分析し，その時間変化を測定することで，構成元素の特定や深さ方向の組成分析を行うことができる．したがって，この手法は，原理的に破壊分析である．図3.30に示すようにグロー放電の発生には，直径数mmの中空陽極と試料が配置される陰極間に高周波電力を印加するのが一般的で，放電にさらされた領域の平均的な組成情報が得られることになる．金属膜，半導体・絶縁膜から有機膜の組成評価に広く用いられているが，試料表面および全体

3.3 組成・状態分析

表 3.6 薄膜の組成・状態分析で用いられる代表的な手法

		分析手法	略 称	検出する対象・物理現象
組成分析		高周波グロー放電発光分析	rf-GD-OES	プラズマ発光
		2次イオン質量分析	SIMS	2次イオンの質量
		イオン散乱分析	ISA	入射イオンの散乱
				構成原子の反跳
		X線光電子分光	XPS	光電子放出
		オージェ電子分光	AES	オージェ電子放出
		電子線プローブマイクロアナリシス	EPMA	特性X線発生(電子励起)
		X線蛍光分析	XFS	特性X線発生(X線励起)
		X線吸収分光	XAS	入射X線の吸収
		アトムプローブ電界放出顕微鏡	APFIM	原子の電界放出
状態分析	電子状態・化学結合状態	X線吸収微細構造解析	XAFS	X線吸収端近傍の吸収変化
		電子エネルギー損失分光	EELS	入射電子のエネルギー損失
		紫外／X線光電子分光	UPS/XPS	光電子スペクトルの変化・化学シフト
		オージェ電子分光	AES	オージェ電子の化学シフト
		走査プローブ顕微鏡	SPM	トンネル電流変化(局所状態密度)
		フーリエ変換赤外吸収分光	FT-IR	赤外光の吸収(振動(フォノン))
		ラマン散乱分光	Raman Scattering	ラマン散乱光(振動(フォノン))
		電子スピン共鳴	ESR	マイクロ波吸収(不対電子検出)
		核磁気共鳴	NMR	ラジオ波吸収(共鳴エネルギーの化学シフト)
	相／結晶構造・原子配列	透過電子回折	TED	電子線回折
		反射高速電子線回折	RHEED	電子線回折
		X線回折	XRD	X線回折
		ラザフォード後方散乱分光	RBS	イオン散乱
		中エネルギーイオン散乱分光	MEIS	イオン散乱

が非導電性の場合は,スパッタリングが進行しにくく分析が困難な場合が多い.グロー発光分析に,凹面回折格子を活用したポリクロメーターを用いることで,40を超える元素の同時分析が可能である.Arグロー放電のスパッタリング状態を制御することで,原子層レベルから数十 nm 程度の精度で深さ方向組成分布を得ることができる.多くの元素に対して,数十 ppm(濃度 10^{18} atom/cm^3 レベルに相当)の感度があるが,定量分析には,濃度既知の参照試料の結果との比較が必要となる.

140   3 薄膜評価法

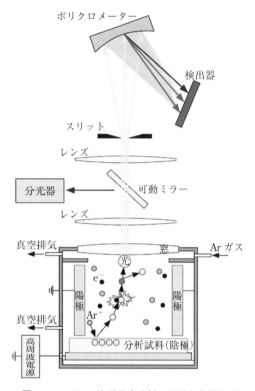

図 3.30　グロー放電発光分析の原理と装置概要

3.3.3　原子(イオン)質量分析による元素・組成分析[5]

　元素・組成分析で最も高感度な測定手法として，2次イオン質量分析(secondary ion mass spectrometry：SIMS)がある．これは，数百 eV～20 keV のエネルギーをもつ細束イオンビームを試料表面に照射・走査し，スパッタ現象に伴い2次的に放出される試料の構成元素の2次イオンを質量分析計にかけて，元素または化合物の同定および濃度の測定を行う分析法である．スパッタ現象を利用するため，破壊分析ではあるが，試料を構成している元素のイオンを直接検出(質量分析)するため，元素およびその同位体の同定精度が高く，水素を含む全元素に対して ppm～ppb レベルに達する検知感度(元素依存する)で，深さ方向の濃度分布を得ることができる．測定モードは，1次イオンの入射量(連続ビームもしくはパルスビーム)の違い

から，ダイナミックSIMS(D-SIMS)とスタティックSIMS(S-SIMS)の二つに大別され，前者D-SIMSは，高電流密度(10^{-4}〜10^{-2} A/cm^2)の1次イオンビームを用いて，表面から数十μmまでの深さ方向濃度分布の測定および，バルクや厚膜試料の極微量分析で用いられる．後者S-SIMSは，照射1次イオン電流密度を極端に低下させて(10^{-9}〜10^{-5} A/cm^2)，表面の損傷を可能な限り落として非破壊に近い状態で測定する方法で，試料の極表面(数分子層)の分析や面内分布(2次元マッピング)測定に用いられる．2次イオンの発生効率の観点から，正の2次イオン測定時にはO_2^+，負の2次イオン測定時にはCs^+が，1次イオンとして多用されている．O_2^+イオンでは，試料表面の酸化による効果によって，またCs^+イオンでは，表面仕事関数の低下による効果によって，それぞれ正および負イオンの生成効率が高まると考えられている．

2次イオン質量分析系は，2次イオン引き出し部と質量分析部から構成されていて，質量分析計(mass spectrometer：MS)には，二重収束型MS(double focusing MS：DF-MS)，四重極型MS(quadrupole MS：Q-MS)，飛行時間型MS(time of flight MS：TOF-MS)の3種類が広く利用されている．

DF-MSは，図3.31(a)に示すように，扇型(セクター)様電場と磁場を有機的に結合させ，方向収束(結像)と質量分離のための速度収束(光学レンズの色消しレンズ作用)を両立させている．入射イオンの軌道半径(質量分散)は，入射2次イオンエネルギーを一定に保てば，磁場強度に反比例する．そのためセクター型電場を一定に保ち，磁場を徐々に強くしていくと質量数の小さいイオンから大きいイオンが順次質量分離スリットを通過し，質量スペクトルが得られる．したがって，このタイプは，磁場型とよばれることもある．質量分解能($M/\Delta M$)は，ほぼセクター磁場の半径に比例して増加し，10^4程度が実用化されている．特殊用途として10^5の高分解能を有する装置も開発されている．DF-MSでは，一般に，2次イオン加速用として，試料に数kVの高い電圧が印加されており，その電場により，1次イオンビームが偏向を受けるため，1次イオンビームエネルギーを数keV以下に低下させることは困難である．Q-MSは，図3.31(b)に示すように4本の電極ロッドを配置し，相対する電極の極性を同じにして直流電圧Vと高周波交流電圧$V_0 \cos\omega t$(V_0は交流電圧の最大値，$\omega = 2\pi\nu$，νは高周波の周波数)を重ね合わせた電圧，$\pm(V+V_0\cos\omega t)$を印加し四重極電場を形成する．この四重極ロッドに沿って低エネルギーの2次イオンが四重極電場に入射すると，イオンは四重極ロッド間を振動しながら進むが，$2V/V_0$を一定に保ちつつ電圧を変化させると，ある瞬間には特定のm/z

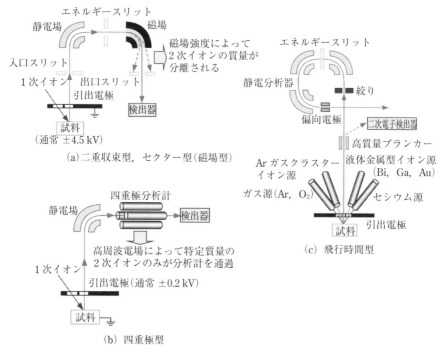

図 3.31 2次イオン質量分析の原理と装置概要

値(イオンの電荷数に対するイオン質量の比)の2次イオンのみが安定な振動運動をして四重極電場を通過し検出器に到達する．Q-MSでは，低エネルギーの1次イオンビームを利用できるため，1次イオンによって引き起こされる組成ミキシングを抑えた，深さ方向分解能に優れたデータ取得が可能で，急峻な組成変化をもつ試料の分析にも適用できる．また，絶縁性の試料の測定において，顕在化する1次イオン入射による帯電効果を電子銃で中和補正することが容易で，絶縁層を含む多層膜構造においても，精度の高い組成分布測定が可能である．TOF-MSを用いたSIMSは，TOF-SIMSとよばれ，この手法では，高真空中でパルス化した1次イオンの照射によって試料の極表面をイオン化し，イオンの質量の違いによる検出器までの飛行時間(質量の平方根に比例)差を利用して，質量分離を行う．2次イオンのエネルギー分布と放出角の広がりによって，同じ質量のイオンでも飛行時間差が生じるため，これを補正する工夫が必要である．図3.31(c)では，2次イオンの初期エネルギーと放出角度の違いを同時に補正できるようにトリプルフォーカス静電アナラ

イザー(TRIFT 型アナライザー)が用いられている．エネルギーの高いイオンは外側の軌道を周回することで，初期速度(エネルギー)の違いによる到達時間(飛行時間)差が補正されることになる．TOF-SIMS の 1 次イオン源としては，サブミクロン径でかつ数百 ps の短パルスが実現できる液体金属型イオン銃(liquid metal ion gun：LMIG)が用いられ，Ga^+ イオン，多量体の Au_n^+，Bi_n^+ イオンビームが実用化されている．Ga^+ イオンは，元素分析に用いられるが，Au_n^+，Bi_n^+ イオンは，有機物などの高質量の分子ユニットの分析に適している．TOF-SIMS で深さ方向分析する場合は，イオンスパッタによる表面エッチングと測定を交互に繰り返すことになる．したがって，1 次イオン銃とは別にスパッタイオン銃が必要で，O_2^+ や Cs^+ イオンが広く用いられている．有機材料の分析に対しては，フラーレン(C_{60})や Ar ガスクラスター(断熱膨張によって数千個の Ar が凝集した集合体)のイオンを用いることで，高精度な組成プロファイル測定が実現されている．

SIMS よる分析結果を定量するには，着目する元素の 2 次イオン化率に関する情報が必要である．この 2 次イオン化率は，主成分組成のみならず，試料中の不純物元素の存在によっても変化する(マトリクス効果とよばれる)ので，測定試料の状況に応じた標準試料を同条件で分析し，相対感度係数(reactive sensitivity factor：RSF)から較正・換算する必要がある．

3.3.4 イオン散乱による元素・組成分析[3.6]

加速したイオンを試料に入射し，試料中を構成する原子との衝突によって散乱(原子核とのクーロン力による散乱，これをラザフォード散乱とよぶ)されたイオンを検出(エネルギー分析)することで，元素の同定および深さ方向分布に関する情報を非破壊で検出する手法を総称して，イオン散乱分析(ion scattering analysis：ISA)とよぶ(図 3.32)．軽元素イオン(H^+，He^+，He^{++} など)を使った場合は，原子量の大きい元素との衝突によって，入射イオンの一部は，後方に跳ね返される

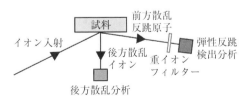

図 3.32 イオン散乱分光の原理図．後方散乱分析と弾性反跳検出分析の関係

(後方散乱).この後方散乱イオンを検出する手法を総称して,ラザフォード後方散乱分光(rutherford back scattering：RBS)とよぶ.一方,構成元素の質量が入射イオンの質量よりも軽い(例えば水素原子)場合は,衝突状況によっては,その構成元素の原子が前方にはじき出されることになり,このはじき出された原子を検出するのが弾性反跳検出分析(elastic recoil detection analysis：ERDA)で,通常のRBS測定では困難な水素含有量の定量化に有効な手法である.水素検知に特化した場合は,水素前方散乱(hydrogen forward scattering：HFS)ともよばれる.また,測定対象とする元素によって,BやCの定量には,O^+やN^+などの高速イオンビームが用いられる.また,IやAuなどの高速重イオンビームを用いることで,軽元素から重元素の定量をほぼ一定の感度で,検出することができる.重イオンビームの利用によって,一般に深さ方向分解能と質量分解能が向上するが,試料表面層でのエネルギー損失が大きく,これにより生じる試料の照射損傷に留意が必要である.

イオン散乱は入射イオンのエネルギーにより3種類に大別される.

低エネルギーイオン散乱(low energy ion scattering：LEIS)は数百eV~数keV領域,中エネルギーイオン散乱(medium energy ion scattering：MEIS)は数十~数百keV領域,高エネルギーイオン散乱(high energy ion scattering：HEIS)は数百keV~数MeV領域の入射イオンを使用する.上述のRBSはHEISに相当する.

LEISを利用した分析手法を総称して,イオン散乱分光(ion scattering spectroscopy：ISS)とよび,中でも散乱角180°で直衝突して散乱するイオンを分析する手法は,その特徴から,衝突イオン散乱分光(impact collision ion scattering spectrometry：ICISS)とよばれる.さらに,飛行時間型分析では,すべての散乱粒子が検出できる特徴をもち,TOF-ICISSもしくは同軸型直衝突イオン散乱分光法(coaxial impact collision ion scattering spectroscopy：CAICISS)とよばれる.

MEISでは,半導体検出器に替えてエネルギー分解能の高い静電型や磁場型分析器を使って,高分解能測定が行われることが多い.エネルギー分解能$\Delta E/E$は4×10^{-3}程度が実現されていて,このとき,深さ分解能は0.3 nmのオーダーに達する.このようにMEISは高い深さ分解能をもつことが大きな特徴で,2~3原子層の分解能で濃度分布や構造解析ができる.さらに,入射角や取り出し角を試料表面すれすれにするか,分光器のスリットを絞ることで,1原子層オーダーの分解能を示す研究も報告されている.HEIS(別名RBS)においても,入射イオンエネルギーを抑えて,かつ高分解能質量分析器を使う場合があり,一般的なRBS測定とは区別して,HR-RBSとよばれる.

ISAでは，軽元素イオンビームを標的試料に入射させ，試料中の原子によって散乱されたイオンのエネルギースペクトルおよび角度スペクトルを測定する．入射イオンは標的原子と弾性散乱（クーロン散乱）を行い，その角度を変え，同時にエネルギーの一部を失う（図3.33）．弾性散乱前後で，エネルギー保存則と運動量保存則が成立するので，入射イオンの質量 m，エネルギー E_0 と標的原子の質量 M および散乱角度 θ（入射方向からの開き角）が決まれば，散乱後のイオンのエネルギー E は式(3.47)によって与えられる．

$$E = E_0 \{m/(m+M)\}^2 \{\cos\theta + (M^2/m^2 - \sin^2\theta)^{1/2}\}^2 \quad (3.47)$$

したがって，入射イオンの質量 m，エネルギー E_0 と散乱角度 θ が既知であれば，散乱に寄与した原子の質量 M を知ることができる．試料中で，標的原子が周囲の原子と化学結合していても，その化学結合エネルギーはたかだか数 eV なので，これより十分高いエネルギーをもったイオン散乱においては，化学結合の影響は無視できる．散乱イオンの強度から，入射イオン量と散乱を生じさせる有効断面積（入射イオンのエネルギー，散乱角，入射イオンおよび標的元素の原子番号に依存する）を使って，標的元素の濃度を定量することができる．また，入射イオンや散乱イオンが固体（試料）中を通過する際に，固体中の電子との非弾性衝突による励起やイオン化過程によって，通過距離に比例してエネルギーを失うので，散乱イオンの運動エネルギーの損失分を通過距離に焼き直すことで，深さ方向の組成分布の情報を得ることができる．定量分析において留意する事項として，シャドーイング効果，チャネリング効果やブロッキング効果がある（図3.34）．シャドーイング効果は，入射イオンが標的原子により散乱される際に，シャドーコーンとよばれる，入

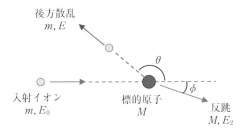

図 3.33 質量 m とエネルギー E_0 の入射イオンが，質量 M の標的原子と弾性散乱する様子．θ および ϕ はそれぞれ散乱角および反跳角．E および E_2 はそれぞれ弾性散乱後のイオンおよび標的原子のエネルギー．

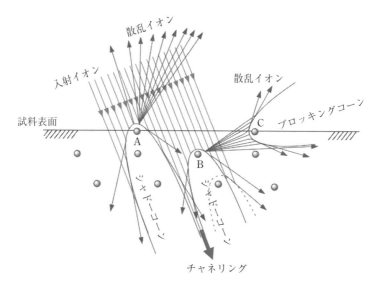

図 3.34 イオン散乱におけるシャドーコーン,ブロッキングコーンとチャネリングの様子

射イオンが入り込めない包絡面が形成され,このシャドーコーン内に存在する原子は,入射イオンからはみえない(散乱に寄与しない)ことになる状況をいう.このシャドーコーンの大きさは入射イオンの種類とエネルギーおよび標的原子の種類により異なる.入射イオンや標的原子の原子番号が大きくなると,シャドーコーンは大きくなり,入射エネルギーが大きくなると,小さくなる.チャネリング効果は,原子配列が整列している方向に沿ってイオンが入射すると,微小角散乱を繰り返しながら試料深部まで進行する状況をいい,散乱イオンの収率が極端に減少する.ブロッキング効果は,後方散乱イオンが別の原子との散乱によって計測できない状況をいい,ブロッキング効果によって生じるシャドーコーンをブロッキングコーンとよぶ.これらの効果を積極的に活用して,固体試料(とくに結晶)の構造解析や表面近傍の原子位置の精密測定が可能である.

3.3.5 特性X線[3,7~10],蛍光X線[11],X線吸収[12,13]を利用する分析

電子ビームやX線の照射や,イオンや荷電粒子入射によって,試料中の原子が励起されて内殻電子がフェルミエネルギーより高い準位にたたき上げられ,電子軌道内に空孔(空席)が生じると,それよりも浅い軌道(外殻)の電子が遷移して空孔を

埋める．この電子遷移過程には，エネルギー保存則に従って，(1) 余分なエネルギーを電磁波として放出する場合と，(2) 外殻電子間の相互作用によって，電子放出が生じる場合がある(図 3.35)．(1)で生じる電磁波を特性 X 線とよぶ．(2)は，オージェ遷移過程とよび，その過程で放出された電子をオージェ電子とよぶ．原子番号 32(Ge)より軽い原子は，(2)の確率が(1)よりも高い．特性 X 線のエネルギー分析からは，試料中の元素の同定(原子番号 5(B)より大きい元素が対象)や組成の定量(原子番号 10(Ne)より大きい元素が対象)ができる．電子線励起で生じる特性 X 線を測定から組成分析する手法を電子線マイクロプローブ分析(electron probe micro analysis：EPMA)とよび，X 線励起の場合は蛍光 X 線分析(X-ray fluorescence：XRF)，水素イオンなどの荷電粒子による励起の場合は粒子線励起 X 線分析(particle induced X-ray emission：PIXE)とよぶ．電子線励起の場合は，走査電子顕微鏡(SEM)や透過電子顕微鏡(TEM)に X 線分光器を組み込んで行うのが一般的で，試料中の化学組成の 2 次元分布を非破壊測定する簡便な手法として広く用いられている．X 線分光器の種類によって，分光結晶を用いる波長分散型 X 線分析(wavelength dispersive X-ray spectroscopy：WDX)と半導体検出器を使ったエネルギー分散型 X 線分析(energy dispersive X-ray spectroscopy：EDX)に分類される．一般に WDX は，エネルギー分解能が高く，スペクトル変化から化学結合に関する情報も得ることができ，軽元素に対する感度も高い．一方 EDX は，多チャンネル(多数元素)同時計測が可能である．電子線励起では，電子線の散乱による横方向広がりと侵入深さ(数 μm 程度)で決まる領域の平均情報が得られる．半導体ウェハーの表面汚染の高感度分析($\geq 10^9$ atoms/cm^2)には，励起 X 線を全反射させて，散乱

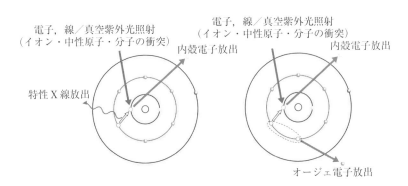

図 3.35 特性 X 線，オージェ電子線放出の原理図

X線の影響を抑えるとともに，蛍光X線の生成の増強を図った全反射蛍光X線分光法(total reflection X-ray fluorescence spectroscopy：TRXF)が用いられる．また，放射光を励起光源に活用することで，微量元素分析(ppmレベル)や微小領域分析(サブミクロンレベル)が行えるようになった．PEIXでは，EPMAに比べて，バックグラウンドとなる連続X線の生成が低く，検出感度が高く，表面敏感な測定となる．

元素を特徴づける内殻電子を上位の空準位に励起するために必要なエネルギーは，X線領域に対応する．したがって，X線吸収スペクトルから元素の同定，化学結合状態，電子状態の評価を行うことができる．具体的には，高輝度放射光を活用し，元素の吸収端より高エネルギー側の微細構造(X-ray absorption fine structure：XAFS)を精密測定し，その微細構造分析から局所化学構造，配位数に関する情報を得ることができる．この手法では，粉末・液体・基板上薄膜などのあらゆる試料形態での分析が可能で，加熱による構造・相変化の様子も調べられている．

3.3.6　電子放出を利用した組成・状態分析[14,15]

電子の運動エネルギーを分析する手法を総称して電子分光とよび，角度(方位)分解や時間分解測定から電子状態の異方性や動力学挙動に関する情報を得ることができる．代表的な組成・状態分析手法として，X線光電子分光(photoelectron spectroscopy：XPS)とオージェ電子分光(auger electron spectroscopy：AES)がある．

a.　X線光電子分光[14]

試料にX線照射し，放出される光電子の運動エネルギーを解析することで，試料表面近傍の元素の種類，組成，化学結合状態および電子状態を非破壊で調べることができる．これは，固体内電子は，価電子帯や内殻エネルギー準位に束縛されており，試料に一定エネルギーのX線を照射した際に，各エネルギー状態・準位ごとに異なる運動エネルギーをもった光電子が放出されることに起因している．市販のXPS装置では，X線光源として，軟X線域のAlKα線(1486.6 eV)やMgKα線(1253.6 eV)が多用されている．放射光光源からの硬X線を利用した場合には，励起エネルギーの高さを強調して，硬X線光電子分光(hard X-ray photoelectron spectroscopy：HAXPES)とよび，軟X線励起に比べて薄膜表層から少し深い領域の分析に有効である．また希ガス放電管などからの真空紫外光で励起する場合は，紫外線光電子分光(ultraviolet photoelectron spectroscopy：UPS)とよび，固体試料では，試料表面の価電子帯の測定に用いられる．

XPS 測定では，一般に試料とエネルギー分析器はともに接地し同電位にするため，試料表面導電性がよく，光電子放出に伴う帯電が無視できる場合には，試料と分析器のフェルミ準位が一致する．このときの試料エネルギー準位と分析器の電位関係は，図 3.36 になっている．したがって，フェルミ準位を基準にした電子の結合エネルギー E_b と放出された光電子の運動エネルギー E_k との関係は，X 線のエネルギーを $h\nu$ とすると次の式で表せる．

$$E_b = h\nu - E_k - q\phi_S \tag{3.48}$$

ここで，q は素電荷，ϕ_S は試料の仕事関数である．また一般に，固体試料の仕事の関数 ϕ_S と分析器の仕事関数 ϕ_A は異なるために，両者間に電位勾配 ϕ_{SA} を生じる．このため放出された光電子は分析器に達するまでに加速(または減速)される．分析器に到達した電子の運動エネルギーと結合エネルギーの間には次の関係がある．

$$E_b = h\nu - E_k' - q\phi_A \tag{3.49}$$

この式からわかるように分析器の仕事関数 ϕ_A が既知であれば実測の電子の運動エネルギー E_k' と $h\nu$ より結合エネルギーが求められるので，試料の仕事関数とは無関係に測定が可能である．また，XPS では，光電子スペクトルのほかに X 線励起

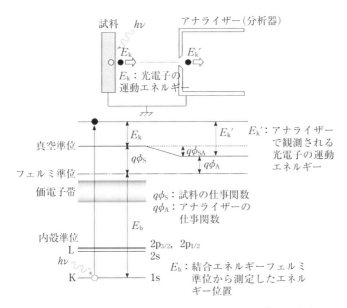

図 3.36 X 線光電子分光の原理．アナライザーで測定した電子の運動エネルギー E_k' と結合エネルギー E_b の関係

によるオージェ電子放出も観測され，元素および状態分析に利用されることが多い．観測されるオージェ電子の運動エネルギーは，内殻エネルギー準位間の遷移に対応するため，励起X線のエネルギーに依存しないので，着目する元素の光電子スペクトルにオージェ電子スペクトルが重畳する場合は，励起X線のエネルギーを変えて測定すれば，スペクトルの重畳は回避できる．

　内殻電子の結合エネルギーの値は各元素固有で，すでに実測および計算されているのでそれらの値と照合することによって元素同定が可能になる．ただし，水素は光イオン化断面積が非常に小さいため検出は不可能である．また，図3.36にも示されるように結合エネルギーはフェルミエネルギーを基準に測られるので，半導体の場合は，結合エネルギーにフェルミエネルギーの違いが反映されることになる．また，帯電やエネルギーバンドの曲がりが生じた場合もその電位変化が結合エネルギーに反映される．このほかにも，隣接原子との結合状態の違いも，結合エネルギーに反映される．この化学結合状態の違いによる結合エネルギーの変化を化学シフトとよぶ．この化学シフトは次のように定性的に説明できる．負の電荷をもつ電子は，正の電荷をもつ原子核に静電（クーロン引力）的に束縛されている．この原子の近くにほかの原子があると，相互作用（化学結合）により電子（価電子）の移動が生じ，単独の場合に比べて静電引力（電子が感じる束縛エネルギー）に差が生じる．この差が電子の結合エネルギーの差，すなわち化学シフトとして現れる．したがって，この化学シフトから化学結合状態を同定することができる．実際，化学シフトは最近接原子や原子団（配位子）の電気陰性度と密接な関係をもっており，その変化と結合エネルギーシフトは，種々の化学結合に対して比例関係が認められている．

　組成定量に関しては，相対感度係数法を用いるのが一般的で，バックグラウンドを除去した後の面積を信号強度として扱う．相対感度係数法を用いた場合の元素の相対濃度は式(3.50)で計算される．

$$C_i = \frac{(I_i/\alpha_i)}{\sum_{j=0}^{n}(I_j/\alpha_j)} \tag{3.50}$$

C_iは，元素の相対濃度，αは元素の相対感度係数，Iは信号強度，添字のi, jは元素の種類を意味する．各装置メーカーが提供している相対感度係数を用いるのが一般的であるが，より厳密な組成評価には，光イオン化断面積に加えて，光電子の運動エネルギーの違いによる因子（エネルギー分析器の特性や検出深さのエネルギー依存性）を考慮する必要がある．検出限界は，着目する元素のイオン化断面積の大

きさに依存するが，通常の測定条件では，10^{19} atoms/cm^3 以下の濃度の元素を検出するのは困難である．

固体試料における軟X線の侵入深さは，数 mm 程度あり，表面から数 mm の深さにおいて光電子が生成されることになるが，深い領域で生成した光電子は，試料中の構成原子により非弾性散乱を受け試料表面に到達することなく消滅する．したがって，表面近傍に生成し，真空中に放出された光電子を分析することになる．試料表面から飛び出す電子の数は深さ方向に対して自然対数的に減少するので，光電子収量が $1/e$ に減少する深さを脱出深さ(escape depth)とよび，これは固体中の電子の平均自由行程に相当する．この光電子脱出深さは，原子密度，原子組成および電子の運動エネルギーによって変わる．軟X励起の場合，一般的に無機物の場合は1〜4 nm で，有機物の場合は〜10 nm に達する場合もある．以上のように，分析深さは，電子の平均自由行程によって決まり，表面から数 nm 領域の平均的な組成や電子状態を分析していることになる．この分析深さを超えて組成や状態分析を行う場合には，励起X線のエネルギーを上げて光電子の運動エネルギーを増大させるもしくは，破壊分析となるが，低エネルギーイオンスパッタと測定を交互に繰り返す必要がある．分析深さ以内の表面近傍の領域を詳細に深さ方向分析するには，角度分解測定が有効である．その原理を以下に説明する．

表面から深さ x の位置にある厚さ dx の層から検出される光電子強度 dI は

$$dI = KFn\sigma S \exp\left(-\frac{x}{\lambda \sin\theta}\right) dx \tag{3.51}$$

で表される．ここで，K は装置と電子の運動エネルギーおよび原子軌道に依存する係数，F はX線強度，n は試料の原子密度，σ はイオン化断面積，S は分光器関数，λ は光電子の脱出深さをそれぞれ表している．また θ は，エネルギー分析器への光電子の進行方向と試料表面の接線がなす角度(検出角)である．式(3.51)から光電子の検出角 θ を変化させることにより，実効的な光電子脱出深さを変えることができるのがわかる．つまり，試料表面の接線とエネルギー分析器のなす角度を小さくすることで，相対的に試料内部からの信号強度がより強い減衰を受けるため表面敏感な測定が可能になる(図3.37)．また，光励起における電子の運動量変化は極めて小さく，表面に平行な運動量成分を保ったまま放出することを利用して，結晶試料の場合は，光電子の面内放射パターン(放出角度依存性)を分析することで，価電子帯のバンド構造に関する情報を得ることができる．

UPSでは，XPSに比べて，励起光のエネルギーを反映して，光電子の運動エネ

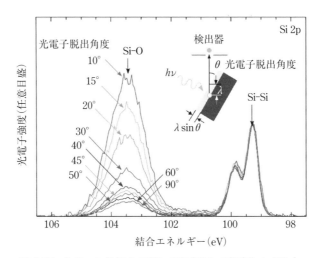

図 3.37 シリコン基板を 850℃ で熱酸化して作成した SiO_2(〜1.9 nm)/Si(100) からの Si 2p 光電子スペクトルの光電子脱出角度依存性

ルギーが小さく，原理的に表面敏感な測定となり，半導体の表面準位や吸着原子・分子の情報を得ることができる．

b. オージェ電子分光[15]

3.3.5項で述べたオージェ電子を測定して，元素の同定，組成定量を行う電子分光手法で，内殻電子励起には，数百 eV〜数十 keV に加速した電子ビームを用い，2 keV 以下のオージェ電子を測定する．2 keV 以下の低速電子線は，固体試料内で，強い非弾性散乱を受けるため，分析深さ数 nm 程度に限定され，組成分布測定をする場合は，低エネルギースパッタを併用する．原子番号 3 (Li) 以上の元素の分析が可能で，1 atomic % 程度（対象元素に依存）の検出感度がある．実際の測定では，入射電子が試料で弾性および非弾性散乱を受けた電子も同時に観測されるので，オージェ電子の検出には，エネルギーで 1 次微分したスペクトルを取得する．また，電子線ビーム励起のため，分析領域を，100 nmφ 以下に絞ることや電子線走査によって，2 次元元素マッピングを得ることも可能である．ただし，絶縁物の測定では，電子中和銃を用いて，表面電位を一定にする工夫が必要である．

オージェ過程は，電子励起で空孔が生じた電子殻，空孔に遷移する電子が存在する電子殻，電子間相互作用によって電子放出が生じる電子殻の組合せから区別され，K 殻空孔に L 殻電子が遷移して，M 殻電子が放出する場合は，KLM オージェ

過程といい，放出された電子を KLM オージェ電子とよぶ．

空孔と空孔を埋める電子の電子殻が同一な過程(コースター-クローニッヒ (Coster-Kronig)過程，例えば L_1L_2O)や電子放出に関わるすべての電子殻が同一過程(super Coster-Kronig 過程，例えば $N_5N_6N_6$)とは区別される．

電子放出過程からわかるように，オージェ電子エネルギーは，入射エネルギーに依存しないが(空孔の影響を無視すると，近似的に，電子軌道のエネルギー差に相当)，化学結合によって，原子間で電荷移動が生じた場合は，電子軌道の束縛エネルギーが影響を受けるためオージェ電子の運動エネルギーが変化する．この化学結合によるエネルギー変化を化学シフトとよび，化学結合の同定に活用される(3.3.5項 a 参照)．

3.3.7 電子による内部励起を利用した組成・状態分析[9, 10]

試料中を電子が通過すると，構成原子との相互作用によってさまざまな励起(内殻電子の伝導帯への励起，価電子帯の集団励起(プラズモン励起)，価電子帯から伝導帯への励起，振動励起など)を誘起し，電子はその非弾性散乱によって，エネルギーを失う．これをエネルギー損失とよび，電子の飛程を決定する．物質と電子の相互作用は，50 eV 程度の運動エネルギーをもつ電子が最も強く，その平均自由工程は，多くの固体材料で，2～3 原子層程度以下になる．

このエネルギー損失に着目して，非弾性散乱電子を分光することで，試料の元素組成や化学結合状態を解析する手法を電子線エネルギー損失分光(electron energy loss spectroscopy：EELS)とよぶ．この手法は，TEM で広く活用され，TEM-EELS とよばれる．EELS の内殻電子励起スペクトルにおいて，内殻準位から伝導帯への遷移に伴ったエネルギー損失によって，吸収端から高エネルギー側に約 30 eV にわたって微細構造(エネルギー損失吸収微細構造，energy-loss near-edge structure：ELNES)が生じる．この ELNES の解析から，物質の伝導帯の状態密度分布に関する情報が得られる．さらに高エネルギー側に約 40～200 eV の広い領域には，内殻準位から伝導帯に励起された電子が最隣接原子によって散乱されるために生じる微細構造(広域エネルギー損失吸収微細構造，extended energy-loss fine structure：EXELFS または EELFS)が観測され，これをフーリエ変換することで，原子の局所的な配置に関する情報が得られる．これらの微細構造は，X 線の場合の XAFS に対応する．これらのほか，価電子帯-伝導帯遷移に伴うエネルギー損失から絶縁膜のバンドギャップ測定や数～数十 eV に単色化した低エネルギー電

子ビームを使って，10 meV～1 eV 程度のエネルギー損失を検出することで，表面吸着分子や化学終端状態を高感度に分析する手法もある．

3.3.8 化学結合・格子における固有振動(フォノン)を検知する組成・状態分析[16～18]

試料中の原子・分子ユニットはその化学結合の強さに応じた固有振動が存在する．これを検知する代表的な手法には，赤外吸収分光法(infrared absorption spectroscopy：IRA)とラマン散乱分光法(Raman scattering spectroscopy)がある．

a. 赤外吸収分光法[16,17]

赤外線のエネルギーは，分子や固体中の原子の振動エネルギー(分子の場合は，回転エネルギーを含む)に相当する．化学結合の種類・状態によって，振動エネルギーが異なるので，赤外線の吸収波長(エネルギー)と吸収量から，試料中の化学結合状態に関する情報を得る．干渉計を通して赤外線を試料に照射して得られた透過もしくは反射光スペクトルをフーリエ変換することで，短時間に高精度測定を実現できるため，フーリエ変換赤外分光法(Fourier transform infrared spectroscopy：FT-IR)が広く普及している．

分子および固体ではさまざまな振動モードが存在するが，双極子モーメントが変化しない振動は，赤外吸収が生じないもしくは，微弱である(赤外不活性)．

試料表面や薄膜中の化学結合を高感度に検出する手法として，全反射赤外吸収分光(FT-IR attenuated total reflection：FT-IR-ATR)法があり，これは，屈折率の高いATRプリズム内に赤外線を全反射条件で導波させ，全反射の際にプリズム表面に染み出す赤外光(エバネッセント波とよび，その染み出し距離は赤外線波長のおおむね1/10程度)の吸収を測定するもので，全反射面での強い電場によって，吸収量を増強できる．

b. ラマン散乱分光[16～18]

物質に光を照射すると，光と物質の相互作用により反射，屈折，吸収などのほかに散乱とよばれる現象が起こる．散乱光の中には入射した光と同じ波長の光が散乱されるレイリー散乱(弾性散乱)と，分子振動によって入射光とは異なる波長に散乱されるラマン散乱(非弾性散乱)がある．この非弾性散乱において，分子や固体中の原子の振動エネルギー分だけ減じた，あるいは加わった光が生成される(散乱によるエネルギーシフトをラマンシフトとよび，エネルギーが減少する場合をストークスシフトとよび，増加する場合をアンチストークスシフトとよぶ)ことから，この

散乱光を分光して試料中の化学結合や結晶格子の振動状態(フォノン)に関する情報が得られる．フォノンの振動数は，結晶性やひずみに影響されるので，ラマン散乱ピークの波数シフトが，それらの評価にも活用される．

分極率が変化する振動であれば，原理的にラマン散乱が生じる(ラマン活性)が，ラマン散乱光はレイリー散乱光の10^{-6}程度の微弱な光でかつレイリー散乱光の波長に近接するので，高精度な分光システムが必要となる．中心対称のある振動モードでは，赤外吸収とラマン散乱は，いずれかが生じる(活性となる)交互禁制律が成立する場合が多く，いずれも活性となることはない．ちなみに，規則的な結晶格子をつくる原子や分子の振動現象を格子振動(lattice vibration)とよぶ．

3.3.9　お　わ　り　に

組成・状態分析に限らず，分析技術は日進月歩であり，高速化，高感度化，高分解能(空間，エネルギー，時間)，高精度(高信頼)の追求はいうに及ばず，2次元や3次元イメージング，広帯域・多重化・多項目化に向けた複合技術の開発やその場観測・実時間観測技術への展開も盛んである．近年では，とりわけモデリング・シミュレーターも含めた統合分析にも注目が集まっている[19]．そうした分析技術の高度化の一方で，測定者がその恩恵にあずかるためには，適切な手順で試料を分析し，測定原理・原則を十分理解したうえで，得られたデータを真摯に吟味することが肝要である．

文　　献

1) 日本表面真空学会 編：『図説 表面分析ハンドブック』(朝倉書店，2021)．
2) 権田俊一 監修，酒井忠司，田畑　仁，八瀬清志 編：『薄膜作製応用ハンドブック』(エヌ・ティー・エス，2020)．
3) 日本学術振興会マイクロビームアナリシス第141委員会 編：『マイクロビームアナリシス・ハンドブック』(オーム社，2014)．
4) 宗林由樹，辻　幸一，藤原　学，南　秀明 編集：『機器分析ハンドブック3 固体・表面分析編』(化学同人，2021)．
5) D・ブリッグス，M・P・シーア 編，志水隆一，二瓶好正 監訳：『表面分析：SIMS—二次イオン質量分析法の基礎と応用』(アグネ承風社，2003)．
6) 藤本文範，小牧研一郎 編：『イオンビームによる物質分析・物質改質』(内田老鶴圃，2000)．
7) 木ノ内嗣郎：『EPMA 電子プローブ・マイクロアナライザー 新訂版』(技術書院，2008)．
8) 木本浩司，三石和貴，留　正則，原　徹，長井拓郎：『物質・材料研究のための透過電子顕微鏡』(講談社，2020)．
9) 日本分析化学会 編，長迫　実 著：『電子顕微鏡』(共立出版，2023)．
10) 日本顕微鏡学会関東支部 編：『新・走査電子顕微鏡』(共立出版，2011)．

11) 日本分析化学会X線分析研究懇談会 監修，中井　泉 編：『蛍光X線分析の実際』（朝倉書店，2016）.
12) 日本XAFS研究会 編：『XAFSの基礎と応用』（講談社，2017）.
13) 日本化学会 編：『X線分光—放射光の基礎から時間分解計測まで』（共立出版，2019）.
14) 高桑雄二 編著：『X線光電子分光法』（講談社，2018）.
15) 日本表面科学会 編：『オージェ電子分光法』（丸善出版，2001）.
16) 日本分析化学会 編：『赤外・ラマン分光分析』（共立出版，2020）.
17) 古川行夫 編著：『赤外分光法』（講談社，2018）.
18) 濱口宏夫，岩田耕一 編著：『ラマン分光法』（講談社，2015）.
19) 技術情報協会 編：『マテリアルズインフォマティクスのためのデータ作成とその解析，応用事例』（技術情報協会，2021）.

3.4　力学特性の評価

3.4.1　はじめに

　薄膜の力学的性質は，摩擦特性や耐摩耗性などのように直接その機能の発現が求められる場合もあるが，多くの場合は電磁気あるいは光学的機能などの機能を発現・維持するうえで必要なパラメーターの一つとして，その定量的な把握と制御が求められる．薄膜の力学特性の中でも重要なものとしては，内部応力，硬さ・ヤング率，そして密着性などが挙げられる．

3.4.2　内部応力

a.　熱応力と真応力

　材料や製膜条件によるが，薄膜には大きい場合には数GPa程度の内部応力が発生する[1]．内部応力は膜のひびやしわ，あるいは基板の反り返りの原因となり，膜の剥離を生じさせることもある．図3.38に基板の変形例を示す．薄膜に引張り性（tensile）の応力が存在する場合，基板は膜面が凹むように変形する．圧縮性（compressive）の応力が残る場合には膜面が凸になるように変形し，応力の値は，ひずみの正負に対応させて引張り性を正，圧縮性を負にとる．薄膜に生じる内部応力の

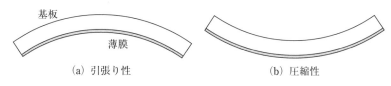

図 3.38　内部応力と基板の変形

起源には，"真応力(intrinsic stress)"と"熱応力(thermal stress)"の二つが考えられる．真応力は，製膜表面上で凝縮する気相原子がより安定な位置へと回復する過程で，それを果たせぬままに固定されることで生じるひずみが原因となって発生する応力である．もう一つの熱応力は，基板と薄膜との熱膨張差に起因する応力である．薄膜が基板に比べて十分薄く，E_f を薄膜のヤング率，$\Delta\alpha$ を薄膜と基板の熱膨張率の差，ΔT を製膜時と測定時の温度差とおけば，熱応力 σ_{th} は次式で表される．

$$\sigma_{th} = E_f \Delta\alpha \Delta T \tag{3.52}$$

内部応力の原因を解析する場合，観測された内部応力から熱応力を差し引いた分を真応力とするが，製膜時の表面温度を正確に知ることはできないため，厳密に両者を分離することは難しい．一般的傾向として，酸化物をはじめとする高融点材料の薄膜では真応力が内部応力の主役であるのに対し，金属膜などでは熱応力の寄与が大きいとされる．内部応力は，$Pa = N/m^2$ の単位で表される応力 σ として報告されることが多いが，N/m を単位とする全応力 S で表すこともある．全応力は，薄膜が(基板に沿って単位長さあたりに)及ぼし合っている力である．この全応力 S を膜厚 t_f で割って薄膜断面の単位面積あたりに働く応力として表現したのが $\sigma(=S/t_f)$ である．膜厚が数十 nm 以上の薄膜では，ひびやしわが生じない限り内部応力は膜厚によらず，全応力は膜厚に比例して増える．内部応力が膜厚とともに単調でない変化を示すときは，薄膜に構造(形状，結晶配向，剥離などの)変化が起きている可能性が高い．

b. 薄膜の力学

薄膜におけるひずみと応力の関係は，材料力学における薄板の条件から求めることができる．基板面を xy 平面として，膜厚方向を z 軸にとり，さらに膜面内で内部応力が等方的である($\sigma = \sigma_{xx} = \sigma_{yy}$)と仮定すると，内部応力は面内ひずみ $\varepsilon_{xx}(=\varepsilon_{yy})$ あるいは厚さ方向のひずみ ε_{zz} と

$$\sigma = \frac{E}{1-\nu}\varepsilon_{xx}, \qquad \sigma = -\frac{E}{2\nu}\varepsilon_{zz} \tag{3.53}$$

の関係にあることが導かれる[2] (添字 xx は x 軸に垂直な面に対して x 軸方向に働く応力を意味する)．E および ν は材料のヤング率とポアソン比である．

c. 内部応力の測定

(1) 基板の変形から求める方法

図 3.39 に示すように，内部応力によって基板に反りが生じた状態では，反りに

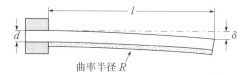

図 3.39 薄膜の内部応力によって生じる片持ち梁基板の変形

よって基板内に生じている応力と薄膜の全応力とが力およびモーメントとして釣り合っており，反りの曲率半径 R は全応力 S および基板の厚さ d と次式の関係にある．

$$R = \frac{E_s d^2}{6(1-\nu_s)S} \tag{3.54}$$

ここで，E_s と ν_s は基板のヤング率とポアソン比である．

基板の反り形状は，接触式もしくは非接触式の3次元表面形状測定器を用いて測定する．また，短冊形基板を片持ち梁として保持すると，保持部から距離 l にある自由端の変位 δ は，曲率半径と $R=l^2/(2\delta)$ の関係があるので，書き換えると

$$\sigma = \frac{S}{t_f} = \frac{E_s d^2 \delta}{3(1-\nu_s)/l^2 t_f} \tag{3.55}$$

のストーニー(Stoney)の式[3] が得られる．製膜プロセスにおいて，ガラス，石英，Si などの薄い板を基板としてレーザー変位計や静電容量型変位計などを用いて自由端の変位を計測すれば，薄膜の内部応力をその場(*in situ*)観測することも可能となる．

(2) 格子ひずみから求める方法

薄膜に弾性限界内の応力が生じると，応力の大きさに比例して結晶の格子面間隔が変化するため，X線回折を使って内部応力を求めることができる．粉末X線回折法(θ-2θ法)の配置で試料部に薄膜試料をセットすれば，基板面に平行な結晶格子面からの回折波が観測される．回折波強度がピークを示すブラッグ角 θ を読み取れば，面間隔 $a = \lambda/(2\sin\theta)$ (λ は特性X線の波長)の格子面の存在がわかる．無ひずみ時の格子面間隔を a_0 とすると膜厚方向のひずみは $\varepsilon_{zz} = (a-a_0)/a_0$ と表されるので，内部応力は式(3.53)より

$$\sigma = \frac{E_f}{2\nu_f} \frac{a-a_0}{a_0} \tag{3.56}$$

として決定される．E_f および ν_f は薄膜のヤング率とポアソン比である．

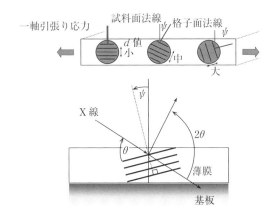

図 3.40 X 線回折系と結晶面の配向

図 3.40 に示すように薄膜試料を角 ψ だけ傾けた場合，薄膜中に角度 ψ だけ傾いた微結晶（あるいは等価な格子面）が存在すれば，この面からの回折波が観測される．薄膜に内部応力が存在するとき，同じ結晶面でも格子面間隔は表面からの傾きによって変化する．例えば，引張り性の内部応力の場合には，格子面間隔は面内方向で伸び膜厚方向には縮むことになる．そこである結晶面に着目すれば，ψ だけ傾いた格子面間隔 $a(\psi)$ は，ひずみとして内部応力 σ と次式の関係にある．

$$\frac{a(\psi)-a_0}{a_0}=\left(\frac{1+\nu_\mathrm{f}}{E_\mathrm{f}}\sin^2\psi - \frac{2\nu_\mathrm{f}}{E_\mathrm{f}}\right)\sigma \tag{3.57}$$

そこで，試料を傾けながら面間隔を測定したデータを，横軸に $\sin^2\psi$，縦軸に $a(\psi)=\lambda/(2\sin\theta)$ としてプロットし，直線近似により傾き A を求めれば，次式によって内部応力を求めることができる．

$$\sigma = A\frac{E_\mathrm{f}}{(1+\nu_\mathrm{f})a_0} \tag{3.58}$$

図 3.41 は M2 高速度鋼基板にイオンプレーティング法で TiN を製膜した試料の解析例である[4]．$E_\mathrm{TiN}=6.4\times10^{11}\,\mathrm{N/m^2}$，$\nu_\mathrm{TiN}=0.2$ のバルク値を使うと，上記の手順で $\sigma=-2.1\times10^9\,\mathrm{Pa}$ の圧縮性内部応力が導かれる．

X 線回折で応力を求めるには，薄膜のヤング率やポアソン比の値を知る必要がある．ヤング率を測定するには，応力解析と逆に試料に応力を加えてひずみ測定を行う X 線弾性率解析法[5]，基板を片持ち梁で保持して共振周波数の変化をみる振動リード法[6]，また，最近では後述するナノインデンテーション法[7]やレーザー励起

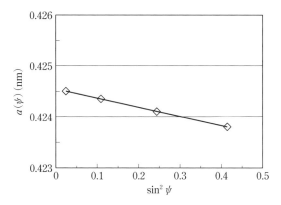

図 3.41 M2 高速度鋼基板上 TiN 膜(圧縮性応力)の a-$\sin^2\psi$ 図
〔D. S. Rickerby : J. Vac. Sci. Technol. A, 4 (1986) 2809 より〕

表面弾性波法[8]の利用が可能である.ただし,実測が困難な場合はバルク値で代用することも多い.

X線回折を行うと,格子定数の決定だけでなく回折ピークの幅から結晶粒径や格子ひずみを見積もることができる.結晶粒径を D,ひずみを ε とすると,回折ピークの全半値幅 β は回折角 θ と,

$$\beta = \frac{\lambda}{D\cos\theta} + 4\varepsilon\tan\theta \tag{3.59}$$

の関係がある.異なる格子面からの回折ピークについて θ および β を測定し,$\beta\cos\theta$ を縦軸,$\sin\theta$ を横軸としてプロット(ウィリアムソン-ホール(Williamson-Hall)プロットとよばれる)すれば直線にのり,その傾きと切片から ε と D を決定できる[9].

このほか,ラマンスペクトル[10]などひずみに敏感な物性を測定することによっても内部応力を決定することができる.

3.4.3 ヤング率と硬さ

図3.42に各種硬さ測定法と測定領域との関係を示す.従来の硬さ試験方法は,マイクロメートル以下の押し込み深さの領域では圧子先端形状の影響が無視できなくなるとともに,圧痕の計測が光学顕微鏡による観察では測定が困難なため,表面近傍の値を正確に測ることができないなどの問題があった.そこで開発されたのが,DSI(depth sensing indentation)法によるナノインデンテーション法である.ナ

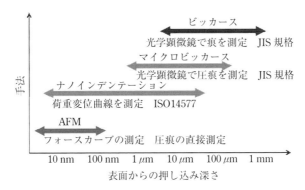

図 3.42　各種硬さ測定方法と測定領域との関係

ノインデンテーション法は，探針を試料表面に押し込むことにより，表面近傍のヤング率や硬さを算出する測定手法である．DSI 法による微小硬さ測定法は，2002年に国際標準規格(ISO 14577)に採用されている[11]．

ナノインデンテーション法により薄膜の硬さやヤング率を高い精度で評価できるようになったため，ナノインデンテーション装置を応用したナノスクラッチ試験による密着性評価にも大きな関心が寄せられるようになった．DSI 法とは，負荷および除荷時の押し込み深さを連続的に測定し，得られた荷重-押し込み深さ曲線を利用することにより，圧痕を直接観察することなく硬さや弾性率を求める方法である．DSI 法の発展を実験と理論の両面から先導したのはテーバー(Taber)[12]である．DSI 法の歴史は古く，1976 年にはブリシェフ(Bulychev)らによって荷重-押し込み深さ曲線の除荷曲線を用いて接触面積を測定する手法[13]が報告され，1977 年にはフレーリヒ(Fröhlich)[14]によって，材料表面の物性評価に荷重-押し込み深さ曲線が応用できることが提案されている．1981 年にはペチカ(Pethica)[15]が，イオン注入した金属表面の機械的特性評価に DSI 法を応用し，その有用性を示した．現在，最も一般的に用いられている DSI 法は，オリバー(Oliver)とパー(Pharr)[16]によって提案されたものが基本となっており，これはニックス(Nix)ら[17]の手法を改良した方法と位置付けられる．ここではオリバーとパーによって提案された解析手法(以降簡単のために O-P 法とよぶ)をもとに説明する．

この手法で基本となるのは，以下に示すスネドン(Sneddon)の式[18]である．

$$E^* = \frac{1}{\beta}\frac{\sqrt{\pi}}{2}\frac{S}{\sqrt{A}} \tag{3.60}$$

ここで，S は接触剛性，A は接触面積，β は圧子の形状により決まる定数である．球および円錐圧子の場合には $\beta=1$，ビッカースやヌープなどの四角錐圧子では $\beta=1.012$，ナノインデンターで用いられることが多いバーコビッチなどの三角錐圧子では $\beta=1.034$ である．E^* は複合弾性率で，次式で表される．

$$\frac{1}{E^*}=\frac{(1-\nu_s^2)}{E_s}+\frac{(1-\nu_i^2)}{E_i} \tag{3.61}$$

E_s と ν_s は測定する材料の弾性率とポアソン比，E_i および ν_i は圧子の弾性率とポアソン比である．式(3.60)を用いて，圧子と測定対象との接触剛性から複合弾性率を求めることになる．

注意すべき点は，スネドンの式は，弾性変形領域という仮定の下で導かれた式なので，弾性変形の条件下で接触剛性を求める必要があるということである．圧子の押込み過程では，弾性変形と塑性変形の混在を避けるのは困難であるので，弾性変形の寄与を分離するために，解析の出発点として塑性変形した表面を扱うことになる．すなわち図 3.43 に示すように，単純弾性回復領域である除荷過程の初期に注目し，最大荷重 P_{max} における除荷曲線の勾配を使って S を求める．

続いて P_{max} での接触面積を求めなければならないが，O-P 法では投影接触面積 A_p を用いる．A_p は接触深さ h_c の関数として定義される．

$$A_p = f(h_c) \tag{3.62}$$

この面積関数を精度よく決定することが重要である．

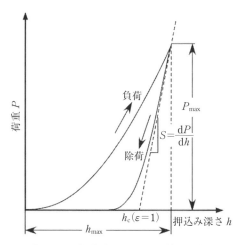

図 3.43 荷重-押込み深さ曲線の概念図

3.4 力学特性の評価　163

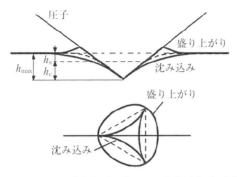

図 3.44 実際の接触投影面積に及ぼす表面変形の影響

圧子を表面に押し込むと，図 3.44 に示すようにその周辺も変形するため，h_c は測定される変位とは単純に等しくならない．表面の変位を h_s とすると，測定される圧子の最大押し込み深さ h_{max} と h_c は以下の式で表される．

$$h_c = h_{max} - h_s = h_{max} - \varepsilon \frac{P}{S} \tag{3.63}$$

ここで ε は圧子の幾何形状により決定される定数であるが，経験則から圧子に関係なく $\varepsilon = 0.75$ を用いることが多い．

三角錐圧子の場合，三角錐の中心軸と側面のなす角を α とすると，幾何学形状から A_p は次式で表される．

$$A_p = C_1 h_c^2, \qquad C_1 = 3\sqrt{3} \tan^2 \alpha \tag{3.64}$$

ナノインデンテーションで一般的に用いられている三角錐圧子（バーコビッチ圧子）では $\alpha = 65.27°$ であるため，C_1 は約 24.5 となる．

以上のように，P-h 曲線（荷重-押込み深さ曲線）から S および A_p を求め，式 (3.60) および式 (3.61) から測定したい材料の弾性率を求めることができる．硬さは，P_{max} と A_p から以下のように求められる．

$$H = \frac{P_{max}}{A_p} \tag{3.65}$$

3.4.4 密 着 性

薄膜の密着性試験法には，図 3.45 に示すように，スクラッチ法，引き剥がし法，引張り法，引き倒し法，ねじり法などのさまざまな評価方法がある．しかし，各評価手法間の互換性はもとよりスクラッチ法によるデータに限っても，膜の剥離が起

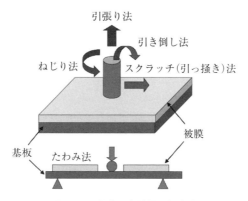

図 3.45 薄膜の密着性評価方法

こる臨界荷重の測定値には絶対的な意味は存在しない．すなわち，同一の装置と測定条件下で得られた臨界荷重値の大小からは膜の密着性の優劣は判断できたとしても，ほかの装置や手法によって得られた値を比較することはできないのが現状である．ここではそうした付着測定の限界を認識しつつも，強度試験に準ずる機械的試験法に注目して，その特徴および得られる薄膜／基板系の特性について説明する．

a. ピールテスト(peel test)[1]

薄膜の一端を引っ張って引き剥がし，それに要する力から界面エネルギーを決定する引き剥がし法を用いた試験法である[19]．薄膜に粘着テープを貼り付け（＝裏打ちし）てから剥がす方法もありピールテストともよばれる[20]．引き剥がし試験は剥離の位置や速度を制御できる点で優れ，可撓性があって（フレキシブルで）付着の弱い薄膜の評価に適している．なお，薄膜に対して，1 mm 間隔で縦横各 11 本，長さ 20 mm の刻み線を碁盤の目状に入れて，ここに粘着テープを押しつけて引き剥がし，剥離したマス目の数を数える方法(JIS 塗膜の付着性クロスカット試験[21])もピールテストとよばれることがある．クロスカット試験は薄膜の実用性を検査するのに簡便で適切な試験法であるが，剥離機構としては後述のスクラッチに近く，刻み線を入れる技術を定量化しておくことが結果に再現性や信頼性をもたらす．

b. 引張り試験(pull test)[1]

接着剤を介して作用棒を薄膜表面に接着し，棒を引っ張る，引き倒す，ねじるなどして膜を引き剥がす方法[22]である．例えば，半径 r の棒を力 L で垂直に引っ張ったとき，膜面に $f_p = L/(\pi r^2)$ の応力が作用していると考える．接着剤より強い付着性の薄膜に適用することはできないが，比較的きれいな強度分布を示すこと[23]も

多い.

c. 押込み試験(indentation test)

硬質薄膜に膜厚の数倍程度の半径をもつ硬球を押しつけると,基板面に達するチッピングが生じることがある.膜の剥離は押込み部周縁における垂直応力やせん断応力が限界に達して起こる[24]とされ,薄膜の靭性の指標として用いられる.

d. スクラッチ試験(scratch test)[1]

鋭い先端をもつ硬い圧子を膜面に押しつけて引っかき傷をつける試験法である.図 3.46 にスクラッチ試験の一例を示す.荷重を徐々に増やしながらスクラッチする試験法は増荷重(progressive load)型とよばれ,基板面にいたる損傷が薄膜に生じた荷重をもって付着強度とする[25].損傷の見極めは摩擦係数や破壊に伴う音波(アコースティックエミッション,acoustic emission:AE)の変化を同時に測定しながら行うが,最終的にはスクラッチ痕の顕微鏡観察による損傷状態の確認が不可欠となる.スクラッチ試験の利点はその高い適応性にあるが,弾性変形,塑性変形,破壊といった形態が混在し力学的な解析は難しい.スクラッチ環境では応力として圧縮,引張り,せん断などの極大が,圧子接触部のそれぞれやや前方,後方,下方に生じるために,薄膜/基板の複合系では材料および組合せや試験条件によって応力分布や変形・破壊モードが大きく変わる.通常,膜厚数 mm 以上の膜では先端径が $R=200\,\mu m$ 程度[26]の圧子が,膜厚 $1\,\mu m$ 以下では小さな先端径 $R=10\sim16\,\mu m$ の圧子[27]が使用される.さらに先端径が 100 nm 程度のナノインデンテーション装置の鋭い圧子を利用[28]することにより,詳細な密着性の評価が可能となる.

e. ナノスクラッチ試験

ナノインデンテーション装置には,ヤング率や硬さなどの機械的物性の測定以外

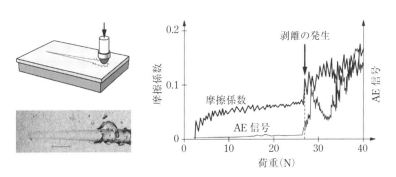

図 3.46 硬質薄膜のスクラッチ試験と得られる測定データの例

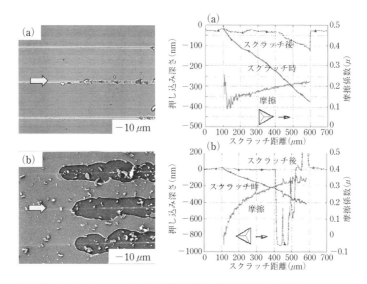

図 3.47 ナノスクラッチによる硬質薄膜の密着性評価.圧子スクラッチ方向の影響,(a) 圧子の稜線部,(b) 圧子の平面部でスクラッチ

に,スクラッチ試験を可能とするオプション機能を備えたものもあり,薄膜の密着性評価に応用されている.AFM によるナノスクラッチ試験も可能であるが,負荷荷重が小さいことやチップ先端の摩耗の問題から,実用的な工業材料表面の評価には適さない場合がある.ナノインデンテーション装置を用いたスクラッチ試験の優位性は,圧子先端の押し込み深さを正確に検出できる点にある.これにより,スクラッチ後の形状計測と合わせ,スクラッチ時の弾性変形量と塑性変形量もしくは摩耗量とを比較することが可能となる.また,スクラッチ試験における押し込み深さを正確に捉えることは,薄膜の密着性を評価する場合に界面に生じる応力場を把握するうえで重要な意味をもつ.図 3.47 に硬質薄膜のナノスクラッチ試験結果の一例を示す.バーコビッチ圧子を用いる場合,スクラッチ方向に対する圧子の向きにより薄膜の剥離状態が明確に異なることがわかる.ナノスクラッチ試験では,押し込み深さや摩擦力を常に計測できるため,圧子先端と薄膜との接触状態を有限要素法(FEM)解析[29]することにより,薄膜の破壊や剥離条件を定量的に評価することが可能になる.

3.4.5 お わ り に

薄膜の力学的性質については，膜の多様性と測定の困難さより，一般材料の強度データのような高い汎用性と信頼性を有する測定が難しいのが現状といえよう．そのため，一つの測定手法ではなく，別の原理に基づく測定手法を併用することにより，データの有効性を補償する必要がある．また，密着性評価に代表されるように，指標の定量化と一般化を図るためには，的確な力学モデルに基づく理論的な裏付けや詳細な数値解析が重要な役割を果たすものと考えられる．

文　　献

1) 金原　粲：『薄膜ハンドブック』（日本学術振興会薄膜第131委員会　編），Ⅱ編 2.2節（オーム社，1983）p. 333.
2) 竹園茂男，峠　克己，感本広文，稲村栄次郎：『弾性力学入門』（森北出版，2007）p. 91.
3) D. W. Hoffman : "Physics of Thin Films 3", G. Hass and R. Thun eds., (Academic Press, 1966) p. 211.
4) D. S. Rickerby : J. Vac. Sci. Technol. A, **4**（1986）2809.
5) 田中啓介：『最新応力ひずみ測定・評価技術』（河田幸三　監修）（総合技術センター，1992）p. 454.
6) 魚住清彦：『薄膜ハンドブック』（日本学術振興会薄膜第131委員会　編），Ⅱ編 2.3節（オーム社，1983）p. 343.
7) 三宅晃司，元田智弘，佐々木信也：トライボロジスト，**51**（2006）518.
8) 佐々木信也：トライボロジスト，**57**（2012）461.
9) G. K. Williamson and W. H. Hall : Acta Metallurgica, **1**（1953）22.
10) H. Mukaida, H. Okumura, J. H. Lee, H. Daimon, E. Sakuma, S. Misawa, K. Endo, and S. Yoshida : J. Appl. Phys., **62**（1987）254.
11) ISO 14577-1～3：2002，ISO 14577-4：2007, Metallic materials instrumented indentation test for hardness and materials.
12) D. Tabor : Phil. Mag. A, **74**（1996）1207.
13) S. I. Bulychev, V. P. Alekhin, A. P. Ternorsky : Fiz. Khim. Obra. Met., **2**（1976）58.
14) F. Fröhlich. P. Grau, and W. Grellmann : Phys. Stat. Sol.（a），**42**（1977）79.
15) J. B. Pethica : "Ion Implantation into Metals", V. Ashworth, W. A. Grant, and R. P. M. Procter eds., (Pergamon Press, 1982) p. 147.
16) W. C. Oliver and G. M. Pharr : J. Mater. Res., **7**（1992）1564.
17) M. F. Doerner and W. D. Nix : J. Mater. Res., **1**（1986）601.
18) I. N. Sneddon : Int. J. Eng. Sci., **3**（1965）47.
19) R. J. Farris, J. L. Goldfarb : "Adhesion Measurement of Films and Coatings", K. L. Mittal ed., (VSP, 1995) p. 265.
20) G. V. Calder, F. C. Hansen, A. Parra : "Adhesion Aspects of Polymeric Coatings", K. L. Mittal ed., (Plenum Press, 1983) p. 569.
21) JIS K 5600-5-6：1999.
22) J. E. Pawel and C. J. McHargue : "Adhesion Measurement of Films and Coatings", K. L. Mittal ed., (VSP, 1995) p. 323.

23) 安藤慶一，草開 稔：表面科学，**9** (1988) 595.
24) J. Valli : J. Vac. Sci. Technol. A, **4** (1986) 3007.
25) J. Ahn, K. L. Mittal, R. H. McQueen : "Adhesion Measurement of Thin Films, Thick Films and Bulk Coatings", K. L. Mittal ed., (American Society for Testing and Materials, 1978) p.134.
26) P. A. Steinmann, Y. Tardy, and H. E. Hintermann : Thin Solid Films, **154** (1987) 333.
27) 馬場 茂：表面技術，**58** (2007) 275.
28) 佐々木信也：トライボロジスト，**47** (2002) 177.
29) M. Toparli, and S. Sasaki : Phil. Mag. A, **82** (2002) 2191.

4 薄膜の機能と応用

4.1 半導体薄膜（シリコン系）

Ⅳ族元素であるシリコン(Si)は，互いに109.5°の角度をもつsp^3混成軌道を介して原子間を共有結合し，図4.1に示すダイヤモンド格子(diamond lattice)をつくる．Si結晶は，① 室温付近で熱励起される自由電子・正孔対の密度が小さい，② 室温にてほぼ100%電気的に活性化して自由電子，正孔を生成するドナー(P, Asなど)およびアクセプター(Bなど)が存在する，③ 酸化することで表面にSiO_2膜を形成でき，それがMOSFET(metal oxide semiconductor field effect transistor)のゲート絶縁膜として極めて優れた特性を示すという特長をもつため，集積回路(integrated circuit：IC)をはじめさまざまな電子素子の実現を可能とした．また，光学的には，④ 可視光に対して適度な吸収係数をもつためセンサーや太陽電池に応用できる一方，⑤ 近赤外光以上の波長の光に対して透明であることからシリコンフォトニクスとよばれる微小な光回路をつくることも可能である．また，⑥ 外力により変形させると電気抵抗が変化するピエゾ抵抗効果を発現する性質をもち，⑦ 弾性率や

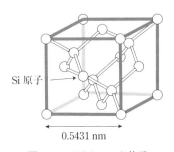

図 4.1 ダイヤモンド格子

表 4.1 シリコン系材料の物性

諸 元	Si	Ge	C
結晶構造	ダイヤモンド	ダイヤモンド	ダイヤモンド
格子定数(nm)	0.5431	0.5658	0.3567
融点(℃)	1 412	937	4 373 (1.25×10^{10}Pa)
密度(g/cm^3)	2.329	5.324	3.515
比誘電率	11.7	16.2	5.7
バンドギャップエネルギー(eV)	1.12	0.661	5.7
ドナーアクセプター準位(eV)	As:0.054, P:0.045 B:0.045	As:0.014, P:0.013 B:0.011	N:1.7 B:0.37
ヤング率(GPa)	13.0	10.3	105
赤外屈折率	3.42	4.00	——
室温付近での熱伝導率(W/cm・K)	1.3	0.58	6〜20

破壊強度などが可動機構部材として利用可能であることから微小電気機械(micro electro mechanical system：MEMS)としてセンサーなどに利用できるという特長も併せもつ．

表4.1に，Ⅳ族半導体の物性をまとめた．Geはキャリアの移動度がSiよりも大きいため，高速トランジスター材料として注目されている．一方，SiとGeの合金は，どの組成でもダイヤモンド格子の混晶(mixed crystal)を形成する．混晶によりバンドギャップエネルギーE_gを制御できる．図4.2に組成によるE_gの変化を示す．SiGeのE_gは結晶のひずみによっても変化し，(001)Si基板上にエピタキシャル成長させて圧縮ひずみを与えるとE_gの変化が大きくなる．この性質は，高周波用ヘテロ接合バイポーラトランジスターに利用されている．

ICには，99.99…％と，9が15個も並ぶほどの高純度の単結晶Siが利用されており，工業用材料の中でも最も高純度なものといえるであろう．一方，太陽電池用には純度が低く，また多結晶のものも利用が可能である．

Siは，単結晶(single crystal, c-Si)，多結晶(polycrystal, p-Si)，非晶質(amorphous，アモルファス，a-Si)の薄膜として製造可能である．これらの原子配列を図4.3に模式的に示す．電気特性の制御は，原子配列が不規則になるほど困難になるが，非晶質Siでは未結合手を水素原子で終端することによってドーピングによるn型，p型の制御を可能にしている．この場合の水素は数〜20％にも達するため，a-Si:Hと表現することが多い．

4.1 半導体薄膜(シリコン系) 171

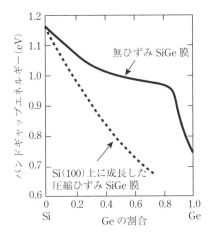

図 4.2 SiGe 混晶のバンドギャップエネルギーの組成による変化
〔文献 1, 2 をもとに作図〕

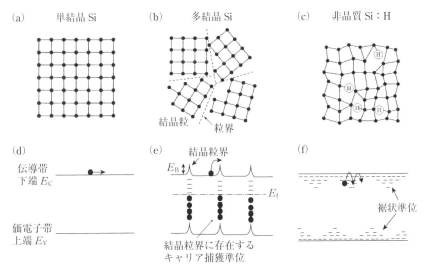

図 4.3 原子配列とエネルギーバンド．(a)と(d) 単結晶 Si．(b)と(e) 多結晶 Si．(c)と(f) 非晶質 Si：H

4.1.1 ドーピング特性

半導体の電気伝導は

$$J = \sigma E, \qquad \sigma = \frac{1}{\rho} = qn\mu_n + qp\mu_p \tag{4.1}$$

と表せる.ここで J は電流密度(A/cm^2),E は電場(V/cm),σ は導電率(S/cm),q は電気素量($= 1.60 \times 10^{-19}$ C),n,p はそれぞれ自由電子と正孔の密度(cm^{-3}),μ_n,μ_p はそれぞれ自由電子,正孔の移動度($cm^2/V \cdot s$)である.ドナー,アクセプターの密度をそれぞれ N_D,N_A とすると,単結晶 Si の場合には実用上,n 型では $n \approx N_D$,p 型では $p \approx N_A$ となるので n,p をおよそ $10^{14} \sim 10^{20}$ cm^{-3} の範囲で精密に制御できる.

一方,多結晶 Si では,結晶粒界に生成されるキャリアの捕獲準位に自由電子,正孔が捕獲されて電気伝導に寄与しなくなるためにドナーやアクセプターの密度が捕獲準位密度を超えるまではキャリアが生成されない.キャリアが実効的に生成されるドーパント密度の範囲は,平均的な結晶粒の大きさを λ(cm),粒界の単位面積あたりの捕獲準位密度を N_t(cm^{-2}) とすると,$N_D > N_t/\lambda$ と考えることができる.この値は熱 CVD で直接堆積した多結晶 Si では約 10^{18} cm^{-3} となる.

非晶質 Si の場合,密度の高い捕獲準位が膜全体に生成されているとみなせる.

4.1.2 キャリア移動度

単結晶 Si や多結晶 Si 中のキャリア移動度は,走行するキャリアの散乱によって決定される.散乱要因としては,結晶格子との衝突による格子散乱,イオン化した不純物による散乱(図 4.4(a)),結晶粒界に捕獲されたキャリアがつくる空間電荷による散乱である粒界散乱がある.これら三つの散乱によって決定される移動度をそれぞれ μ_L,μ_I,μ_{GB} とすると,総合したキャリアの移動度 μ はこれらのうち最も小さいもので制限されることになり,

$$\frac{1}{\mu} = \frac{1}{\mu_L} + \frac{1}{\mu_I} + \frac{1}{\mu_{GB}} \tag{4.2}$$

と表せる.

a. 単結晶 Si

単結晶 Si では結晶粒界が存在しないので μ_{GB} の制限がなくなり,式(4.2)の右辺第 3 項は考えなくてよい.図 4.4(b)に単結晶シリコン中のキャリア移動度の不純

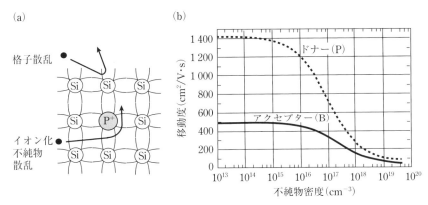

図 4.4 キャリアの格子散乱とイオン化不純物散乱の模式図(a)と単結晶 Si 中のキャリア移動度の不純物密度による変化(b)
〔文献 3, 4 をもとに作図〕

物密度依存性を示す．この特性は

$$\mu = \mu_{\min} + \frac{\mu_{\max} - \mu_{\min}}{1 + \left(\dfrac{N}{N_{\text{ref}}}\right)^{\alpha}} \tag{4.3}$$

とモデル化され，デバイスシミュレーションに利用されている．N は不純物密度であり，そのほかの四つはフィッティングパラメーターである．そのうち，$\mu_{\max}$ と $\mu_{\min}$ はそれぞれ移動度の最大値と最小値であり，$\mu_{\max}$ は μ_{L} と等しい．不純物ごとのパラメーターを表 4.2 に示す．

一方，MOSFET のように，キャリアがゲート絶縁膜/Si 界面近傍を一方向に走行する場合，界面電荷や粗さによる散乱により移動度は低下するとともに結晶方位依存性が顕著に現れる．図 4.5 に単結晶 Si のさまざまな結晶面上に MOSFET を作製して調査した結果を示す．おおむね自由電子は(100)面上で，正孔は(110)面上で

表 4.2 単結晶 Si の移動度モデルのパラメーター

パラメーター	As	P	B
$\mu_{\min}(\text{cm}^2/(\text{V}\cdot\text{s}))$	52.2	68.5	44.9
$\mu_{\max}(\text{cm}^2/(\text{V}\cdot\text{s}))$	1 417	1 414	470.5
$N_{\text{ref}}(\text{cm}^{-3})$	9.68×10^{16}	9.20×10^{16}	2.23×10^{17}
α	0.680	0.711	0.719

〔文献 3, 4 をもとに作成〕

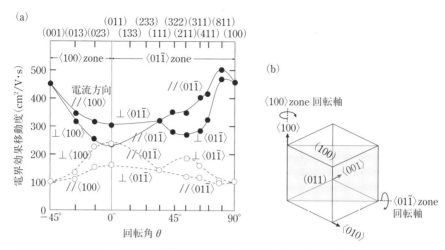

図 4.5 MOSFET の自由電子(●)と正孔(○)の移動度の結晶方位依存性(a)と回転方向の説明(b)
〔(a):文献5をもとに作図〕

最大の移動度を示す．先端 LSI の素子は，これらの性質を利用した構造で作製される．

b. 多結晶 Si

多結晶 Si 中では，単結晶 Si とは対照的に，結晶粒界による散乱 μ_{GB} が総合的な移動度 μ を決定する主因となる．結晶粒界でのキャリアの捕獲で生じた空間電荷による散乱は，図4.3(e)に示すように，自由電子に対しては伝導帯下端 E_c のエネルギー障壁 E_B の発生でモデル化できる．この1次元モデルにおいて，外部から加えた電圧が結晶粒界に等しく分圧されると仮定して熱電子放出理論に基づき定式化すると

$$\mu_{GB} = K\frac{\lambda}{kT}\exp\left(-\frac{E_B}{kT}\right) \tag{4.4}$$

と表せる[6]．ここで K は比例定数，λ は結晶粒径，k はボルツマン定数，T は絶対温度である．つまり μ_{GB} は λ に比例して大きくなることになり，直感的な理解と一致する．$\mu \approx \mu_{GB}$ を仮定し，温度を変化させたときの μ の変化を測定して $\ln \mu T$ 対 $1/T$ をプロットするとその傾きから E_B を求めることができる．その値は，薄膜トランジスター(thin film transistor：TFT)の導通状態で，自由電子に対して数十 meV，正孔に対してはその1/2程度である[7]．

c. 非晶質 Si

非晶質 Si 中のキャリア移動度は，単結晶 Si の 1/1000 に満たないほどに小さい．これは，キャリアの伝導機構による．非晶質 Si は原子間距離が一定でなく揺らいでいることから，伝導体下端あるいは価電子帯上端のエネルギー位置が明確には定まらない．そのため，エネルギーギャップ中にエネルギー準位が尾を引くように形成される．これを裾状準位(tail state)とよぶ．このような状態では，図 4.3(f)に模式的に示すように，エネルギーを得て移動可能になった自由電子あるいは正孔のみが伝導に寄与するため，電流が流れにくい．すなわち，移動度が小さい．

裾状準位密度のエネルギー分布としてはエネルギーの指数関数で変化するモデルが解析に多く用いられている．

4.1.3 シリコン薄膜の製法(図 4.6)

a. 単結晶 Si

サファイア基板上に Si をエピタキシャル成長させた SOS(silicon on sapphire)が高周波アナログ集積回路向けに製造されている．非晶質 SiO_2 基板あるいはその膜上に単結晶 Si 薄膜を形成する技術として SIMOX(separation by implanted oxygen)あるいは smart cut 法が利用されている．SIMOX 法は Si ウェハーの内部に埋め込むように酸素をイオン注入し，その後の熱処理で酸素注入層を SiO_2 層に変えると同時に表層の Si に生じた損傷を除去する方法である．その状態からさらに熱酸化を追加すると，表層の Si を残したまま内部が酸化する ITOX(internal thermal oxidation)が進行し，埋め込み SiO_2 層の厚さを増して絶縁性を高めることができる．

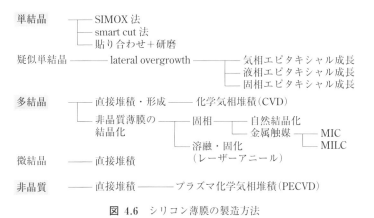

図 4.6 シリコン薄膜の製造方法

smart cut 法は，水素やヘリウムのイオンをやはり Si の表層下に注入した後，ほかの基板に直接貼り合わせて 350～400℃に昇温するとイオン注入層に沿って剥離が発生し，シリコン薄膜が貼り合わせた基板に移載される現象を利用したものである．移載する基板には，熱酸化 SiO_2 膜で被覆した Si ウェハーまたは石英基板が用いられる．剥離前の貼り合わせはファン・デル・ワールス力による吸着であるため，接合力が弱い．剥離した後に 800℃以上の温度に加熱して化学結合をした状態にする必要がある[8]．

SIMOX 法，smart cut 法ともに厚さ数百 nm までの LSI 向けの SOI(silicon on insulator)ウェハーを製造するのに用いられている．一方，MEMS のように厚さ数 μm の Si 膜をもつ SOI 基板の作製には，直接貼り合わせたのちに Si ウェハーを元の裏面から研削，研磨して薄くする方法が用いられる．

b. 多結晶 Si

LSI 用には，モノシランを原料として温度 650℃程度の熱 CVD で基板上に直接多結晶 Si として堆積する方法が用いられている．MOSFET やフラッシュメモリーのゲート電極など，工程上，高温での熱処理を施す必要のある配線部に金属の代わりに用いられる．

熱 CVD で直接堆積した多結晶 Si 薄膜の結晶粒径は 100 nm 以下にとどまる．そのため，移動度が小さく，また，高濃度にドーピングしないと十分な導電性が得られない．そこで TFT 向けには，基板上に形成した非晶質 Si 薄膜を結晶化して大きな結晶粒の薄膜を形成する方法が用いられる．結晶化の方法としては，600～700℃の熱アニールにより固相のまま結晶化させる方法と，レーザーを照射して Si 薄膜を瞬間的に溶融，固化して多結晶化する方法が用いられている．

一般に結晶化は核生成(nucleation)と成長(growth)の過程を経る．したがって，図 4.7 に示すように，結晶粒の成長が開始するまでに潜伏期間(incubation period)が存在する．核生成，成長ともに熱活性化型の態様で進行し，それぞれに活性化エネルギーを定義できる．非晶質 Si の固相結晶化の場合，核生成の活性化エネルギーは 4.4 eV，成長の活性化エネルギーは結晶方位に依存するが 2.7 eV 程度である．そのため，結晶化を低温で実施すると結晶核の生成速度の低下の度合いが成長速度の低下の度合いよりも大きいため，大きな結晶粒をもつ多結晶 Si 薄膜を形成することができる．

レーザーアニール法によって形成した多結晶 Si 薄膜の結晶粒観察例を図 4.8(a) に示す．KrF エキシマレーザーの波長 248 nm のパルス光を照射して Si 薄膜を溶融

4.1 半導体薄膜(シリコン系) 177

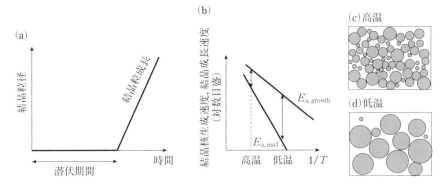

図 4.7 (a) 多結晶薄膜の核生成と結晶粒成長の概念図, (b) 各過程の活性化エネルギー, (c), (d) 温度による結晶粒の大きさの変化

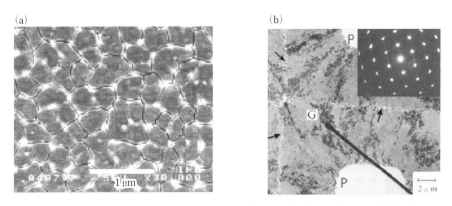

図 4.8 (a) エキシマレーザー照射で形成した多結晶 Si 薄膜の走査電子顕微鏡写真. (b) Ni を用いた MILC で形成した多結晶 Si 薄膜の透過電子顕微鏡写真(図中の P の部分が Ni 薄膜堆積領域)

し,自然核生成と成長により結晶化したもので,結晶粒界を顕在化させるための化学エッチング処理を施した後に走査電子顕微鏡で観察したものである.結晶粒径が数百 nm の多結晶膜を形成でき,自由電子移動度が $100 \sim 200 \, \text{cm}^2/\text{V·s}$ の TFT を作製できる.パルスレーザー光を横方向にステップさせて結晶粒を一方向に数十 μm の大きさまで拡大する技術も開発されており,単結晶 Si の MOSFET に匹敵するキャリア移動度をもつ TFT を作製できる.

固相結晶化法では,大きさが $1 \, \mu$m を超える結晶粒よりなる多結晶 Si 膜を形成でき,表面の平坦性も優れる.ただし,比較的低温での処理となるため長時間を要す

る．固相結晶化では，結晶化を促進するために，Niなどの金属の触媒効果を利用した金属誘起結晶化(metal induced crystallization：MIC)やそれを横方向への成長に利用して結晶粒を拡大する金属誘起横方向結晶化(metal induced lateral crystallization：MILC)も用いられる．図4.8(b)にNiを用いたMILCで形成した膜の透過電子顕微鏡観察例を示す．表面がほぼ(110)面にそろい，内部に結晶亜粒界をもつ大きさ数～数十 μm の結晶粒が形成されている．表面が(110)面となるのは，結晶化を媒介する $NiSi_2$ 単結晶粒子がその表面エネルギーが最も小さい(111)面を進行方向である横方向にもち，背後に単結晶Siを残しながら移動するためである．

結晶化する非晶質Si薄膜の形成には，低温(約550℃)での熱CVDあるいはプラズマCVDが用いられる．前者は，原料ガスの利用効率は低いが，水素含有量が少なく，結晶化に適した非晶質Si膜を形成できる．後者は，結晶化前に脱水素のための熱処理を施す必要がある．

c. 非晶質 Si：a-Si：H

プラズマCVDが一般的に用いられる．モノシラン(SiH_4)ガスのプラズマを発生させると SiH_3，SiH_2 などの分子が生成されるのでa-Si:Hを直接堆積することができる．基板温度を300℃程度まで昇温すればTFTなどに利用可能な性質の膜を形成できる．そのため，ひずみ点が600℃程度のガラス基板を利用した大型ディスプレイへの応用が可能である．

4.1.4 シリコン薄膜の応用

a. 単 結 晶 Si

単結晶Si薄膜は，LSIのほかにMEMSやセンサーに応用されている．半導体結晶に応力を作用させると結晶がひずむためにキャリアの移動度が変化し，電気抵抗が変化する[9]．このピエゾ抵抗効果による抵抗変化の割合 $\Delta R/R$ は，

$$\frac{\Delta R}{R} = \pi_l \sigma_l + \pi_t \sigma_t = K\varepsilon \tag{4.5}$$

と表せる．ここで π_l，σ_l は電流と平行方向のピエゾ抵抗係数と応力，π_t，σ_t は電流と直行する方向のピエゾ抵抗係数と応力である．また，ε はひずみで K はゲージ率である．π_l，π_t は電流と結晶方位，および伝導型によって変化する．図4.9はSi(001)ウェハー面に形成した薄膜抵抗のピエゾ抵抗係数の抵抗の向き(つまり，電流の向き)による変化を示したものである．例えば，応力が一軸の場合，p型の抵抗で電流と応力を[110]方向に整合させるとその方向の応力を計測できる．これを利

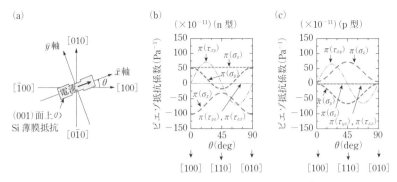

図 4.9 Si(001)面上の Si 薄膜抵抗のピエゾ係数の配置方向による変化

用して圧力センサーや 3 次元方向の加速度を検知できる加速度センサーが開発されている.

b. 多結晶 Si

多結晶 Si 薄膜を用いた TFT は,SRAM や 3 次元 NAND フラッシュメモリー(3D-NAND)などの LSI 用途,および液晶や有機 EL を用いたディスプレイなど,その用途は多彩である.多結晶 Si TFT はキャリア移動度や素子特性の均一性では単結晶 Si の MOSFET に劣る反面,MOSFET と同様に CMOS 化が可能であること,および薄膜ならではの構造自由度の高さをもつこと,大面積基板にも形成できることからこのような多くの応用が可能になる.

図 4.10(a)にディスプレイ用 TFT の構造例を示す.ガラスまたは石英基板上にまず多結晶 Si 薄膜を形成し,その後,ゲート SiO_2,金属などの薄膜の堆積とフォトリソグラフィーを繰り返して製造される.製造プロセス技術は,基板の耐熱性による.石英基板は高温処理が可能なので,LSI と同様にイオン注入による不純物導

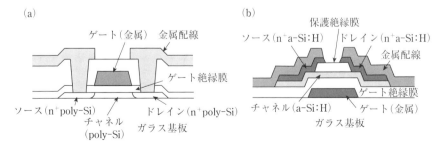

図 4.10 TFT の構造例.(a) 多結晶 Si TFT.(b) a-Si:H TFT

入や熱酸化によるゲート絶縁膜形成を適用でき,安定性が高く,キャリア移動度の大きな TFT を作製できる.液晶ディスプレイパネル用の場合,ひずみ点が 650℃程度のガラス基板を用いることから,基板を低温に保てるレーザーアニール法が用いられることが多い.この場合,ゲート絶縁膜としては,モノシランまたは TEOS (tetraethylorthosilicate) を原料に CVD で堆積することが多い.レーザーアニール法で形成した多結晶 Si 薄膜の表面は溶融した Si の表面張力の作用で粒界部が盛り上がる.この凹凸を補償して絶縁性を保つために,MOSFET に比べて厚いゲート絶縁膜を形成する.

c. 非晶質 Si

a-Si:H 薄膜を用いた TFT は,アクティブマトリクス駆動の大型液晶ディスプレイの絵素(ピクセル)スイッチとして用いられている[10].図 4.11 に液晶ディスプレイの構造とスイッチマトリクス回路を示す.TFT は,各ピクセル内の液晶の配向を変えるのに必要な電圧まで負荷容量(=蓄積容量+液晶容量)を充電(書き込み)する際のスイッチとして働く.今,走査線数 1000 本のディスプレイに 1 秒あたり 60 フレームの動画を再生しようとすると,書き込みに利用できる最長時間は $(1/60) \times (1/1000) = 16.7\,\mu\mathrm{s}$ である.この時間内に書き込みするのに必要な導通電流を流すための移動度と,次のフレームまでの 16.7 ms の間,負荷容量の電圧を保持できるほどに遮断電流を小さくできる TFT が必要となる.大型基板の場合,フォトリソグラフィーで加工可能な線幅の最小値に限界があるが,それでもキャリア移動度が $1\,\mathrm{cm^2/V \cdot s}$ あれば書き込みが可能であること,a-Si:H TFT は遮断時の漏れ電

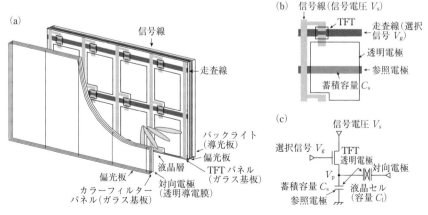

図 4.11 (a) 液晶ディスプレイの構造.(b) ピクセルのレイアウト.(c) ピクセルの回路図

流を小さくしやすいこと，そして何よりも，300℃程度の低温での薄膜堆積プロセスを用いて製造可能であるという特長をもつため受け入れられ，発展してきた．なお，a-Si:H の正孔の移動度は自由電子の 1/10 以下にとどまる．そのため，実用になっているのは n チャネルのみである．

a-Si:H TFT の構造例を，多結晶 Si TFT と対比して図 4.10(b)に示した．多結晶 Si TFT と対照的に，a-Si:H TFT はゲート電極を基板上に配置したボトムゲート構造を用いるのが一般的である．a-Si:H TFT の実用化で解決しなければならなかった課題の一つに光の照射による特性変動がある．ボトムゲート電極はバックライトの遮光の役割ももつ．ゲート絶縁膜には SiN_x 膜を用いるのが一般的である．これは，SiO_2 膜を用いた場合，しきい値電圧（TFT が導通するゲート電圧）が SiN_x を用いた場合よりも数 V 大きくなること，また，負のゲート電圧が加わるときに低い電圧で正孔が誘起され，遮断特性が悪化するためである．

ゲート絶縁膜上のチャネル層にはノンドープの a-Si:H 層を用い，その上にソース・ドレインとなる n^+ 型 a-Si:H 膜を堆積し，エッチングして分離する．このエッチングのプロセス余裕をとるために，ノンドープ層は 200 nm 程度，n^+ 層は 50 nm 以下の厚さで製造される．

a-Si:H TFT をマトリクススイッチとした液晶ディスプレイの周辺回路は，LSI を外付けして構成する．一方，多結晶 Si TFT では，CMOS 回路をつくれるという特長を生かして周辺回路も TFT で構成することができ，また，移動度が大きいのでピクセルスイッチの TFT の小形化が可能で，バックライトを通過させる領域の大きさの割合（開口率）を大きくでき，省電力化を進めることができる．そのため，携帯端末向けの中・小型ディスプレイに利用されている．

文　献

1) J. Weber and M. I. Alonso : Phys. Rev. B, **40** (1989) 5683.
2) D. V. Lang, R. People, J. C. Bean, and A. M. Sergen : Appl. Phys. Lett., **47** (1985) 1333.
3) D. M. Cauchey and R. F. Thomas : Proc. IEEE, **55** (1967) 2192.
4) G. Masetti, M. Severi, and S. Solmi : IEEE Trans. Electron Devices, **ED-30** (1983) 764.
5) T. Sato, Y. Takeishi, and H. Hara : Phys. Rev. B, **4** (1971) 1950.
6) J. Y. W. Seto : J. Appl. Phys., **46** (1975) 5247.
7) K. Akiyama, K. Watanabe, and T. Asano : Jpn. J. Appl. Phys., **48** (2009) 03B014.
8) 阿部孝夫，三谷　清，中里泰章：応用物理，**63** (1994) 1080.
9) C. S. Smith : Phys. Rev., **94** (1954) 42.
10) 堀　浩雄，鈴木幸治：『カラー液晶ディスプレイ』（共立出版，2001）．

4.2 半導体薄膜(化合物)

4.2.1 はじめに

半導体において,単一元素からなる元素半導体 Si の重要性は確固たるものである.その機能はもちろんのこと,大口径化・高純度化技術やプロセス技術は究極の域に達している.そのような背景の中で,化合物半導体は Si の有する機能を補う形で存在し,世の中で広く用いられている.

化合物半導体の代表はⅢ-Ⅴ族化合物半導体である.Ⅲ-Ⅴ族化合物半導体は第 13 族元素(B, Al, Ga, In)と第 15 族元素(N, P, As, Sb)からなり,その化学量論比が 1 対 1 である化合物半導体の総称である.周期表の族番号に対する新しい IUPAC 表記法が施行される前は,それぞれの元素は第ⅢB 族元素,第ⅤB 族元素とよばれていたことがⅢ-Ⅴ族半導体の名称の起源となっている.その特徴は下記のとおりである.(1) 多くのⅢ-Ⅴ族化合物半導体は室温における安定相が閃亜鉛鉱(zinc-blende)型である.BN を除くⅢ族窒化物ではウルツ鉱(wurtzite)型が安定相である.(2) 原子間の結合には共有結合性とイオン結合性が共存する.(3) エネルギー帯構造は直接遷移型のものが多く,一般的に電子移動度が高い.(4) p 型や n 型の伝導電子制御が比較的容易である.(5) 原子層レベルでの結晶成長が可能である.(6) 良好なヘテロ構造[*1]を作製できる.

一方,第 12 族元素(Zn, Cd, Hg)と第 16 族元素(O, S, Se, Te)からなり,その化学量論比が 1 対 1 である化合物半導体はⅡ-Ⅵ族化合物半導体とよばれる.このⅡ-Ⅵ族化合物半導体では,Ⅲ-Ⅴ族化合物半導体に比べて原子間の結合にイオン結合性がより強くなる.また,一般に,電子と正孔の間のクーロン引力によって形成される束縛状態である励起子が安定であることから,その機能応用が期待される材料である.

化合物半導体,とくにⅢ-Ⅴ族化合物半導体は,Si をしのぐ超高速/高耐圧の電子デバイスや,Si では実現不可能な発光デバイスに応用されている.その際,機能を制御し,最大限に引き出すという観点で,「混晶化」と「量子化」は重要な概念である.

[*1] 「ヘテロ(hetero)」は「異なる」を意味するギリシャ語であり,異なる材料からなる構造をヘテロ構造とよぶ.これに対して,同じ材料からなる構造をホモ(homo)構造とよぶ.

以下では，化合物半導体薄膜の特性と機能を理解するうえで必要となる基礎的事項[1〜4]について簡潔に解説する．

4.2.2 結晶構造

先述のように，Ⅲ-Ⅴ族，Ⅱ-Ⅵ族化合物半導体の多くは，立方晶で点群 $\bar{4}3m$ (T_d) に属する閃亜鉛鉱型，あるいは六方晶で点群 $6mm$ (C_{6v}) に属するウルツ鉱型の結晶構造を有する．どちらも，ダイヤモンド構造[*2]と同様，sp^3 混成軌道の結合からなる正四面体的 4 配位構造を基本構造としている．閃亜鉛鉱構造は，図 4.12 (a) に示すように，原子 A のつくる面心立方(立方最密)格子(これを副格子とよぶ)に原子 B のつくる面心立方格子を [111] 方向に体対角線の長さ $\sqrt{3}a$ (a は格子定数) の 1/4 だけずらして重ね合わせた構造である．Ⅲ-Ⅴ族化合物半導体の場合，一方の副格子(例えば，A サイト)がⅢ族原子に占有され，もう一方の副格子(B サイト) がⅤ族原子に占有される．これに対して，ウルツ鉱構造は，原子 A のつくる六方最密格子に原子 B のつくる六方最密構造を [0001] 方向に格子定数 c の約 3/8 だけずらして重ね合わせた構造である(図 4.12(b))．

ダイヤモンド構造，閃亜鉛鉱構造，ウルツ鉱構造の結晶学的な特徴を表 4.3 にまとめた．化合物半導体結晶中の結合はすべて異種原子間の極性結合であり，この点が同種原子間の結合しかもたないダイヤモンド型結晶と決定的に異なる点である．そのため，ダイヤモンド構造は対称中心があるのに対して，閃亜鉛鉱構造とウルツ

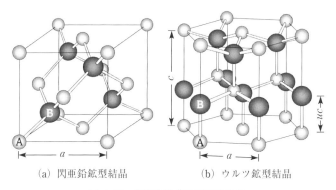

(a) 閃亜鉛鉱型結晶　　(b) ウルツ鉱型結晶

図 4.12　化合物半導体の結晶構造

[*2] ダイヤモンド構造の点群は $m3m$ (O_h) である．

表 4.3 ダイヤモンド型，閃亜鉛鉱型，ウルツ鉱型結晶の結晶学的な特徴

結晶構造	ダイヤモンド構造	閃亜鉛鉱構造	ウルツ鉱構造
晶形	立方晶	立方晶	六方晶
極性軸*	—	$\langle 111 \rangle$	$[0001]$
反転対称性	あり	なし	なし
自発分極	なし	なし	あり($\|[0001]$)
誘電性	常誘電性	圧電性	焦電性
光学的異方性	等方的	等方的	一軸性

* それ自身に垂直な鏡映面をもたない n 回対称軸

鉱構造は反対称性を欠いている．閃亜鉛鉱構造では4配位構造は完全な正四面体構造を保ち，その対称性から4本の結合の極性が互いに打ち消し合い，巨視的には自発分極をもたない．これに対して，ウルツ鉱構造は若干事情が複雑である．$c/a = \sqrt{8/3} = 1.633$ でかつ $u = 3/8 = 0.375$ (u は c 軸に平行な AB 間結合距離と c の比)の場合(これを理想的なウルツ鉱構造という)に限って自発分極をもたないが，一般的なウルツ鉱構造の結晶はこの理想構造からひずんでおり，[0001]方向の自発分極を有する．

同一の組成で結晶構造が異なる物質を多形(ポリモルフ：polymorph)とよび，とくに1次元的な積層構造が異なる結晶構造をポリタイプ(polytype)という．Ⅳ-Ⅳ族化合物半導体である SiC はポリタイプ現象を示す物質として最も有名であり，六方最密充填構造における c 軸方向の積層順序の違いにより特徴づけられる．SiC のポリタイプの中で，比較的発生確率が高く，実用面で研究されているのが3C-，4H-，6H-SiC である．ここで，数字は c 軸方向の繰り返し周期を，C は立方晶，H は六方晶を示す．最密充填構造における3種類の占有位置 A，B，C(Si-C 対を1ユニットと考える)を用いて表記すると，各ポリタイプの積層構造は 3C-SiC：ABC…，4H-SiC：ABCB…，6H-SiC：ABCACB…で表される(図4.13)[5]．一般に，3C-SiC は低温安定ポリタイプ，4H-，6H-SiC は高温安定ポリタイプとして知られ，4H-，6H-SiC の成長には高い成長温度が必要である．

4.2.3 エネルギーバンド構造

Si や Ge が間接遷移型のエネルギーバンド構造をとるのに対して，化合物半導体の多くが直接遷移型のバンド構造を有するという点が，化合物半導体の最大の強みである．図4.14に Ge と GaAs，ZnSe のエネルギーバンド構造を示す．これらは

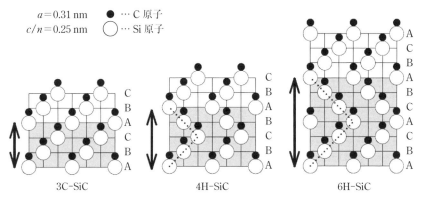

図 4.13 3C-, 4H-, 6H-SiC の積層構造
〔H. Matsunami: Jpn. J. Appl. Phys., **43** (2004) 6835 より〕

いずれも周期表第4周期の元素から構成された半導体結晶である．

Ge では，価電子帯の上端が Γ 点（$k=0$, すなわちブリルアンゾーンの原点）にあるのに対し，伝導帯の下端は L 点の近く（$k/\!/[111]$ の方向）にあり，この間の光学遷移はフォノンの吸収・放出を伴う間接遷移となる．このように，異なる結晶運動量 k に価電子帯上端と伝導帯下端がある場合を間接型バンドギャップとよび，間接型バンドギャップを有する半導体を間接遷移型半導体，あるいは間接半導体という．

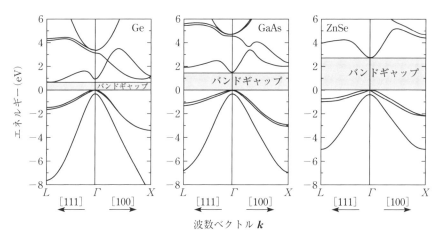

図 4.14 Ge, GaAs, ZnSe のエネルギーバンド構造（経験的擬ポテンシャル法[6]と $\boldsymbol{k}\cdot\boldsymbol{p}$ 法[7]による計算結果をもとに作図）．価電子帯の上端をエネルギー 0 としている．

間接遷移は，以下に述べる直接遷移と比較して遷移確率が低く，そのため，Ge のような間接遷移型半導体の基礎吸収端における吸収係数，発光レートは小さくなる．すなわち，間接半導体は一般に，光りにくい半導体ということができる．Ge と Si は典型的な間接半導体である．

これに対して，GaAs や ZnSe，GaN は，価電子帯上端と伝導帯下端がともに同じ $k=0$ の Γ 点にある直接型バンドギャップを有する．このように直接型バンドギャップを有する半導体を直接遷移型半導体，あるいは直接半導体という．直接半導体での基礎吸収端での光吸収・発光は，光子の吸収・放出のみによって起こる直接遷移(あるいは垂直遷移ともいう)となる．直接遷移は，間接遷移よりもはるかに高い遷移確率を示す．すなわち，直接半導体は光る半導体であるということができる．

直接半導体の基礎吸収端付近の吸収係数は

$$\alpha = \frac{\omega}{6\varepsilon_0 c}|\mu_{cv}|^2 J_{cv} \tag{4.6}$$

で与えられる(ε_0 は真空の誘電率，c は真空中の光速，ω は光の角振動数で，$\hbar\omega$ が遷移エネルギーとなる)．ここで，μ_{cv} は価電子帯・伝導帯間の遷移双極子モーメント，

$$J_{cv} = \frac{2}{(2\pi)^3}\int d^3k \delta(E_{cv}-\hbar\omega) \tag{4.7}$$

はエネルギー保存則を満たすすべての電子・正孔の組合せについて和をとる(電子・正孔の波数 k について積分する)ことから出てくる因子で，結合状態密度とよばれる．$E_{cv}=E_c-E_v$ は伝導帯電子エネルギー E_c と価電子帯正孔エネルギー E_v の差である．価電子帯の上端と伝導帯の下端とがともに $k=0$ にあり，バンドがともに放物線的でかつ球対称(等方的)な場合は

$$J_{cv} = \frac{1}{2\pi^2}\left(\frac{2\mu}{\hbar^2}\right)^{3/2}\sqrt{\hbar\omega-E_g} \tag{4.8}$$

となる．ここで，$1/\mu = 1/m_e + 1/m_h$，m_e と m_h はそれぞれ電子と正孔の有効質量，E_g はバンドギャップエネルギーである．

化合物半導体の多くが直接半導体であるが，すべてが直接半導体であるわけではない．II-VI 族化合物半導体は，ZnO，ZnS，ZnSe，ZnTe，CdS，CdSe，CdTe，HgTe などがすべて直接半導体である．また，IV-IV 族化合物半導体の SiC はすべての結晶形が間接半導体とされている．

なお，図4.14からわかるとおり，Ge→GaAs→ZnSeとなるにつれ，イオン結合性が大きくなるのに伴ってバンドギャップエネルギーが大きくなっていく．これは，この順に隣接原子間の波動関数の重なりが小さくなってバンド幅が小さくなることに起因しており，半導体全般にみられる傾向である．

化合物半導体では構成原子がsp^3混成軌道による正四面体的結合を形成するが，伝導帯の底付近はs軌道的，価電子帯の頂上付近はp軌道的な性格をもつ．p軌道的性格を有する価電子帯は三つのバンドから構成される．閃亜鉛鉱構造結晶では，軽い正孔(light hole：LH)バンドと重い正孔(heavy hole：HH)バンドがΓ点($k=0$)で縮退し，その下にスピン軌道相互作用によって分裂したスピン軌道分裂(spin-orbitあるいはsplit-off：SO)バンドが存在する．ウルツ鉱構造結晶の場合，LHバンドとHHバンドはスピン軌道相互作用によって縮退が解け，結晶場の影響で分裂した結晶場分裂正孔(crystal-field splitting hole：CH)バンドがその下に現れる．

4.2.4 混晶半導体

化合物半導体は，異なる半導体を任意の組成比で固溶させた混晶半導体[*3]を容易に作製できる．これは，化合物半導体の最も重要な特徴の一つである．III-V族化合物半導体の場合を例にとると，以下のような半導体混晶が利用可能である．

- 3元混晶： $A_x^{\mathrm{III}} B_{1-x}^{\mathrm{III}} D^{\mathrm{V}}$, $A^{\mathrm{III}} D_x^{\mathrm{V}} E_{1-x}^{\mathrm{V}}$
- 4元混晶： $A_x^{\mathrm{III}} B_{1-x}^{\mathrm{III}} D_y^{\mathrm{V}} E_{1-y}^{\mathrm{V}}$, $A_x^{\mathrm{III}} B_y^{\mathrm{III}} C_{1-x-y}^{\mathrm{III}} D^{\mathrm{V}}$, $A^{\mathrm{III}} D_x^{\mathrm{V}} E_y^{\mathrm{V}} F_{1-x-y}^{\mathrm{V}}$

混晶の組成を変えることで，バンドギャップエネルギー，格子定数，有効質量，誘電率，屈折率などの物理値を連続的に(かつ，多くの場合単調に)変化させることができる．これが，化合物半導体を用いた多彩な機能をもったデバイスを自在に実現できる理由の一つである．化合物半導体は高い自由度で設計可能な，エンジニアリング可能な材料ということができる．とくに，バンドギャップエネルギーは発光デバイスの発光波長を決定すると同時に，ヘテロ構造におけるバンドオフセット[*4]に直接関わる重要な物理値である．化合物半導体の組合せの選択と混晶半導体の組成制御によって，広い範囲で連続的にバンドギャップをコントロールできるというのは極めて重要な特徴である．この点に着目して材料・デバイスの設計を行う手法

[*3] 混晶は半導体分野でのみ通じる造語である．「いろいろな結晶が混じっている」という意味ではないことに注意を要する．

[*4] ヘテロ接合を挟む二つの異種材料のバンドギャップエネルギーとフェルミエネルギーの違いのために，ヘテロ接合界面に生じる伝導帯・価電子帯のエネルギーの不連続な飛びそのものを，あるいはそこでのエネルギー差をバンドオフセットという．

をバンドギャップエンジニアリングという.

図 4.15 に代表的な 3 元混晶半導体である $Al_xGa_{1-x}As$ の格子定数とバンドギャップエネルギーの Al 組成 x 依存性を示す. 格子定数 a の Al 組成 x に対する依存性は以下のようにほぼ線形とみなせる.

$$a(Al_xGa_{1-x}As) = xa(AlAs) + (1-x)a(GaAs) \quad (4.9)$$

このように, 混晶の物性値が組成比に対して線形に変化する性質をベガード則とよぶ. ほとんどの混晶半導体の格子定数でベガード則がほぼ成り立つものとされている. 一方, バンドギャップエネルギーは, どの混晶半導体でも組成に対する線形関係からかなり外れる. このような線形関係からのずれをボーイングという. 多くの 3 元混晶のバンドギャップエネルギー E_g は, 以下のように組成に対する 2 次式で近似できる.

$$E_g(Al_xGa_{1-x}As) = xE_g(AlAs) + (1-x)E_g(GaAs) + Bx(1-x) \quad (4.10)$$

ここで, ベガード則からのずれを表す項の係数 B はボーイングパラメーターとよばれる.

いずれにせよ, 混晶半導体においては, バンドギャップを含めたさまざまな物性値をかなり自由に混晶組成によってコントロールできる点は極めて重要である. この特性を用いることにより, ヘテロ接合を作製することができる. ヘテロ接合とは異なる半導体からなる接合であり, 同じ半導体からなるホモ接合ではできない機能

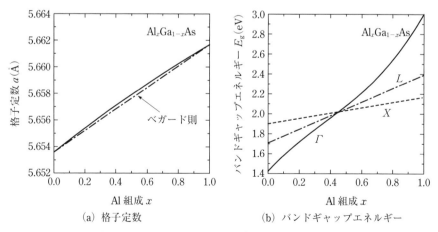

(a) 格子定数　　　　　　　(b) バンドギャップエネルギー

図 4.15 混晶半導体 $Al_xGa_{1-x}As$ の (a) 格子定数[8]と (b) バンドギャップエネルギー[9]の Al 組成 x 依存性. $Al_xGa_{1-x}As$ は $x<0.45$ の GaAs に近い組成領域では直接型, $x>0.45$ の AlAs に近い組成領域では間接型になる.

を発現させることができる．図 4.16 には，バンドギャップエネルギーの大きな p 型の半導体 A とバンドギャップエネルギーの小さな n 型の半導体 B を用いて pn 接合を作製したときのバンドラインナップを示す．ここでは，両者の結晶構造や格子定数が同じであり，界面が理想的につながっていることを仮定している．ヘテロ接合では，ホモ接合からなる pn 接合と異なり，電子や正孔に対するポテンシャルを独立に制御できるという特性を有する．また，界面での伝導帯，あるいは価電子帯の形状を利用して，キャリアの閉じ込め，分離，加速，あるいはトンネリングなどの機能を発現させることができる．例えば，バイポーラトランジスターにおいて，ベース層を形成する半導体よりもバンドギャップの大きい半導体をエミッター層に用いることにより，エミッター効率を改善し，かつベース層の抵抗を下げることができることから，高周波用途のヘテロ接合バイポーラトランジスターが作製されている．また，バンドギャップエネルギーの大きな n 型の半導体を，バンドギャップの小さな高純度な半導体の上に形成することにより，ヘテロ界面に極めて高い電子移動度を示す電流経路(チャネルとよばれる)を形成することができる．このチャネルにおける電子移動を外部電場により制御するユニポーラトランジスターは高電子移動度トランジスターとよばれ，やはり高周波・低雑音応用に用いられている．一方，バンドギャップエネルギーの大きな半導体 A でバンドギャップエネルギー

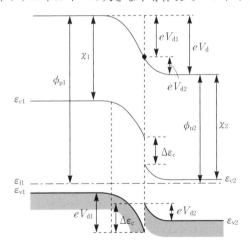

図 4.16　バンドギャップエネルギーの大きな p 型半導体とバンドギャップエネルギーの小さな n 型半導体を用いて pn 接合を作製したときのバンドラインナップ

の小さな半導体Bをサンドイッチした構造（ダブルヘテロ構造とよばれる）により，外部から注入された電子，および正孔を半導体Aに閉じ込めることができる．また，一般に半導体ではバンドギャップが大きい半導体ほど屈折率が小さくなるので，バンドギャップの大きい半導体Aはバンドギャップの小さい半導体Bより屈折率が小さくなり，電子・正孔の再結合により発生した光を，やはり半導体Aに閉じ込めることができる．このキャリアと光の閉じ込め効果を利用することにより，1970年代に半導体レーザーの室温連続動作が実現されており，このダブルヘテロ構造は今日の半導体レーザーの基本構造となっている．

　ほとんどの化合物半導体デバイスがヘテロエピタキシーによって作製されるという事実から，格子定数に関する強い制限が加わることに注意しなければならない．大型で良質な単結晶基板が入手できる化合物半導体は，GaAs，InPなどに限られる．良質なヘテロエピタキシーは下地となる基板結晶とほぼ同じ格子定数を有する材料でしか実現できないので，バンドギャップエンジニアリングは，閃亜鉛鉱構造結晶の場合，GaAsやInPと格子整合する組成の範囲内で行われなければいけない．代表的なⅢ-Ⅴ族化合物半導体の格子定数とバンドギャップエネルギーの関係を示したのが図4.17である．GaAsやInPといった基板結晶と格子整合し，かつ所望のバンドギャップを有する（発光デバイスの場合は直接遷移型の）化合物半導体を選択する必要がある．格子定数とバンドギャップがともに組成の関数なので，パラメーターが一つしかない3元混晶では，一般に，格子整合系で望みのバンドギャップを得ることはできない[*5]．例えば，3元混晶半導体$Ga_xIn_{1-x}As$は$x=0.47$でのみInPに格子整合し，バンドギャップエネルギーは$E_g=0.75$ eV（室温）に固定されてしまう．一方，先に述べた$Al_xGa_{1-x}As$に着目すると，基板結晶として用いるGaAsとの間で，Al組成の広い範囲でほぼ格子整合が得られる．このことが$Al_xGa_{1-x}As$系材料のヘテロ構造に関する研究が盛んに行われる背景である．

　これに対して，4元混晶では格子整合系においてもバンドギャップをある程度自由に制御することが可能である．4元混晶半導体$Ga_xIn_{1-x}P_yAs_{1-y}$の場合，図4.17の一点鎖線上の組成でInPに格子整合したままバンドギャップエネルギーを0.75～1.35 eV（室温）の範囲で自由に選択できるようになる．

[*5] 実はここで例として挙げたAlGaAsは例外的な材料である．AlAsとGaAsの格子不整合は0.2％と例外的に小さく，そのため，3元混晶半導体$Al_xGa_{1-x}As$は全組成域にわたってGaAsに"ほぼ"格子整合する．

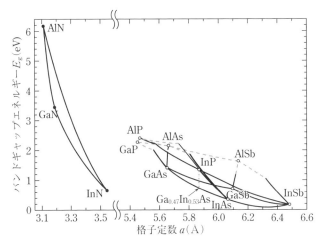

図 4.17 Ⅲ-Ⅴ族化合物半導体の格子定数とバンドギャップエネルギーの関係(文献 9, 10 のデータをもとに作成).黒丸はウルツ鉱型結晶,白丸は閃亜鉛鉱型結晶のものである.2 元化合物を結ぶ線が 3 元混晶を表し,それに囲まれた領域が 4 元混晶を表す.黒の実線は直接遷移型,灰色の破線は間接遷移型ギャップであることを示す.

4.2.5 量子構造

　数十 nm 程度以下のサイズの微細な構造に電子・正孔を閉じ込めると,閉じ込め方向に運動が量子化されることにより種々の特殊な性質が現れてくる.電子などを 1 次元方向に閉じ込め 2 次元の運動の自由度を残した系を量子井戸,2 次元方向から閉じ込めて 1 次元の運動の自由度を残したものを量子細線,3 次元方向から閉じ込めてしまったものを量子箱という.電子の運動を非常に薄い薄膜内に閉じ込めると電子状態の量子化が起こり,それに起因してさまざまな特殊な特性が発現する.これを量子化効果,あるいは量子閉じ込め効果という.量子化効果は,薄膜化による機能性発現の最も重要な例の一つである.

　簡単のために,無限大障壁 $V=\infty$ によって z 方向に電子・正孔を閉じ込める半導体量子井戸(井戸幅 L_z)を考えよう.固有関数 Φ の z 依存性は

$$\Phi(z)=\sqrt{\frac{2}{L_z}}\sin\frac{n\pi}{L_z}\left(z+\frac{L_z}{2}\right) \tag{4.11}$$

で与えられ,これに対するエネルギー固有値 $E_n(k)$ は

$$E_n(k) = E_a + \frac{\hbar^2}{2m^*}\left(\frac{n\pi}{L_z}\right)^2 + \frac{\hbar^2}{2m^*}(k_x^2 + k_y^2) \tag{4.12}$$

となる．ここで，$n=1,2,3\cdots$であり，m^*は有効質量である．光学遷移に関与する結合状態密度 J_{cv}^{2D} は

$$J_{cv}^{2D} = \frac{\mu}{\pi\hbar^2}\sum_n \Theta(\hbar\omega - E_g - E_n) \tag{4.13}$$

となる．$\Theta(x)$ は $x<0$ で 0，$x>0$ で 1 となるステップ関数である．その結果，電子，あるいは正孔の準位とその分散曲線は電子に対する量子数 n_e，あるいは正孔に対する量子数 n_h で表される複数の状態に分割されることになる．個々の量子数で指定される各状態をサブバンドとよぶ．

無限大障壁量子井戸の電子・正孔の波動関数と状態密度関数を図 4.18 に模式的に示す．量子井戸中の電子・正孔の状態密度関数は階段状に立ち上がったサブバンド端に鋭く（狭いエネルギー範囲に）集中することになる．これは，図 4.18 中に一点鎖線で示した放物線状の結合状態密度 J_{cv}^{3D} を有するバルク半導体と顕著に異なっており，より少ないキャリア密度で高い光学利得が実現できる（その結果，レーザー発振しきい値電流密度を小さくできる）こととなる．

図 4.19 に厚みの異なる $In_{0.53}Ga_{0.47}As$ 井戸層を InP 基板上に多数，形成した積層

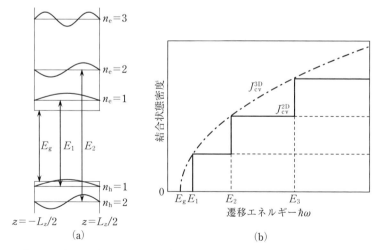

図 4.18 無限大障壁量子井戸の(a) 量子化された電子・正孔の準位と波動関数，(b) 結合状態密度関数（実線は量子井戸の状態密度 J_{cv}^{2D}，一点鎖線はバルク結晶の状態密度 J_{cv}^{3D}）

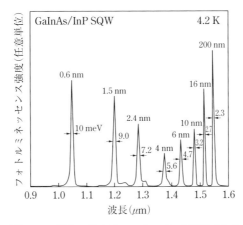

図 4.19 厚みの異なる $In_{0.53}Ga_{0.47}As$ 井戸層を InP 基板上に多数形成した積層量子構造からのフォトルミネッセンススペクトル
〔H. Kamei and H. Hayashi: J. Cryst. Growth, **107** (1991) 567 より〕

量子構造からのフォトルミネッセンススペクトルを示す[11]。フォトルミネッセンス測定とは、一般に、バンドギャップエネルギーより大きなフォトンエネルギーを有する光を試料に照射することにより生成する光励起キャリア(電子、および正孔)が緩和する際に発生する光を観測する手法である。膜厚 200 nm のバルク $In_{0.53}Ga_{0.47}As$ からバンド端発光(伝導帯-価電子帯間の電子遷移により生じる発光)が 1.5 μm 近傍に観測されるのに対して、井戸層幅が狭くなるに従って、量子井戸中のバンド間遷移による発光の短波長化(ブルーシフトとよぶ)が明瞭に観測される。

量子井戸中のバンド間遷移を用いた量子井戸レーザーでは、低しきい値化だけでなく、微分量子効率上昇、光出力上昇、特性温度上昇、変調可能周波数上昇、線幅増大係数(a パラメーター)減少といった好ましい特性改善が実現されている。価電子サブバンドの分裂における利得異方性に起因する偏光特性の変化も量子井戸レーザーの特徴の一つである。また、量子井戸中では、励起子がバルクの場合に比べて安定化し、室温でも顕著な励起子吸収が観測できるようになる。この室温励起子吸収の電場依存性を利用して、低電圧で高速動作可能な電界吸収型光変調器が実現できる。

量子構造のさらなる低次元化も精力的に研究されている。当初は量子井戸構造をエッチングなどで加工して量子箱構造を作製する手法や加工基板を用いて量子細線

や量子箱構造を作製する手法が提案されていた．その後，ストランスキー–クラスタノフ(Stranski-Krastanow)モードを用いることにより自己組織的に量子ドットが形成できることが明らかになり，その形状や位置の制御が盛んに研究されている．最近では，複数層を積層した自己形成量子ドットを活性層とした量子ドットレーザーが商品化されており，低しきい値化と温度安定化が実証されている．

このような光デバイスは伝導帯のサブバンドと価電子帯のサブバンド間遷移を利用しているが，これに対して伝導帯の中のサブバンドの間での遷移(サブバンド間遷移)を利用した光デバイスが近年注目されている．サブバンド間遷移のエネルギーは井戸幅によって広い範囲で制御可能で，近赤外からテラヘルツ波まで広い範囲で動作する光デバイスが作製できる．これを巧みに利用した赤外光検出器や量子カスケードレーザーなどが実現されている．

4.2.6 薄膜形成手法

化合物半導体薄膜の作製は，高周波デバイスや光デバイスへの応用を常に念頭に置いている．そのために，(1)キャリア(電子や正孔)を効率よく運ぶ，(2)キャリアの再結合によって効率よく光を発生する，(3)光によって効率よくキャリアを発生する，(4)光やキャリアを閉じ込める，などが可能な膜と構造をつくることが求められる．このようなデバイス応用に耐え得る薄膜を形成するにはエピタキシーが不可欠である．エピタキシャル成長において，(1)エピタキシャル層に構造欠陥が少ないこと，(2)薄い層が均一に形成できること，(3)オートドーピングが小さいこと，(4)ヘテロ界面が急峻であること，(5)低温での成長ができること，が重要となる．

化合物半導体薄膜のエピタキシャル成長法として，代表的なものを表4.4に示す．液相エピタキシー(liquid phase epitaxy：LPE)法は，溶かして液体にした金属の溶媒に原料を高温で過飽和状態まで溶解させ，溶液を冷却させることにより基板上に結晶を析出させるものであり，中でもスライドボート法が有名である．この手法は，複数用意した溶媒溜の下を基板を順次通過させることにより多層構造を作製するものである．熱平衡に近い状態での結晶成長が可能であることから，完全性の高い結晶が得られる優位性があり，1970年代にAlGaAs/GaAs系ダブルヘテロ構造半導体レーザーの室温連続発振を可能にした歴史がある．しかしながら，欠点として，(1)成長可能な面積が溶媒溜のサイズで律速されるため，量産性が低いこと，(2)量子井戸構造の作製に求められる原子層レベルでの制御が困難であること，が

4.2 半導体薄膜(化合物)　195

表 4.4　化合物半導体のエピタキシャル成長法

		名　称
気相	セルフリミット型	原子層エピタキシー法 (atomic layer epitaxy：ALE)
	非セルフリミット型	気相エピタキシー法 (vapor phase epitaxy：VPE) ・クロライド VPE 法 ・ハイドライド VPE 法
		有機金属気相エピタキシー法 (metal-organic vapor phase epitaxy：MOVPE)
		分子線エピタキシー法 (molecular beam epitaxy：MBE)
液相		液相エピタキシー法 (liquid phase epitaxy：LPE)
固相		固相エピタキシー法 (solid phase epitaxy：SPE)

挙げられる．

　気相から薄膜を形成する手法はセルフリミット型と非セルフリミット型に分類される．セルフリミット型は原料の供給にかかわらず，成長が自己停止するものであり，原子層エピタキシー(ALE)法がある．ALE法は複数の原料を交互供給することにより薄膜形成を行うものであり，1974年に$Zn(CH_3)_2$とH_2Sを用いてZnS薄膜の形成が実証されている[12]．最近では，この手法の派生として，原子層デポジション(atomic layer deposition：ALD)法が凹凸のある表面に均一な膜厚の薄膜(この場合，必ずしも単結晶薄膜ではない)を堆積させる方法として脚光を浴びている．
　一方，原料供給量に依存して薄膜が連続的に成長する非セルフリミット型には，気相エピタキシー(VPE)法，有機金属気相エピタキシー(MOVPE)法，分子線エピタキシー(MBE)法がある．VPE法は出発材料に塩化物を用いる場合と水素化物を用いる場合があり，それぞれクロライドVPE法，ハイドライドVPE法とよばれる．例えば，GaAsのクロライドVPEでは金属Gaと$AsCl_3$を，ハイドライドVPEでは金属GaとAsH_3を用いる．ともに高純度のGaAsエピタキシャル薄膜が得られることが実証されているが，欠点としてAlを含む半導体を作製することが困難であることが挙げられる．最近では，GaNのクロライドVPEによるサファイア基板上の選択成長を用いてGaN厚膜が得られることから，GaN自立単結晶基板を作製す

る手法として用いられている.

　MOVPE法は出発原料の一部,あるいはすべてに有機金属化合物を用い,それらの熱分解反応および表面ガス反応により薄膜を基板上に堆積させる気相成長法の一種である.1968年にマナセビッツ(Manasevit)はMOVPE法によるGaAs単結晶薄膜の作製を実証した[13]が,出発原料の純度に関係して高純度の薄膜が得られなかったこともあり,あまり注目されることはなかった.しかしながら,1977年にドゥピュイ(Dupuis)らによりAlGaAs/GaAs系ダブルヘテロ構造半導体レーザーの作製と室温動作が報告されて以来[14],MOVPE法は爆発的に普及している.MOVPE法の特徴として,(1) 原料がガス状であり,成長速度は原料供給量により制御できること,(2) 混晶組成は供給する原料組成比で制御できること,(3) Ⅱ,Ⅲ,Ⅳ,Ⅴ,Ⅵ族元素のほとんどに対して,種々の有機金属化合物または水素化物が存在しており,それらを用いて種々の半導体を容易に作製できること,(4) 急峻なヘテロ接合やpn接合が比較的容易に作製できること,(5) 気相成長であるため,高均一,大面積,多数枚成長が可能であること,が挙げられる.Ⅲ-Ⅴ族化合物半導体において,急峻なヘテロ界面を得るために,Ⅲ族原料・Ⅴ族原料の供給タイミングを最適化することが重要である.

　MBE法は,Ⅲ-Ⅴ族化合物半導体の結晶成長のために開発された手法である.1958年にギュンター(Günther)によりInAs薄膜が作製され,移動度13 000 cm^2/(V·s)が報告されている[15].MBE法は原料供給手法により,固体ソースMBE法,有機金属MBE法,ガスソースMBE法,化学分子線エピタキシー(chemical beam epitaxy:CBE)法などとよばれることもある.MBE法の特徴は下記のとおりである.(1) 成長速度を遅くできる.(2) 成長温度を低くできる.(3) 膜成長の開始・停止を瞬時に行える.(4) 膜成長により結晶基板表面を平坦かつ平滑にできる.(5) 各種表面分析技術を用いてその場(in situ)観察が可能である.一般に,蒸気圧の高いPを含むⅢ-Ⅴ族化合物半導体薄膜の成長は困難であるが,P原料としてGaPの熱分解を用いることにより解決されている.また,Nを含むⅢ-Ⅴ族化合物半導体薄膜の成長においては,N$_2$やNH$_3$を事前に熱分解あるいはプラズマ分解することにより,成長効率を向上させている.MBE法の特徴において,とくに,(5)は重要である.MBE成長の際に反射高速電子線回折(reflection high-energy electron diffraction:RHEED)を用いて成長表面の原子配置を調べることは一般的であるが,その反射電子線強度が1原子層厚の結晶の成長に伴い,1周期の振動を示す現象(RHEED振動)が見いだされ,正確な膜厚制御のプローブとして用い

られている.その結果として,原子レベルでの膜厚制御が求められる量子井戸構造の精密作製を可能とし,その分野の発展に大きく貢献した点は記憶に新しい.

文　献

1) 佐藤勝昭:『応用物性』(オーム社,1991).
2) 赤﨑　勇:『Ⅲ-Ⅴ族化合物半導体』(培風館,1994).
3) 高橋　清 監修,長谷川文夫,吉川明彦 編著:『ワイドギャップ半導体光・電子デバイス』(森北出版,2006).
4) S. L. Chuang:"Physics of Photonic Devices, Second edition"(Wiley, 2009).
5) H. Matsunami:Jpn. J. Appl. Phys., **43**(2004)6835.
6) J. R. Chelikowsky and M. L. Cohen:Phys. Rev. B, **15**(1976)556.
7) S. Richard, F. Aniel, and G. Fishman:Phys. Rev. B, **70**(2004)235204.
8) S. Gehrsitz, H. Sigg, N. Herres, K. Bachem, K. Köhler, and F. K. Reinhart:Phys. Rev. B, **60**(1999)11601.
9) I. Vurgaftman and J. R. Meyer:J. Appl. Phys., **89**(2001)5815.
10) I. Vurgaftman and J. R. Meyer:J. Appl. Phys., **94**(2003)3675.
11) H. Kamei and H. Hayashi:J. Cryst. Growth, **107**(1991)567.
12) T. Suntola and J. Antson:International patent, FIN 52359, US 4 058 430, priority Nov 29, 1974.
13) H. M. Manasevit:Appl. Phys. Lett., **12**(1968)156.
14) R. D. Dupuis and P. D. Dapkus:Appl. Phys. Lett., **31**(1977)466.
15) V. K. G. Günther:Z. Naturforsch., **13a**(1958)1081.

4.3　半導体薄膜(ワイドバンドギャップ材料)

4.3.1　は じ め に

　半導体材料の中でとくにバンドギャップがおおよそ3 eVを超えるような材料はワイドバンドギャップ(wide band gap:WBG)半導体とよばれている.代表的な材料として,SiC,GaN,Ga_2O_3などが挙げられる(表4.5).

　WBG半導体はバンドギャップが大きいことに関連してさまざまな性質をもつ.光学的には,バンド間遷移に対応する波長が紫外線領域となり,自由キャリア吸収や,不純物や欠陥による吸収がなければ,可視光に対して無色透明となる.この性質を活用したのが,太陽光に反応しない(ソーラーブラインド)紫外線センサーや可視短波長～紫外線領域の発光ダイオード(light-emitting diode:LED)やレーザーダイオード(laser diode:LD)である.例えばGaNのバンドギャップ3.42 eVに対応する波長は365 nmとなる.GaNのLEDにおいては,バンドギャップの小さなInN(0.69 eV)とGaNの混晶である$In_xGa_{1-x}N$を発光層として用いることで,青色や緑色などの所望の発光を実現している.

表 4.5 各種半導体の物性

	Si	GaAs	4H-SiC	GaN	β-Ga$_2$O$_3$	ダイヤモンド	AlN
禁制帯幅 (eV)	1.12	1.42	3.26	3.42	4.5	5.5	6.0
電子移動度 (cm^2/(V・s))	1 350	8 000	1 180	1 470	200	4 500	300
飽和ドリフト速度 (cm/s)	1×10^7	1×10^7	2×10^7	2×10^7	1.5×10^7	1.5×10^7	
絶縁破壊電界 (MV/cm)	0.3	0.4	3	3	>7	>10	>10
比誘電率	11.8	13.1	10.3	10.4	10.2-12.4	5.7	8.5

電子的には，SiやGaAsに対して，室温で比較すると真性キャリア密度が数十桁小さな値となる．電子デバイスの遮断時(OFF時)のリーク電流は真性キャリア密度と関連している．SiやGaAsでは150〜200℃程度になると，真性キャリア密度が大きくなり，リーク電流が増大し，デバイスとして成立しなくなる．WBG半導体では600〜800℃という高温でやっとSiやGaAsの室温における真性キャリア密度と同等の値になるため，高温でもデバイス動作が可能となる．

また，WBG半導体の絶縁破壊電界強度(E_{cr})はSiやGaAsのそれと比べて10倍以上の大きな値となる．これはバンドギャップが大きいため，衝突電離(インパクトイオン化)が生じにくくなることに起因する．大きな絶縁破壊電界強度は，高出力高周波デバイスやパワーデバイス応用上極めて有効である．より狭い(あるいは，薄い)空乏領域で高電圧を阻止することができるからである．マイクロ波の増幅に用いる高周波トランジスターでは，ゲート長を短くして，ゲートの走行時間を短くすることが周波数特性の改善のために必要であるが，ゲート長を短くすると耐圧(トランジスターが遮断できる電圧)が低下してしまう．絶縁破壊電界の大きなWBG半導体を用いれば，同じゲート長でも数倍の耐圧を実現でき，増幅器の電圧振幅を大きくとることができ，より高出力な増幅器を実現することができる．パワーエレクトロニクスで用いられるパワーデバイスは所定の耐圧 V_B を実現するために，広い空乏層を得るための，低ドープかつ厚膜の層(耐圧維持層あるいはドリフト層とよばれる)が必要である．この層はON時には直列抵抗となり，高耐圧のデバイスになるほど，より大きなオン抵抗 R_{on} となってしまうという次式で示すトレードオフ(ユニポーラーリミット)の関係が生じる．

4.3 半導体薄膜(ワイドバンドギャップ材料)　199

$$R_{on} \cdot A = \frac{4V_B^2}{\varepsilon \mu E_{cr}^3} \tag{4.14}$$

ここで A はデバイス面積，ε は半導体の誘電率，μ は移動度である．オン抵抗は絶縁破壊電界の 3 乗に反比例しており，絶縁破壊電界強度の大きな WBG 半導体はオン抵抗を劇的に減らすことができるというメリットがある．

　一般に WBG 半導体は原子間の結合力が強いことから化学的に非常に安定であり，それに起因して放射線照射による欠陥形成が起こりにくい．これを活かして，化学的に過酷な環境で用いるデバイスや，耐放射線デバイスなどの研究開発も進められている．しかし，化学的に安定であることの裏返しとして，結晶成長やデバイス作製プロセスが困難であるという欠点があるが，長年の研究により徐々に技術が確立し，今日，GaN や SiC 等を用いた各種デバイスが世の中で広く使われはじめている．

　WBG 半導体の中でもバンドギャップがおおよそ 5 eV を超えるような材料はウルトラワイドバンドギャップ(ultra-WBG：UWBG)半導体とよばれている．結晶成長やデバイス作製プロセスがさらに困難になることに加えて，伝導度制御(ドーピング)も難しくなるという課題はあるが，WBG よりもさらに高い性能を狙える材料として研究が進められている．代表的な材料としては，ダイヤモンド(C)，酸化ガリウム(Ga_2O_3)，窒化アルミニウム(AlN)などが挙げられる．

4.3.2　主なワイドギャップ半導体材料のエピタキシャル成長技術

a. SiC

　SiC は昇華法によりバルク単結晶が成長可能であり，ドーピングにより p 型，n 型両方の実現が可能であったため，早い時期から電子デバイス材料として有望視され，研究が進められてきたが，エピタキシャル成長においてポリタイプ(4.2.2 項参照)制御が困難であるという深刻な問題があった．

　エピタキシャル成長を行うような低温(1600℃程度)では 3C 構造が安定であるため，4H-SiC や 6H-SiC(0001)基板上に成長を行うと，3C-SiC(111)面が成長してしまい，しかも，3C-SiC が 180 度回転した双晶が面内で混在してしまうという問題があった．この問題は，松波ら[1,2]により，基板に数度のオフ角をつけ，ステップフロー成長をさせることでバルク基板の積層構造をエピタキシャル成長層に転写するステップ制御エピタキシー法により解決された．当初はバルク結晶が得られる 4H，6H が研究の対象となっていたが，4H-SiC のほうが，電子移動度が 1000 cm²/(V・s)

以上と格段に大きいことがわかり，現在，SiC パワーデバイスの研究開発は 4H-SiC にほぼ一本化されている．

パワーデバイスのための SiC のエピタキシャル成長技術は気相エピタキシー(VPE)が一般的である．シラン，プロパンなどを原料ガスとして用いて，水素をキャリアガスとして 1600℃程度の温度で成長を行う．残留不純物密度が $5×10^{12}$ cm^{-3} 程度の非常に高純度な結晶が得られている．ドーパントガスとして，n 型には窒素(N_2)，p 型にはトリメチルアルミニウム($(CH_3)_3Al$)がよく用いられている．パワーデバイスでは耐圧にもよるが 10〜100 μm の膜厚が必要となるので，成長速度の高速化も重要である．20〜40 μm/h でもデバイス応用上十分な品質の結晶が得られている．

ポリタイプの安定化のためにはオフ角が必要であるが，オフ角が小さいほど，バルクの切り出しロスの低減や基底面転位のデバイス領域への導入の低減などさまざまな利点がある．研究当初は 8 度オフが用いられてきたが，現在は 4 度オフが標準となっている．

b. Al, Ga, In 窒化物とその混晶

GaN は当初は青色 LED，LD 用材料として研究開発が進められてきた．主に有機金属気相エピタキシー(MOVPE)法を中心に研究が進められ，LED や LD の量産には MOVPE が採用されている．

GaN の結晶成長の最初の報告はハイドライド/ハライド気相エピタキシー(hydride/halide vapor phase epitaxy：HVPE)法であった．金属 Ga と塩素ガスを反応させ，塩化物ガス(ハライド)として Ga を輸送し，アンモニア(ハイドライド)との反応により GaN を析出させる．当時，GaN バルク結晶が作製できなかったため，サファイア(Al_2O_3)などの異種基板上の製膜をせざるを得なかったが，異種基板との濡れ性の悪さから，得られる GaN 結晶は粒状の多結晶(サファイアに対してエピタキシャル関係はあったが)であった．

赤﨑ら[1]は，MOVPE 法に着目し，高品質な結晶成長を実現すべく研究を続けていた．サファイア基板と親和性のよい AlN をバッファ層に使うことを試みていたが，なかなか改善しなかった．天野らは，AlN バッファ層を低温で堆積後，その後，高温で GaN を製膜することで，低温堆積 AlN バッファ層がサファイア基板を被覆し，GaN とサファイア基板の濡れ性の悪さを解消し，連続膜，鏡面を有する GaN のエピタキシャル成長に成功したと説明されている．後に，低温堆積した GaN 層でも同様の効果が確認され，この技術は低温バッファ層技術とよばれてい

る．それまでの GaN は粒状成長で連続膜が得られなかったため，電気的特性やデバイス応用が不可能であったが，この技術により半導体としての GaN の研究が拡大した．n 型 GaN は酸素やシリコンのドーピングで容易に得られ，移動度が 1000 cm^2/(V·s) を超えるような膜が得られるようになった．一方，p 型については実現が極めて困難であり，自己補償効果(アクセプター添加によりフェルミ準位が価電子帯に近づくとドナー性欠陥の形成エネルギーが低下し，ドナー性欠陥が形成されアクセプターを補償する現象)により p 型化は原理的に不可能なのではないかと考えられていた．これについても Mg をドープし，その後，電子線照射を行うことで p 型 GaN 得られることを見いだし，GaN の pn 接合を世界ではじめて提示した．その後，中村らは Mg の不活性化は水素に起因しており，窒素雰囲気中の熱処理で Mg の活性化(脱水素)が可能なこと，松岡らが成長に成功した In$_x$Ga$_{1-x}$N 混晶を，LED の発光層に用いることで，高い貫通転位密度にもかかわらず極めて高効率な青色，緑色発光が実現できることを示し，それが契機となり，GaN 青色，緑色 LED が一気に実用化・普及したという経緯がある．

　その後，GaN 系材料は，Al$_x$Ga$_{1-x}$N/GaN 高電子移動度トランジスター(high-electron mobility transistor：HEMT)が，レーダーや移動体通信基地局などで用いられる高出力高周波パワートランジスターとして極めて有望であることが明らかになり，精力的に研究開発が進められ，実用化が進んでいる．

　LED，LD，HEMT で技術が成熟しつつある GaN 系材料の MOVPE であるが，パワーデバイス応用となると技術的に解決しなければならない課題が数多く存在する．一つはドーピングの制御性である．パワーデバイスでは耐圧にもよるが 10^{15}〜10^{16} cm^{-3} 台のドーピング制御が必要である．このような低ドープを制御性よく行うためには，単にドーパントガスを希釈するだけでは不十分で，残留不純物によるバックグラウンドドーピングを大幅に低減しなければならない．MOVPE は原料に有機金属を用いるため，膜中への C の混入が避けられない．C は GaN 中で窒素サイトを置換し，深いアクセプター準位を形成するのでドナーを補償してしまう．もう一つは膜厚である．光デバイスや HEMT ではせいぜい 2〜3 μm の製膜で事足りていたが，パワーデバイスではドリフト層として数十 μm の製膜が必要となる．

　MOVPE では圧力や成長温度，原料供給比(V/Ⅲ比)などを工夫することで，10^{17} cm^{-3} 近くあった C の混入を 10^{15} cm^{-3} 前半まで低減可能であることが複数の機関から報告されている[3]．しかし，C の混入を低減できる成長条件は成長速度を低下させる(あるいは原料利用効率を低下させる)方向性であり，現在のところ製膜

速度は 3～5 μm/h 程度にとどまっている．20 μm 程度のドリフト層であれば，数時間の製膜で対応可能であるが，それ以上となると難しい．

そこで近年注目を集めているのが HVPE 法である．HVPE 法は，原料が金属 Ga であり安価であることと，製膜速度が数十～数百 μm/h を実現可能であり，ドリフト層の安価・高速成長に適している．しかしながら，石英反応管が塩素ガスで腐食され，Si や O などが高濃度で膜に混入するため，低ドーピングを実現できないという問題があった．藤倉らは，反応管の高温部に石英部品を使わない，石英フリー HVPE 法を開発し，Si や O の大幅低減に成功している．さらに，HVPE 法では炭素源となるものはないため補償アクセプターとなる C 濃度も非常に低い．10^{15} cm^{-3} 前半の n 型 GaN の製膜に成功しており，また，その GaN 膜の電子移動度が 1470 cm^2/(V·s) とこれまでに報告された GaN 層の最高値であることを示した[4]．

AlN を用いたパワーデバイスについては研究がはじまったばかりであり，解決すべき問題は山積みである．UWBG 半導体では，ドナーやアクセプターの準位が深くなってしまう傾向にあり，ドーピングがうまくできたとしても室温ではほとんどイオン化せず，高抵抗になってしまうという本質的な問題がある．AlN の pn 接合の報告は谷保らによる報告があるが[5]，室温では非常に直列抵抗が大きく，電流がほとんど流れない．この解決策として，分極ドーピングが提案されている．$Al_xGa_{1-x}N$ 混晶において c 軸方向に組成を連続的に変化させると，自発分極ピエゾ分極の効果により見かけの固定電荷を膜中につくることができる．その大きさは変化の大きさ，正負は増減の向きで制御できる．名古屋大学と旭化成の共同研究で，高 Al 組成 AlGaN において，この分極ドーピングを用いた pn 接合の報告がなされている．隈部らは室温においても 3 mΩ cm^2 という非常に小さな直列抵抗で，良好なダイオード特性を示している[6]．AlN 系デバイスのエピタキシャル成長としては MOVPE 法が中心であるが，プラズマ援用分子線エピタキシー（MBE）法などを使った報告もある．

c. Ga_2O_3

Ga_2O_3 はさまざまな結晶構造をとるが，通常の条件で安定な構造は β 型構造となっている．$β-Ga_2O_3$ は融液からのバルク結晶成長が可能であり，n 型伝導のバルク基板が作製可能であることからパワーデバイスの候補となりうる[7]．

Ga_2O_3 の研究の初期では分子線エピタキシー（MBE）法が主に検討されてきた[7]．Ga 源としては金属 Ga エフュージョンセルを用い，酸素源としては，オゾンや，RF プラズマセルで生成した O ラジカルが用いられる．製膜速度は 0.3 μm/h 程度であ

るが，Ga_2O_3 では Al_2O_3 との混晶を作製することが可能であり，$(Al_xGa_{1-x})_2O_3$/Ga_2O_3 変調ドープ構造などの報告もある．MBE 法はこのような構造を作製するのには適した手法といえる．近年では，Ga 源として Ga_2O_3 と Ga をエフュージョンセルにセットすることで Ga_2O の分子線を発生させることで，製膜レートを 1 μm/h まで向上させたとの報告もある[8]．

パワーデバイスのためには，厚いドリフト層を高速で成長させる必要がある．熊谷らは Ga_2O_3 のハライド VPE 技術の開発を進めた[9]．$GaCl$，O_2 を原料とする成長方法で，残留ドーピング密度が 10^{13} cm^{-3} 以下を達成し，また，製膜速度も最大 20 μm/h を実現している．$SiCl_4$ ガスを同時供給することで Si ドーピングが可能であり，10^{15}〜10^{19} cm^{-3} のドーピング制御を達成しており，量産技術として非常に有望である．

MOVPE 法についても近年検討が進められ，HVPE の高品質膜と同等のものが実現されつつある[7]．製膜レートは数 μm/h 程度であるが，MBE 法と同様に混晶の製膜も可能であるという利点がある．

もう一つ，酸化物半導体で注目を集めている製膜方法が Mist-CVD（Mist-chemical vapor deposition）とよばれる方法である．通常の CVD ではガスを原料とするが，Mist-CVD では溶液を原料とする．超音波を使って溶液を霧状にしてキャリアガスで反応炉に導く．装置自体のコストも安く，原料代も有機金属原料などと比べると大幅にコストダウンできるという利点がある．Ga_2O_3 については，Mist-CVD を用いるとサファイア基板上にサファイア結晶と同じコランダム構造の準安定相 α 型 Ga_2O_3 が製膜可能であることが藤田らにより見いだされ[10]，α 型 Ga_2O_3 を用いたパワーデバイスの研究開発が進められている[11]（Mist-CVD は β 型 Ga_2O_3 の製膜も可能である）．

Ga_2O_3 については半絶縁性や n 型伝導の制御は良好であるが，現時点においては明確な p 型伝導の報告はなく，デバイスの開発はユニポーラー型についての開発が進められている．近年，p 型伝導を示す他の酸化物半導体（Ir_2O_3）を用いることで，ヘテロ接合で pn 型接合をつくる試みも行われている[12]．

d. ダイヤモンド

ダイヤモンドは高温高圧で安定な物質であり，C を原料とした通常の製膜ではダイヤモンドではなくグラファイトが形成されるが，メタンと水素を原料としたプラズマ援用化学気相堆積（plasma-assisted CVD）において，特定の条件下ではダイヤモンドが生成される[13]．水素ラジカルが製膜過程で重要な働きをしているといわれ

ており，プラズマとしては，DC，RF，マイクロ波励起プラズマなどが使われている．

ダイヤモンドのバルク結晶は高温高圧合成法で作製可能であるが，高圧容器の関係でサイズは数 mm 角に限定される．立方晶結晶の(001)面上に Ir(001)層を形成したものを基板として大面積ダイヤモンド(001)面のヘテロエピタキシャル成長も可能であり[14]，デバイス実用化に向けて，ホモエピタキシャル，ヘテロエピタキシャル両方の研究が進められている．

ダイヤモンドの p 型ドーピングは B をドーピングすることで可能であり，そのイオン化エネルギーは 0.37 eV と大きいもののある程度のイオン化が期待できる[15]．一方，n 型ドーピングは非常に困難とされていたが，NIMS のグループが P のドーピングによる n 型伝導を実現させた[15]．ただし，そのイオン化エネルギーは 0.6 eV と非常に大きく，室温でのイオン化は難しい．ドーピングを高濃度で行うことで，不純物バンド伝導を利用することも提案されている．

その一方で，ダイヤモンドはその表面終端(例えば水素終端)により高移動度の 2 次元正孔ガスを誘起できることが知られており[13,16]，縦型パワーデバイスではないが，横型の高周波デバイスや横型パワーデバイスなどの可能性が検討されている．また，ダイヤモンドは NV センター(窒素ドナーと炭素空孔の複合欠陥)を用いた量子センサー応用の研究が活発に行われている[17]．

文　献

1) 吉川明彦 監修：『ワイドギャップ半導体』(培風館，2013).
2) 中村　孝，木本恒暢，大谷　昇，松波弘之 編著：『半導体 SiC 技術と応用 第 2 版』(日刊工業新聞社，2011).
3) G. Piao, K. Ikenaga, Y. Yano, H. Tokunaga, A. Mishima, Y. Ban, T. Tabuchi, and K. Matsumoto : J. Crystal Growth, **456** (2016) 137.
4) S. Kaneki, T. Konno, T. Kimura, K. Kanegae, J. Suda, and H. Fujikura : Appl. Phys. Lett., **124** (2024) 012105.
5) Y. Taniyasu, M. Kasu, and T. Makimoto : Nature, **441** (2006) 325.
6) T. Kumabe, A. Yoshikawa, M. Kushimoto, Y. Honda, M. Arai, J. Suda, and H. Amano : Technical Digest IEDM 2023.
7) 東脇正高：応用物理，**90** (2021) 283.
8) K. Azizie, F. V. E. Hensling, C. A. Gorsak, Y. Kim, N. A. Pieczulewski, D. M. Dryden, M. K. I. Senevirathna, S. Coye; S.-L. Shang, J. Steele, P. Vogt, N. A. Parker, Y. A. Birkhölzer, J. P. McCandless, D. Jena, H. G. Xing, Z.-K. Liu, M. D. Williams, A. J. Green, K. Chabak, D. A. Muller, A. T. Neal, S. Mou, M. O. Thompson, H. P. Nair, and D. G. Schlom：APL Materials, **11** (2023) 041102.
9) 熊谷義直，村上　尚，倉又朗人，東脇正高：応用物理，**86** (2017) 107.

10) D. Shinohara and S. Fujita：Jpn. J. Appl. Phys., **47**（2008）7311.
11) 金子健太郎，織田真也，高塚章夫，人羅俊実，藤田静雄：材料，**65**（2016）631.
12) K. Kaneko, Y. Masuda, S. Kan, I. Takahashi, Y. Kato, T. Shinohe, S. Fujita：Appl. Phys. Lett., **118**（2021）102104.
13) M. Kasu：Progress in Crystal Growth and Characterization of Materials, **62**（2016）317.
14) 澤邊厚仁，児玉英之：応用物理，**84**（2015）622.
15) 山崎　聡：応用物理，**83**（2014）912.
16) 川原田洋：応用物理，**67**（2009）128.
17) 水落憲和：応用物理，**87**（2018）251.

4.4　薄膜の光学的性質

　工学的な光の応用分野は，加工，計測，エネルギー変換，情報媒体・伝送・提供など多岐にわたる．光の伝搬方向や強度・波長・偏光状態の制御のために，種々の光学素子・装置が利用されており，その機能発現において薄膜は重要な役割を果たしている．

　薄膜特有の光の干渉現象が顕著なものを，とくに光学薄膜と呼称する．すなわち，使用する光の時間的コヒーレンス長（可干渉長）程度の厚み以下のものが，その対象となる．可干渉長は光源によって異なり，レーザー光においては数十 cm 以上にもなることもあるが，自然光（太陽光，照明光）の可干渉長の値である数 μm までが一般的な光学薄膜の膜厚の目安となる．

4.4.1　可視光波長域と色

　10^{20} に及ぶ電磁波の波長域の中で，X 線からテラヘルツ波域（波長：10^{-11}〜10^{-3} m 程度）までが通常「光」とされている．この中で，波長 400〜780 nm 程度までの領域を可視域（可視光）とよぶ．文字どおり人間がみることのできる範囲の光である．

　太陽光は図 4.20 に示すような分光エネルギー分布をもっており，地表到達の太陽光エネルギーのうちほぼ半分が可視光エネルギーである．人間を含む生物が可視域を中心波長域とする太陽光環境で進化した結果として，現在の可視光域が規定されたことが推定される．

　光学薄膜は，実用化当初から可視域を対象としたものが中心であり，後述の透明導電膜は可視光（場合によっては近赤外も）を透過する導電薄膜のことを指す．短波長領域（X線領域〜紫外光域），長波長領域（赤外〜テラヘルツ領域）での光の利用も産業的・医学的に重要で，波長に応じた制御方法，材料が必要になるが，理論的取り扱いは可視域とほぼ同一である．

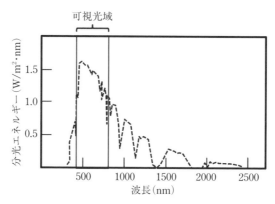

図 4.20 地表面における太陽光の分光エネルギー

可視域には波長幅があり，波長によって色が異なる．人間の視覚範囲は三原色の強度調節による混色でほとんどカバーされるため，撮像，ディスプレイシステムにおいては，R(赤)，G(緑)，B(青)の3色への分離，再現が行われている．知覚強度はエネルギー的な強度と一致せず，緑域(～560 nm)にピークをもつ比視感度をもつ[1]．薄膜を含む画像機器においては，比視感度の高い緑色光を基準にして光学設計がなされることが多い．

4.4.2 界面における光の振る舞い

光を光線として扱う幾何光学，波動として扱う波動光学，粒子(光子)として扱う量子光学が，光学的現象の記述に適時に用いられる．ここでは，幾何光学と波動光学で用いられる定式化を用いて光学薄膜の機能について説明する[2~6]．

媒質の光学的性能を表す光学定数は複素屈折率 $N=n-ik$ である(実部＋虚部で記述されることもある)．実部 n は屈折率として知られ，媒質中の光位相速度比，光学的な密度を表し(真空が=1)，誘電率 ε，透磁率 μ とは，$n=1/\sqrt{\varepsilon\mu}$ の関係にある．k は消衰係数である．媒質による光の吸収を表し，透明膜では～0となる．以下の定式化では k～0 の透明膜を考えるが，導出式で $n \to N$ と置き換えることで吸収膜の場合($k\neq 0$)への適用も可能となる．

薄膜の光学的機能の評価にあたって重要なものは，薄膜の両界面である異媒質との境界面で起こる現象である．図 4.21 に示すような媒質1(屈折率 n_1)と媒質2(屈折率 n_2)での界面での入射角 θ_1，反射角 θ_1'，屈折角 θ_2 の間の関係は，電磁気学の基本法則であるマクスウェルの式から導かれる電磁場に関する連続条件によって決

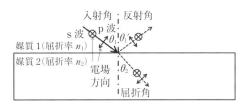

図 4.21 媒質界面での光の反射と屈折

定される．すなわち，

　　反射公式：　　$\theta_1 = \theta_1'$

および

　　スネルの公式：　　$n_1 \sin\theta_1 = n_2 \sin\theta_2$

である．両式は，光は媒質界面で正反射(鏡面反射)し，屈折率差が大きいほど大きな角度で屈曲するという基本現象を表しており，進行平面波の波面一致の条件からも導き出される．

光は，進行方向に直交する面内に電磁場成分をもつ．光の進行方向と同一面(図4.21の紙面)内の電場成分を s 波(成分)，それに垂直な成分を p 波(成分)とよぶ．媒質界面での光の振幅反射率および透過率は，同じく界面での電磁場連続条件から計算され，p 波の振幅反射率 r_p と振幅透過率 t_p はそれぞれ

$$r_p = \frac{n_1\cos\theta_2 - n_2\cos\theta_1}{n_1\cos\theta_2 + n_2\cos\theta_1} \qquad t_p = \frac{2n_1\cos\theta_1}{n_1\cos\theta_2 + n_2\cos\theta_1} \qquad (4.15)$$

s 波の振幅反射率 r_s と振幅透過率 t_s はそれぞれ

$$r_s = \frac{n_1\cos\theta_1 - n_2\cos\theta_2}{n_1\cos\theta_1 + n_2\cos\theta_2} \qquad t_s = \frac{2n_1\cos\theta_1}{n_1\cos\theta_1 + n_2\cos\theta_2} \qquad (4.16)$$

となる．これらの式をフレネルの公式といい，振幅反射率と振幅透過率をフレネル係数とよぶ．エネルギー反射率と透過率は，振幅反射と振幅透過を使ってそれぞれ

$$\begin{aligned} R_p = |r_p|^2, \quad T_p = 1 - R_p \\ R_s = |r_s|^2, \quad T_s = 1 - R_s \end{aligned} \qquad (4.17)$$

で計算される．

例として，空気($n_1 = 1$)からガラス($n_2 = 1.5$)への光入射のエネルギー反射率と入射角の関係を図示すると，図4.22のようになる．p 波の反射率が0となる入射角をブリュースター角といい，その条件は $\tan\theta_1 = n_2/n_1$ で与えられる．上記のガラスの場合は約56°となる．

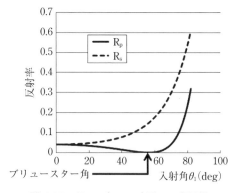

図 4.22 ガラス($n_2=1.5$)面での光反射

$n_1<n_2$の場合,s波については全入射角度域で,p波についてはブリュースター角以下の入射角で振幅透過率が負値をとる.これは界面での反射において位相の反転が起こっていることに対応し,薄膜での干渉効果の際に考慮すべきポイントとなる.垂直入射の場合にはs波とp波の区別はなくなり,エネルギー反射率は$R=((n_2-n_1)/(n_2+n_1))^2$というよく知られた形となる.

4.4.3 単層薄膜による光の反射・透過

基板上の薄膜に光が入射した場合は,界面での反射と屈折に加えて薄膜内進行に伴う位相変化を考える必要がある.図4.23において,界面1での振幅反射率をr_1とおけば,合計の反射率rはr_1を初項とする無限等比級数の和となる.その比例項は界面1での(入射媒質から薄膜への)透過率t_1×界面2での反射率r_2×界面1での(薄膜から入射媒質への)透過率t_1に,薄膜通過に伴う位相遅れ項$e^{-i\delta}$を乗じたものとなる.ここで,位相遅れδは,薄膜の膜厚dと薄膜の屈折率n_1,光の真空中の波長λを用いて$\delta=(4\pi n_1 d/\cos\theta_1)/\lambda$で与えられる.基板上単層薄膜の振幅反

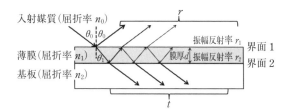

図 4.23 単層薄膜での光の反射・透過

射率 r と振幅透過率 t はそれぞれ

$$r=\frac{r_1+r_2e^{-i\delta}}{1+r_1r_2e^{-i\delta}} \qquad t=\frac{t_1t_2e^{-i\delta/2}}{1+r_1r_2e^{-i\delta}} \qquad (4.18)$$

となる.垂直入射の場合のエネルギー反射率 R,およびエネルギー透過率 T は

$$R=\frac{(n_0^2+n_1^2)(n_1^2+n_2^2)-4n_0n_1^2n_2+(n_0^2-n_1^2)(n_1^2-n_2^2)\cos\delta}{(n_0^2+n_1^2)(n_1^2+n_2^2)+4n_0n_1^2n_2+(n_0^2-n_1^2)(n_1^2-n_2^2)\cos\delta} \quad (4.19)$$

$$T=\frac{8n_0n_1^2n_2}{(n_0^2+n_1^2)(n_1^2+n_2^2)+4n_0n_1^2n_2+(n_0^2-n_1^2)(n_1^2-n_2^2)\cos\delta} \quad (4.20)$$

と書き下せる.これらの式は,n_0 と n_2 について対称であり,薄膜光学系においては光の入射方向によって特性が変わらないことを示している.

薄膜の光の反射率・透過率は,その膜厚に対して周期的に変動する.図 4.24 に,ガラス($n=1.5$)基板上薄膜の膜厚変化時の反射率を示す.反射率が極大・極小となる条件は

$$\delta=\frac{4\pi n_1 d}{\lambda}=m\pi \quad (m\text{ は整数}) \qquad (4.21)$$

である.光学膜厚($n_1 d$)が $\lambda/4$ の倍数になるごとに極大・極小が現れる.

4.4.4 多層膜への展開

異なった材料の薄膜が複数積層された系での光の反射・透過は,基本的には上記の計算の拡張である[5,6].基板上単層薄膜の最上界面を単一界面とみなして,順次光入射面にむけて界面を付け足していく有効フレネル係数を用いる方法(図 4.25)

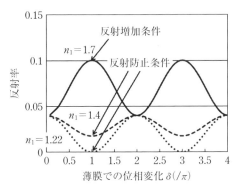

図 4.24 薄膜内位相差(膜厚)に対するエネルギー反射率の変化

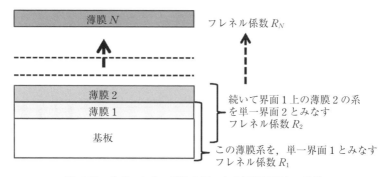

図 4.25 有効フレネル係数を用いた多層膜反射率の計算

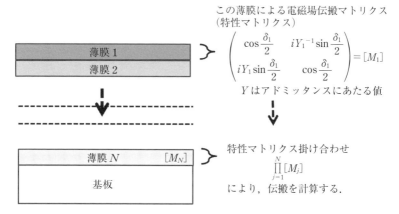

図 4.26 特性マトリクス法を用いた多層膜反射率の計算

や，光入射方向から複数膜を単一膜とみなして行列計算を実施する特性マトリクス法(図 4.26)などが実用的な計算法として使われている．また，光学薄膜からの反射を直観的に把握するには，界面からの多重反射寄与を考えず各界面での振幅ベクトルを足し合わせるベクトル法も有効である[4]．

4.4.5 膜厚の光学的測定

薄膜の光学的性質は，膜厚計測にも活用される．代表例がエリプソメトリー(楕円偏光解析)[3,4]で，薄膜系への斜入射の光の反射光の偏光状態変化を計測することにより，s 波成分と p 波成分の反射率の振幅比 $\tan\Psi$ と位相差 Δ から薄膜の厚み d および屈折率 n(または N)を算出する．$\tan\Psi$ と Δ は d および n の関数であり，適

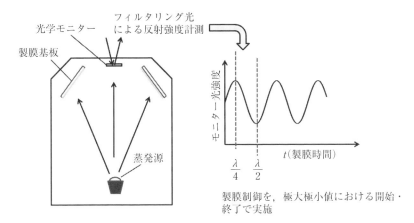

図 4.27 製膜工程における膜厚モニタリングの例

切な初期値からのフィッティング計算が通常行われる．

実際の真空製膜生産工程において，製膜対象と膜厚形成速度の等価な位置に置かれた光学モニター（ガラス基板）上へ形成される膜厚を反射光強度から算出することにより，膜厚および製膜速度をモニタリングすることも行われている（図 4.27）．

また，波長に対して振動する薄膜の分光反射率・透過率から膜厚を簡易に求めることもできる．反射率あるいは透過率が極大・極小値をとる波長 λ_M の逆数を干渉次数に対してプロットし，プロットした点を結ぶ直線を $1/\lambda \to 0$ へ外挿した点を干渉次数ゼロとして各極大・極小点の干渉次数 m を決定し，式(4.21)から光学膜厚を求める[4]．

4.4.6 光学薄膜の応用

薄膜の光学的性質の代表的な製品応用例として，適切な材料・膜厚の薄膜によって光反射を低減する反射防止膜がある．一般的な反射防止薄膜である MgF_2 薄膜を波長 560 nm の 1/4 にあたる光学膜厚（～101 nm）だけガラス（$n_2 = 1.5$）基板上に単層形成した場合の分光反射率を図 4.28 に示す．設計波長 560 nm で反射率の最小値

$$R = \frac{(n_1^2 - n_0 n_2)^2}{(n_1^2 + n_0 n_2)^2} \sim 1.34\% \tag{4.22}$$

をとるが，反射を 0 とするためには，上式で $R=0$ となるときの膜屈折率 $n_1 \sim 1.22$ の材料が必要となる．

より高機能な反射防止のためには，複数材料の薄膜を順次形成した誘電体多層膜

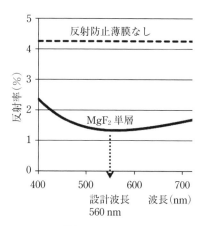

図 4.28 ガラス基板上 MgF₂ 薄膜の反射防止効果

が用いられる．薄膜の多層化においては $\lambda/4$ の光学膜厚をもつ層を1ユニットとみなした設計で積層がなされることが多い．適切な多層膜を形成することにより，設計波長における最小反射率を小さくするとともに，反射率抑制できる波長の広帯域化を図ることができる（図 4.29）．

　光学多層膜は，適切な分光反射・透過スペクトルを設計することによって，光の波長選択機能をもたせることができる．製品例の一つであるダイクロイックミラーでは，光学多層膜を適切に形成して，干渉効果によって，特定の波長域の光のみを反射させる．3板(LCD)タイプのプロジェクターに用いられるダイクロイックミラーによる色分解光学系の例を図 4.30 に示す．薄膜での干渉分光を用いることにより，吸収型の色フィルター使用時に比較して光の効率的な利用と発熱の抑制が実

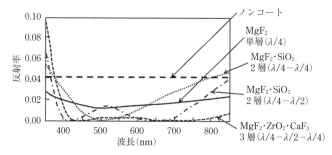

図 4.29 ガラス基板上多層反射防止膜の分光反射スペクトル

〔吉田貞史，矢嶋弘義：『薄膜・光デバイス』（東京大学出版会，1994）p. 147 より〕

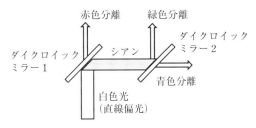

図 4.30 多層膜ダイクロイックミラーによる色分解の例

現できる.

4.4.7 吸収膜

$k \neq 0$ である吸収膜は，光吸収や反射性能を利用するフィルターやミラーとして活用される．

屈折率 n_2 の基板上の吸収薄膜からのエネルギー反射率は，透明膜の屈折率 n を複素屈折率 $N = n_1 - ik$ に置き換えた形で与えられ，垂直入射の場合には

$$R = \frac{(n_2 - n_1)^2 + k^2}{(n_2 + n_1)^2 + k^2} \quad (4.23)$$

となる．ミラーとして代表的な Al 膜は可視域（～550 nm）で $n \sim 0.6$，$k \sim 6.0$ であるので反射率は約 94％．Ag 膜は，$n \sim 0.055$，$k \sim 3.3$ であるので反射率は約 98％ である．

化学機械研磨（chemical mechanical polishing：CMP），薄膜気相成長，エッチングなどの半導体プロセスでは，電極などの光吸収膜が形成または除去される際の光反射・透過をモニタリングして，製造工程を管理することが行われる[7]．

4.4.8 透明導電膜

可視光を透過しつつ導電率を有する薄膜のことを透明導電膜とよぶ．可視光透過率 80％以上，比抵抗 $10^{-3}\,\Omega\cdot cm$ 以下がその目安である．薄膜材料としてはワイドギャップ酸化物をドーピングにより縮退半導体としたものが用いられる．具体的には，ITO（indium tin oxide），SnO_2：F，ZnO（Al，Ga をドーピングする場合あり）などがある．ここでは，導電率，透過率，膜安定性の総合性能から最も多用されているITO を例に，一見両立困難な導電性と透明性両立のメカニズムを定性的に述べる[8]．

ITO は，bixbyte 構造の In_2O_3 結晶に Sn（数％原子数）がドープされた材料である．

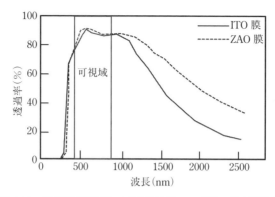

図 4.31 透明導電膜 ITO，ZAO（Al 添加 ZnO）膜の分光透過率

In_2O_3 はバンドギャップ 3.75 eV の透明材料であり，このままの材料での膜形成では高抵抗膜となる．In のサイトの一部を Sn で置換すると，酸素空孔起因以外のキャリア電子が供給されて導電膜となる．ドーパントである Sn からのキャリア電子は異方性のない s 軌道で伝導バンドを形成するため，多結晶薄膜でも導電性が保たれる（ほかの透明導電膜も基本的には s 軌道が伝導バンドを形成する）．Sn ドーピング量が一定値を超えると縮退半導体となる．キャリア電子数が増加しても透明性を保つためには，反射の生じる波長帯を可視域外にもっていく必要がある．キャリア電子を自由電子とみなすドルーデ（Drude）モデルの式から導出されるプラズマ振動数を可視域よりも低周波数化することで，これは実現される．透明導電膜は赤外域において高い反射率を示し，透過率が減少するのはこのためである．図 4.31 に，ITO 膜および，ZAO 膜（Al 添加 ZnO 膜）の分光透過率例を示す[9]．

実用的な透明導電膜を実現するためには，膜質制御を適切に行える製膜プロセスの確立および製膜条件の制御が重要となる．ITO 製膜においても，真空蒸着やスパッタリング，湿式製膜法など，それぞれ特徴をもった製膜法の実績がある．膜へのダメージを低減した低電圧スパッタリング法の開発[10]などが，透明性を保持したうえでの導電性向上や安定性向上に寄与してきた．

4.4.9 現実の薄膜

実際に製膜された現実の薄膜の光学的性質は，平行界面の均質膜を仮定した理想的薄膜系での計算予測と異なってくる場合がある．現実の薄膜においては，材料の膜厚方向での不均質，膜中の空孔，表面の凹凸構造などが影響因子となる．

屈折率がそれぞれ，n_a，n_b の二つの媒質の表面の間に線形に傾斜的な屈折率変化が存在する場合は，$\beta = 2(n_a - n_b)/(n_a + n_b)$ を媒質の均一性を示すパラメーター値として，計測された光学特性から膜の不均質のレベルを評価することができる[11]．

また，膜中に空孔を含むポーラスな膜構造，あるいは，表面に凹凸のある構造をもつ膜の場合，空孔や凹凸のサイズが光の波長レベル以下になると，膜や界面を実効屈折率 n_{eff} をもつ均一な物質であるとみなして光の振る舞いを計算することが一般的である．薄膜媒質1(誘電率 ε_1)中に球状の媒質2(誘電率 ε_2，空孔の場合は1)が体積分率 f で分散している場合は，近似的にマクスウェル-ガーネット(Maxwell-Garnett)の式

$$\varepsilon_{\mathrm{eff}}(=n_{\mathrm{eff}}^2) = \varepsilon_1 + f \frac{3\varepsilon_1(\varepsilon_2 - \varepsilon_1)}{2\varepsilon_1 + \varepsilon_2 - f(\varepsilon_2 - \varepsilon_1)} \tag{4.24}$$

によって実効屈折率が与えられる[12]．実用的には，さらに簡便な

$$n_{\mathrm{eff}} = f n_2 + (1-f) n_1 \tag{4.25}$$

で概算の屈折率値を見積もることもできる．

4.4.10 微細構造による光学機能発現

回折光学素子(diffractive optical element：DOE)よりも構造単位の小さなサブ波長レベルの微細構造を意図的に制御作製することで，所望の光学特性の薄膜と同等の性能を得ることも可能である．具体的には，膜中空孔のサイズ・充塡率を制御したり，表面凹凸膜をナノインプリントなどの微細構造形成技術を用いて作製することで実現される[13]．例えば，図4.32左のサブ波長サイズの1次元柱状(櫛状)構造におけるp偏光，s偏光に対する実効屈折率は近似的に

$$n_\mathrm{p} = \sqrt{f n_1^2 + (1-f) n_2^2} \tag{4.26}$$

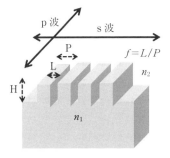
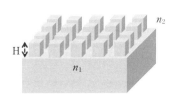

図 4.32 微細構造(1次元，2次元)の導入による光学機能の発現

$$\frac{1}{n_s} = \sqrt{\frac{f}{n_1^2} + \frac{1-f}{n_2^2}} \tag{4.27}$$

と計算される．適切な充塡率の一元構造を作製することにより，p/s偏光屈折率を制御した構造性複屈折を利用した位相差板(retarder)の形成が可能である．また，溝構造を2次元に拡張したドット構造(図4.32右)を形成することで，等方性(有効屈折率 $n_{\text{eff}} = n_p = n_s$)の均質膜と同等の膜が実現でき，例えば優れた反射防止機能をもたせることができる．こうした表面微細構造はモスアイ構造ともよばれ，空孔を膜内に取り込んだ構造のナノ粒子薄膜等とともに製品応用されている．

微細構造形成技術のレベルアップを背景に，サブ波長サイズの膜面方向2次元構造(表面層のメタマテリアル構造として，メタサーフェスともよばれている)をもつ光機能制御デバイスの研究開発も活発である．TiO_2, Si_3N_4 といった高屈折率の薄膜材料を，サブ波長サイズパターンで形成することで，光屈折の位置的制御が可能な，薄膜レンズデバイス(メタレンズ)が実現される[14]．カメラシステムへの適用として，フルカラー撮像[15]，大口径化[16]，ワイドレンジのパンフォーカス[17] などの機能拡張が進展している．

文　献

1) 佐川　賢：光学，**13**(1984)262.
2) 砂川重信：『電磁気学』(岩波書店，1984).
3) 金原　粲，藤原英夫：『薄膜』(裳華房，1979).
4) 吉田貞史，矢嶋弘義：『薄膜・光デバイス』(東京大学出版会，1994).
5) 石黒浩三，池田英生，横田英嗣：『光学薄膜』(共立出版，1986).
6) H. A. Macleod : "Thin Film Optical Filters" (McGraw-Hill, 1989).
7) 潮嘉次郎：『CMP技術大系』(精密工学会プラナリゼーションCMPとその応用技術専門委員会 編)，第4篇(グローバルネット，2006).
8) 尾山卓司：表面技術，**60**(2009)616.
9) 山本哲也，宋華平，牧野久雄，山本直樹：映像情報メディア学会誌，**66** (2012) 555.
10) S. Ishibashi, Y. Higuchi, Y. Ohta, and K. Nakamura : J. Vac. Sci. Technol.A, **8** (1990) 1403.
11) J. P. Borgogno, B. Lazarides, and E. Pelletier : Appl. Opt., **21** (1982) 4020.
12) J. C. Maxwell Garnett : Philosophical Trans. Royal. Soc., **203** (1904) 385.
13) 今榮真紀子，宮越博史，増田　修，古田和三：KONICA MINOLTA TECHNOLOGY REPORT, **3** (2006) 62.
14) A. Arbabi, E. Arbabi, S. M. Kamali, Y. Horie, S. Han, and A. Faraon : Nature Commun., **7** (2016) 13682.
15) E. Tseng, S. Colburn, J. Whitehead, L. Huang, S-H. Baek, A. Majumdar, and F. Heide：Nature Commun., **12** (2021) 6493.
16) L. Zhang, S. Chang, X. Chen, Y. Ding, M. T. Rahman, Y. Duan, M. Stephen, and X. Ni：Nano Lett., **23** (2023) 51.
17) Q. Fan, W. Xu, X. Hu, W. Zhu, T. Yue, C. Zhang, F. Yan, L. Chen, H. J. Lezec, Y. Lu, A. Agrawal, and T. Xu：Nature Commun., **13** (2022) 2130.

4.5 誘電体薄膜

誘電体薄膜(dielectric thin film)は電子デバイスにおける絶縁材料,光デバイスの屈折材料として用いられ,半導体や金属との組合せによりさまざまな機能性を創出する重要な薄膜である.さらに,誘電体薄膜の積層構造や強誘電体薄膜のように,誘電体薄膜自身の機能性を利用した電子デバイスも実用化されている.

本節では,集積回路および電子デバイスに用いられる主要な誘電体薄膜と電気特性について概説する.とくに,誘電体薄膜の電子デバイス応用上重要となる特性として,誘電率,分極,漏れ電流,絶縁耐圧,信頼性について述べる[1].

4.5.1 集積回路に用いられる誘電体薄膜

現在の集積回路は半導体であるSi基板(ウェハー)上に形成されている.図4.33に,相補型トランジスターを用いた集積回路と集積回路を構成する基本デバイスであるMOSFET(metal-oxide-semiconductor field-effect transistor)の断面模式図を示す[2].現在では,直径300 mmのSiウェハー上に,およそ10 mm角のチップが全面に形成され,大きさ数十nmのMOSFETが1チップ上に数百億個集積化されている.このような多数のMOSFETを金属配線により相互に接続する必要があるため,集積回路はSiだけでなく金属薄膜や誘電体薄膜などのさまざまな薄膜を,それぞれの特徴を活かして集積化することにより構成されており,薄膜を集積化することにより形成された製品としての,典型的な応用例ということができる.中でも

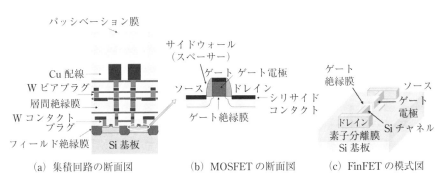

図 4.33 集積回路とMOSFETの模式図

誘電体薄膜は，Si基板を熱酸化することにより形成したSiO₂膜，化学気相堆積(CVD)法により形成したSiO₂膜やSiN膜などが，後述するような誘電体薄膜の特性を利用して，まさに適材適所でデバイス，回路の主要箇所に用いられている．以下に集積回路に用いられている主な誘電体薄膜について述べる．

図4.33(a)に集積回路の断面模式図を示す．フィールド絶縁膜はそれぞれのMOSFETを電気的に分離(isolation)するための絶縁膜であり，素子分離膜ともよばれる．LOCOS(local oxidation of Si)やSTI(shallow trench isolation)などのプロセスにより形成される．前述したように，多くのMOSFETを金属配線により接続する必要があるため，現在では15層以上の配線層が積層されている．各層には配線間を絶縁するために層間絶縁膜が形成される．

図4.33(b)にMOSFETの断面模式図を示す．MOSFETの基本動作は，ゲート電極の制御信号によりソース／ドレイン間に電流が流れるか流れないかを制御するものである．このため，MOSFETのゲート電極下部には，ソース／ドレイン間の電流を制御するためのゲート絶縁膜が形成されており，主にSi基板の熱酸化により形成したSiO₂や，窒素を添加したSiON膜が用いられる．また近年のMOSFETには，SiO₂よりも高い誘電率を有するHfO₂などの高誘電率薄膜がゲート絶縁膜に用いられている．MOSFETの微細化により，ゲート絶縁膜はナノメートルオーダーに極薄膜化されており，集積回路の中で最も薄い薄膜である．ゲート電極の側壁部には，ソース／ドレイン電極との絶縁をとるためのサイドウォール(スペーサー)が形成される．ゲート電極形成後にCVD法によりSiO₂を堆積し，エッチバックすることにより形成している．ここでは従来のプレーナー型MOSFETに関して説明したが，最先端の集積回路には図4.33(c)に示すFinFET(Finは魚のひれの意味)とよばれる3次元構造のMOSFETが導入され，短チャネル効果を抑制しながら微細化が進められている．

ここで誘電体薄膜の応用例として挙げた，集積回路に用いられる代表的な誘電体薄膜の利用例において，誘電体の主要な物性値である誘電率の違いが材料選択の基準の一つとなっている．次に誘電率と分極について述べる．

4.5.2 誘電率と分極

誘電体は高抵抗の絶縁体であり，金属などの導体と異なり誘電体中には自由に動く電荷は存在しない．このため，誘電体に電場を印加しても直流電流は流れず，誘電体内の正電荷と負電荷は互いに逆方向に変位し，電気双極子を形成する．これを

4.5 誘電体薄膜

分極現象(polarization)という．平行平板コンデンサー(キャパシター)に電場を印加した場合について考える．

図4.34(a)のように，真空中に置かれた平行平板の電極間に電圧Vを印加すると，それぞれの電極(金属)表面には面密度Q_Sの正と負の電荷が一様に発生し，平行平板の間隔をdとすれば，電極間には$E=V/d$の電場が生じる．一方，図4.34(b)のように電極間に誘電体を入れた場合，分極現象により誘電体表面に電極と逆符号の分極電荷Pが発生する．したがって電極表面の電荷密度はQ_S+Pに増加する．ただし，電極間の電圧はVで一定であり，電極間すなわち誘電体にかかる電場も変わらないとする．この平行平板電極をキャパシターとして考えると電荷Q＝容量C×電圧Vの関係より，電極面積をSとすると，図4.34(a)，4.34(b)の場合にそれぞれ式(4.28)で表せる．

$$Q_S S = C_0 V, \quad (Q_S+P)S = CV \tag{4.28}$$

ただし，C_0，Cは真空の場合と誘電体を挿入した場合のキャパシターの容量である．式(4.28)の両辺の比をとると式(4.29)と表せる．

$$\frac{Q_S+P}{Q_S} = \frac{C}{C_0} = \varepsilon_r \tag{4.29}$$

ここでε_rは電極間が真空の場合と誘電体がある場合において電極表面に誘導される電荷密度の比を表し，比誘電率(relative dielectric constant)とよぶ．比誘電率をkと表すこともある．ガウスの定理により電場Eは$E=Q_S/\varepsilon_0$と表せるので，分極Pは式(4.30)と表せる．

$$P = \varepsilon_0(\varepsilon_r-1)E \tag{4.30}$$

ここでε_0は真空の誘電率(定数)であり$\varepsilon_0=8.854\times10^{-12}$(F/m)である．また，$\varepsilon_r-1$を電気感受率とよぶ．$\varepsilon=\varepsilon_0\varepsilon_r$を誘電率(dielectric constant もしくは permittivity)とよび，電束密度Dは$D=\varepsilon E$で定義される．式(4.30)は，巨視的な量である

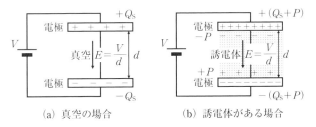

(a) 真空の場合　　(b) 誘電体がある場合

図 4.34　誘電体の有無による平行平板キャパシターの電荷密度の比較

誘電率 ε と誘電体中の原子，分子の微視的挙動に起因する分極量 P を結びつける関係式であり，分極量により誘電率が定まることがわかる．

図 4.34(b) の誘電体を入れた平行平板キャパシターでは $(Q_S+P)S=\varepsilon_0\varepsilon_r ES=CV$ であるから式 (4.31) となる．

$$C=\frac{\varepsilon_0\varepsilon_r E}{V}S=\frac{\varepsilon}{d}S \tag{4.31}$$

式 (4.31) より，キャパシターの容量 C は誘電率 ε に比例する．したがって，膜厚 d と面積 S が一定の場合，容量 C を大きくするためには誘電率 ε が高い材料を用い，C を小さくするためには ε の低い材料を用いることが必要となる．以下に高誘電率材料と低誘電率材料の代表的な利用例について述べる．

a. 高誘電率ゲート絶縁膜

4.5.1 項で述べた MOSFET のゲート絶縁膜材料には，Si の熱酸化により形成した SiO_2 膜が用いられる．SiO_2 の比誘電率は 3.9 である．MOSFET の微細化が進み，電流駆動力を向上するためにゲート絶縁膜容量を大きくすることが重要である．このため，現在では 2 nm 以下まで極薄膜化が進んでいる．このような極薄膜においては後述するように，漏れ電流が流れてしまい絶縁性を保つことが困難となる．したがって，誘電率が SiO_2 よりも高い材料である高誘電率材料をゲート絶縁膜に用い，漏れ電流を抑制しながらゲート絶縁膜を薄膜化することが必要となる．高誘電率材料のことを high-k 材料ともよぶ．表 4.6 にゲート絶縁膜への適用が検討された高誘電率材料の例を示す[2]．比誘電率のほかに禁制帯幅や Si 上における安定性についても示してある．Al_2O_3 や希土類酸化物など多くの高誘電率材料が検討

表 4.6　高誘電率ゲート絶縁膜材料

材料	SiO_2	Al_2O_3	La_2O_3	Pr_2O_3	Gd_2O_3	HfO_2	ZrO_2
Si 上での安定性 (kJ/mol) $Si+MO_x\rightarrow M+SiO_2$	安定	+63.4	+98.5	+105.8	+101.5	+47.6	+42.3
禁制帯幅 (eV)	9	6〜8	5.4	3.9	5.4	5.7	5.2〜7.8
構造	アモルファス	アモルファス	アモルファス	結晶化 $T>700℃$	結晶化 $T>400℃$	結晶化 $T>700℃$	結晶化 $T>400〜800℃$
κ (比誘電率)	3.9	8.5〜10	27	13	17	24	11〜18.5

されてきていることがわかる．表4.6に示す材料のほかにDRAM(dynamic random access memory)のキャパシター用材料であるTa_2O_5なども検討されたが，ゲート絶縁膜材料としてはアモルファス（非晶質）であることが望ましく，高温熱処理における耐熱性などの観点から，近年ではHfO_2薄膜がゲート絶縁膜に用いられている．ここで，高誘電率材料をゲート絶縁膜に用いた場合のMOSFETに与える効果を考えてみよう．式(4.31)において面積Sが一定であるとすると，ε_rがSiO_2の5倍の高誘電率材料を用いれば，物理的膜厚dが同じであっても，ゲート絶縁膜容量は5倍となる．つまり，EOT(SiO_2換算膜厚，equivalent oxide thickness)は1/5に薄膜化できる．この場合，理想的にはMOSFETの電流駆動力を5倍にすることができる．

b. 低誘電率層間絶縁膜

配線層に形成される層間絶縁膜にもSiO_2が用いられる．層間絶縁膜は主にCVD法や塗布法(spin on)などの堆積法により形成する．MOSFETの微細化，高集積化に伴い，配線層も多層化，高密度化してきている．このため，配線抵抗(R)と配線間容量(C)のCR時定数に起因する配線遅延が，集積回路の動作速度を律速するほど顕著となってきている．配線間容量を低減するために，誘電率がSiO_2よりも低い材料である低誘電率材料を層間絶縁膜に用いる必要がある．低誘電率材料のことをlow-k材料ともよぶ．表4.7に層間絶縁膜への適用が検討されている低誘電率材料の例を示す[2]．従来用いられてきたSiO_2に，FやCを添加することにより分極を低減しているフッ化シリケートガラス(fluorinated silicate glass：FSG)やメチルシルセスキオキサン(methylsilsesquioxane：MSQ)などと，もともとの誘電率が低い有機系のベンゾシクロブテン(benzocyclobutene：BCB)などが検討されている．さらに，薄膜を多孔質（ポーラス）化して低誘電率化しているポーラスMSQ(porus MSQ)やポーラスシリカ(xerogel)などの例もある．配線層の強度や信頼性を保ちながら低誘電率化する必要がある．

4.5.3 分極の機構と誘電率の周波数依存性

これまで誘電体薄膜の誘電率が分極により定まることを述べてきた．ここでは分極の機構について述べる．材料の全分極量は，以下に述べるそれぞれの機構により生じる分極量の和として表すことができる．

a. 電子分極(electronic polarization)
電場を印加することにより，電子雲が原子核に対して相対的に変位して生じる分

表 4.7 低誘電率層間絶縁膜材料

低誘電率材料	二酸化ケイ素	フッ化シリケートガラス	ポリイミド	HSQ	DLC	パリレン N	BCB	フッ化ポリイミド	MSQ
化学式	SiO_2	$(SiO_2)_x-$ $(SiO_3F_2)_{1-x}$	(1)	$SiO_{1.5}H_{0.5}$	C	$[CH_2\text{-}\bigcirc\text{-}CH_2]_n$	(2)	(3)	$SiO_{1.5}(CH_3)_{0.5}$
κ	3.9~4.5	3.2~4.0	3.1~3.4	2.9~3.2	2.7~3.4	2.7	2.6~2.7	2.5~2.9	2.6~2.8
形成方法	PECVD	PECVD	塗布法	塗布法	PECVD	CVD	塗布法	塗布法	塗布法
低誘電率材料	熱硬化性芳香族	パリレン F	テフロン AF	メソポーラスシリカ	ポーラス HSQ	ポーラスエアロゲル	ポーラス PTFE	ポーラス MSQ	ポーラスシリカ (xerogel)
化学式		$[CF_2\text{-}\bigcirc\text{-}CF_2]_n$	$(CF_2CF_2)_n$	SiO_2	$SiO_{1.5}H_{0.5}$	SiO_2	$(CF_2CF_2)_n$	$SiO_{1.5}(CH_3)_{0.5}$	SiO_2
κ	2.6~2.8	2.4~2.5	2.1	2.0	2.0	1.8~2.2	1.8~2.2	1.7~2.2	1.1~2.2
形成方法	塗布法	CVD	塗布法	塗布法	塗布法	塗布法	塗布法	塗布法	塗布法

HSQ：水素シルセスキオキサン
DLC：ダイアモンド状炭素
BCB：ベンゾシクロブテン
MSQ：メチルシルセスキオキサン
PTFE：ポリテトラフルオロエチレン

極である．電場 E_i により生じた双極子モーメントを μ とすると，$\mu=\alpha E_i$ と表せ，α を分極率という．ここで，電場 E_i は双極子により生じた内部電場 E' と式(4.30)で示した印加電場 E の和である．電子分極だけが生じる物質のことを無極性物質とよぶ．この場合の1原子あたりの帯電率を電子分極率 α_e という．表4.7に示した低誘電率材料の中の FSG $((SiO_2)_x(SiO_3F_2)_{1-x})$ は Si-F 結合が SiO_2 中に生成されることにより，SiO_2 中の価電子帯の状態密度が減少して電子分極率 α_e が減少するために低誘電率化するといわれている．

b. イオン分極(ionic polarization)

正負のイオンのクーロン力で結晶を構成しているイオン結晶などにおいて，電場を印加することにより，正負のイオンが互いに反対方向に変位して生じる分極であり，原子分極ともいう．イオン分極に対しても，イオン分極率 α_{ion} を定義できる．NaCl や表4.6で示した高誘電率材料である金属酸化物などはイオン分極が大きい材料である．

c. 配向分極(orientational polarization)

電子分布が偏った構造を有する分子は永久双極子モーメントをもつ．この分子に電場を印加することにより，電場方向に配向するために生じる分極であり，双極子分極ともいう．配向分極に対しても，配向分極率 α_p が定義できる．水分子や高分子誘電体が配向分極をもつ．

物質の分極が特定の方向に配向性をもたない場合，分極率 $\alpha=\alpha_e+\alpha_{ion}$ と誘電率 ε の間には式(4.32)のクラウジウス-モソッティ(Clausius-Mossotti)の関係式が成り立つ[3]．

$$\frac{\varepsilon-1}{\varepsilon+2}=\frac{N_A\rho\alpha}{3\varepsilon_0 M_w} \qquad (4.32)$$

ここで N_A はアボガドロ数，M_w は分子量，ρ は密度である．式(4.32)は，微視的な性質である分極と巨視的な性質を表す誘電率とを関係づけるものである．

d. 界面分極(interfacial polarization)

異種物質界面に電荷が蓄積し，電気二重層が形成されることにより生じる分極である．これまで誘電体薄膜には電流が流れないという仮定のもとに説明をしてきたが，二つの誘電体の界面に生じる界面分極は，二つの誘電体間で電流の流れやすさが異なることで界面に電荷が蓄積されることに起因する．ここで界面分極について，図4.35のように，2層の誘電体薄膜1および誘電体薄膜2の積層構造に電圧 V を印加した場合を考えてみる．それぞれの厚さを d_1, d_2，誘電率を $\varepsilon_1, \varepsilon_2$，導電率

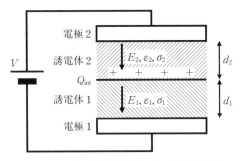

図 4.35　2層の誘電体薄膜における界面分極

を σ_1, σ_2 とする．電極間に電圧を印加した直後では導電率の違いにより誘電体1を通して流れる電流と誘電体2を流れる電流は異なる．そのため界面に電荷が蓄積されはじめる．この界面の蓄積電荷によりそれぞれの誘電体中の電場が変化し，やがて両誘電体中を流れる電流が等しくなる．

各誘電体にかかる電場を E_1, E_2 とすれば，誘電体中を流れる電流はそれぞれ $\sigma_1 E_1$, $\sigma_2 E_2$ で表せるので $\sigma_1 E_1 = \sigma_2 E_2$ となる．また，各誘電体に加わる電圧は電場と厚さの積であるから，$E_1 d_1 + E_2 d_2 = V$ と表せる．これから E_1, E_2 を求めガウスの定理 $E_1 = Q_1/(\varepsilon_1 S)$, $E_2 = Q_2/(\varepsilon_2 S)$ を適用すると，界面に蓄積される電荷 Q_{int} は電極1の電荷 Q_1 と電極2の電荷 Q_2 の差であるから，式(4.33)で表せる．

$$Q_{\text{int}} = Q_2 - Q_1 = \frac{\sigma_1 \varepsilon_2 - \sigma_2 \varepsilon_1}{\sigma_1 d_2 + \sigma_2 d_1} VS \tag{4.33}$$

ここで S は電極面積である．この場合の分極 P_{int} は，電荷 Q_{int} が誘電体1の厚み分だけ変化したものと考えることができるので式(4.34)となる．

$$P_{\text{int}} = \frac{d_1 Q_{\text{int}}}{S(d_1 + d_2)} = \frac{d_1}{d_1 + d_2} \frac{\sigma_1 \varepsilon_2 - \sigma_2 \varepsilon_1}{\sigma_1 d_2 + \sigma_2 d_1} V \tag{4.34}$$

式(4.34)は，$\sigma_1 = \sigma_2 = 0$ のときだけでなく，$\sigma_1 \varepsilon_2 = \sigma_2 \varepsilon_1$ の場合にも界面分極は生じないことを示している．

次に，誘電体薄膜に交流電場を印加した場合を考える．分極は正負の電荷が互いに反対方向へ変位することで生じることから，電場を印加してから分極が発生するまでに時間がかかる．交流電場を印加すると，半周期ごとに変位の方向が変わる．しかし，交流電場の周波数を高くしていくと分極機構により電荷の変位が追従できなくなる．したがって，前述したそれぞれの分極機構に対応した変位が，電場の変化に追従できなくなる周波数になると分極 P が減少する．このことは，周波数を

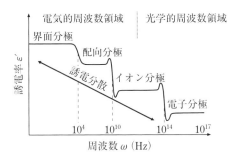

図 4.36 代表的な分極機構と誘電分散特性

高くすると比誘電率 ε_r が小さくなることを意味する．このように，誘電率が周波数によって変化する現象を誘電分散(dielectric dispersion)とよぶ．図 4.36 に代表的な分極機構と誘電率の周波数依存性を示す．図 4.36 から界面分極の上限は 10 kHz，配向分極では 10 GHz，イオン分極では 100 THz 程度であり，また電子分極は 100 PHz である．光学的周波数にはイオン分極や電子分極のみが追従することがわかる．誘電率 ε と屈折率 n の間には $\varepsilon = n^2$ の関係がある．光学的周波数のような高周波領域では，イオンや分子の運動の慣性が大きく電場に追従できないため，ほとんどが電子分極のみの寄与となる．

図 4.34(b) の平行平板キャパシターに外部から交流電圧を印加し，誘電体に印加する電場を $E = E_0 e^{i\omega t}$ で変化させたとする．ここで t は時間，ω は角周波数(rad/s)である．誘電体が存在すると分極が遅れることから電極表面には電荷が遅れて発生する．この遅れを δ(rad)とすると，電極表面に現れる電荷は $\varepsilon E_0 e^{i(\omega t - \delta)}$ となる．したがって誘電率 ε^* は式(4.35)となる．

$$\varepsilon^* = \frac{\varepsilon E_0 e^{i(\omega t - \delta)}}{E_0 e^{i\omega t}} = \varepsilon(\cos\delta - i\sin\delta) = \varepsilon' - i\varepsilon'' \tag{4.35}$$

すなわち，誘電率は複素数となり，虚数部は誘電体に交流電場を加えたとき生じる電力損失を表す．誘電分散は複素誘電率の変化として現れる．損失の指標として誘電正接 $\tan\delta = \varepsilon''/\varepsilon'$ もよく用いられる．誘電正接を"タンデルタ"ともいう．

4.5.4 誘電体薄膜における電気伝導

前述した界面分極の項において，誘電体薄膜にも電流が流れることを述べた．ここでは誘電体薄膜中を流れる電流の主な伝導機構について述べる．誘電体中の電荷担体(キャリア)には自由電子，正孔，イオンがある．電気伝導はキャリアに対する

ポテンシャルエネルギー障壁を考えることで理解できる．

図4.37に主な自由電子の伝導機構を，同じ金属材料を誘電体薄膜の上部および下部に電極として形成した場合のエネルギーバンド図により示す[4]．図4.37(a)に示すように，誘電体薄膜が厚い場合には，電流は電極金属から誘電体薄膜への電子の供給(ショットキー(Schottky)放出)あるいは膜中のプール-フレンケル(Poole-Frenkel：PF)伝導により決定される．膜が薄くなると図4.37(b)に示す電場によるファウラー-ノルドハイム(Fowler-Nordheim)トンネル効果により電流が流れる．さらに薄くなり，数nm以下の極薄膜になると，図4.37(c)に示すように電子は誘電体薄膜を直接トンネルで通過できるようになる．Al配線の表面には不動態(Al_2O_3)が数nm形成されているが，電線として問題なく利用できるのはトンネル電流が流れるためである．

a. ショットキー放出電流

金属から誘電体の伝導帯へ放出される自由電子に対するエネルギー障壁は，図4.37(a)に示すように基本的には金属のフェルミ準位E_{FM}と誘電体の伝導帯下端E_cの差$q\Phi_B$となる．金属中で熱的に励起された自由電子がこの障壁を越えて誘電体中に放出される．これをショットキー放出(熱電子放出)という．この熱電子放出による電流Jは式(4.36)で表せる．これをリチャードソン-ダッシュマン(Richardson-Dashman)の式とよぶ．

$$J = A^* T^2 \exp\left[\frac{-q(\Phi_B - \sqrt{qE/4\pi\varepsilon})}{kT}\right] \tag{4.36}$$

ここで，qは素電荷，kはボルツマン定数，Tは絶対温度である．またA^*はリ

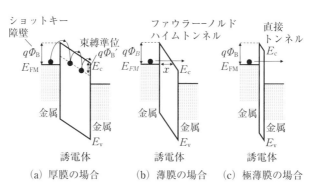

(a) 厚膜の場合　(b) 薄膜の場合　(c) 極薄膜の場合

図4.37　誘電体薄膜中の自由電子の伝導機構

チャードソン-ダッシュマン定数で，真空中の電子の静止質量を仮定すると $1.2\times 10^6 (\mathrm{A/m^2 \cdot K^2})$ である．この式からショットキー電流の対数 $\ln J$ と電場の平方根 $E^{1/2}$ とが直線関係になることが導かれる．実際には Φ_B は界面近傍で生じる鏡像効果により実効的には小さくなる．

b. プール-フレンケル伝導電流

誘電体薄膜中には構造欠陥が存在し，電子を捕獲，束縛する．束縛される電子のエネルギー準位は禁制帯中にある．誘電体薄膜中のエネルギー準位を介して電子が流れることによる伝導を，プール-フレンケル(PF)伝導とよぶ．図4.37(a)に示す束縛準位と E_c の電位差を $q\Phi_\mathrm{B}'$ とすると，電流 J は式(4.37)で表せる．

$$J \approx E\exp\left[\frac{-q(\Phi_\mathrm{B}'-\sqrt{qE/\pi\varepsilon})}{kT}\right] \tag{4.37}$$

PF伝導の場合，$\ln(J/E)$ の値を $E^{1/2}$ に対してプロットすると直線となる．

c. トンネル電流

誘電体が薄膜化し薄膜内の電場 E が強くなり，図4.37(b)に示すように金属と誘電体の界面から，金属のフェルミ準位 E_FM と E_c が等しくなるまでの距離 x が数nm程度になると，電子はトンネル効果で金属から誘電体内に放出される．これをファウラー-ノルドハイムトンネル電流という．内部電界放出 (internal field emission) ともいう．さらに誘電体薄膜が数nmに極薄膜化すると，図4.37(c)のように直接トンネル電流が流れる．トンネル電流が支配的な場合の電流 J は式(4.38)のように表せる．

$$J \approx E^2 \exp\left[\frac{8\pi\sqrt{2m^*}(q\Phi_\mathrm{B})^{3/2}}{3qhE}\right] \tag{4.38}$$

ここで m^* は電子の有効質量，h はプランク定数である．この場合，$\ln(J/E^2)$ の値を $1/E$ に対してプロットすると直線となる．また，ショットキー放出や PF 伝導と異なり，電流特性に温度依存性がないことが特徴である．ここで，厚膜においても PF 伝導で述べた束縛準位が深さ方向に複数存在し，準位間距離が数 nm と薄い場合には準位間をトンネル電流が流れる．

d. イオン伝導電流

薄膜中に可動イオンが存在するとイオン伝導で電流が流れる．イオン伝導は，周期的なポテンシャルエネルギー障壁を乗り越えてイオンが伝導するモデルで記述することができる．低電場のときはオーム性となり，高電場では電場の指数関数で変化することになる．この場合の電流 J は式(4.39)で表せる．

$$J \approx \frac{E^2}{T} \exp\left\{\frac{-\Delta E_{ai}}{kT}\right\} \tag{4.39}$$

ここで ΔE_{ai} は誘電体薄膜中のイオンの活性化エネルギーである．SiO_2 薄膜中に Na^+ や K^+ などの可動イオンが侵入するとイオン伝導に起因する電流が流れる．このような可動イオンは MOSFET の制御を困難にするため，可動イオンのない誘電体薄膜を用いる必要がある．

e. 誘電体薄膜の電気伝導を利用したデバイス

誘電体薄膜中の電気伝導を積極的に利用したデバイスが，フラッシュメモリーとよばれる不揮発性メモリーである．図 4.38 にフラッシュメモリーセルに利用されているトランジスター構造の断面図を示す．図 4.33(b) に示した MOSFET のゲート領域の構造に工夫がなされていることがわかる．図 4.38(a) は浮遊ゲート型トランジスターの断面模式図である．Si 基板上に薄いトンネルゲート酸化膜(SiO_2)を形成し，その上に電荷を蓄積するための浮遊ゲート電極が形成されている．次に厚いブロック絶縁膜を形成して最上層に制御ゲート電極を形成したゲート積層構造となっている．

浮遊ゲート型トランジスターの基本動作は，トンネルゲート酸化膜を介した電荷の書き込みと消去によるソース／ドレイン間の電流制御にある．書き込み時には，Si 基板側から浮遊ゲート電極に電子が注入される．浮遊ゲート電極は負に帯電するため，トランジスターの電流が流れはじめる制御ゲートの電圧（しきい値電圧）が，正側にシフトする．消去時には浮遊ゲートに蓄積されている電子を Si 基板側（ソース）に引き抜く．このように，トンネルゲート酸化膜を介して，10 MV/cm 程度の高電場を印加し，ホットエレクトロンによる書き込みとファウラー-ノルドハイムトンネルによる電子のトンネル電流による消去を行っている．トンネル酸化膜

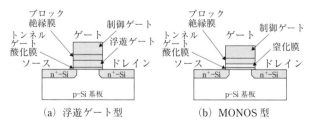

図 4.38 フラッシュメモリーセルに用いられるトランジスターの断面模式図

は薄すぎると蓄積された電子が漏れ電流により消失してしまうため，8 nm 程度の膜厚とする必要がある．また，高い電圧を印加することにより電子の書き込みと消去を行うため，書き換え回数は 10^5 回程度に制限される．図 4.38(b) は図 4.38(a) の浮遊ゲート電極の代わりに SiN 膜を用いた MONOS(metal-oxide-nitride-oxide-Si) 構造の断面模式図である．3 層の誘電体薄膜積層構造を利用し，SiN 膜中に電荷を蓄積して不揮発性メモリー動作を実現している．浮遊ゲート型と比較してゲート積層構造の膜厚を薄くできるため，高集積化に適した構造となっている．近年では，微細化による 2 次元平面内での集積化から，3 次元方向に 200 層以上も積層した構造の 3 次元 NAND 型により 1TB 以上の高集積化が実現されている[5]．

4.5.5 強誘電体

電場や応力が印加されていない状態においても分極している，すなわち自発分極 (spontaneous polarization) を生じる物質がある．これらの物質の中で，印加電場の向きにより自発分極の向きが反転するものを強誘電体 (ferroelectrics) とよぶ．これと区別する意味で，これまで述べてきた，自発分極が発生しない誘電体を常誘電体とよぶ．図 4.39 に強誘電体の分極反転の模式図と分極の電場依存性を示す．図 4.39(a) に示すペロブスカイト構造の結晶の場合，中心付近に存在する陽イオン B が印加電場により，周囲の酸素原子や陽イオン A に対して上下方向に変位することで自発分極を発生していることがわかる．温度が上昇すると，変位した原子が元の位置に戻りやすくなるため，分極の大きさは小さくなる．分極が消滅する温度 T_c をキュリー (Curie) 温度という．誘電体には，結晶の機械的な変形により電荷が生じる圧電性や結晶の温度変化により自発分極が変化して電荷を生じる焦電性を示す材料もあり，さまざまな応用に用いられているが，ここでは主に強誘電性とその不揮発性メモリーデバイスへの応用について述べる．

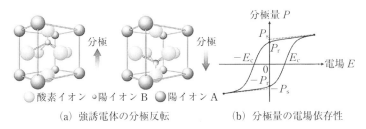

(a) 強誘電体の分極反転　　(b) 分極量の電場依存性

図 4.39　強誘電体の分極反転と分極の電場依存性

強誘電体では印加電場 E と分極 P の特性は図 4.39(b) のようにヒステリシスを示す．ここで，P_s は自発分極，P_r は残留分極(remanent polarization)，E_c は抗電場(coercive field)である．抗電場以上の電場を印加することにより，電場印加方向に分極を生じる．すべての原子が変位するとそれ以上分極は生じないため分極 P は飽和する．電場を 0 に戻しても変位した原子は戻らないため，分極は残留する (P_r)．次に，反対方向に抗電場以上の電場を印加すると，逆向きの分極を生じる．この分極量のヒステリシス特性を不揮発性メモリーに利用したデバイスが，強誘電体メモリーである．

代表的な無機強誘電体材料としては，ペロブスカイト構造の $BaTiO_3$(BTO)，$Pb(Zr_xTi_{1-x})O_3$(PZT)，ビスマス層状構造の $SrBi_2Ta_2O_9$(SBT) などがある．強誘電体の分極反転の高速性と低消費電力性，さらに書き換え回数が 10^{10} 回以上であることなどから，理想的にはフラッシュメモリーセルと同様に，MOSFET のゲート絶縁膜に強誘電体薄膜を用いることで，1 トランジスター型の不揮発性メモリーが実現される．しかし，これらの材料の場合，膜厚 50 nm 以下の薄膜化や Si 基板上への強誘電体薄膜の形成が困難であるため，現状では Suica などの交通系 IC カードなどに用いられる 1 トランジスター 1 キャパシター型の強誘電体メモリーの実用化にとどまっている．これに対して，高誘電率材料として検討されてきた HfO_2 に，Si や Zr，希土類金属元素などを添加し準安定相である斜方晶(近年では直方晶ともいう)[6〜8] や菱面体晶[9,10] に結晶化した薄膜が強誘電性を示すことが近年報告され注目を集めている[5,6]．10 nm 級の極薄膜化や Si 基板上への直接形成が可能であるといった優れた特徴を有しており，1 トランジスター型強誘電体メモリーの実現が期待されている．さらに，AlScN[11] や HfN[12] などの窒化膜系の強誘電体薄膜に関する報告もなされている．

一方，有機材料の中にも強誘電体がある．近年の有機エレクトロニクスの進展に伴い，有機強誘電体を用いた不揮発性メモリーの研究が活発化している．図 4.40 に有機強誘電体の例を示す．図 4.40(a) は，高分子有機強誘電体の P(VDF-TrFE) (poly-vinylidene-fluoride-trifluoroethylene) である．高分子(分子量〜1万)であり，主鎖の周りの剛体回転により分極反転するため抗電場が大きいが，数十 nm への薄膜化と動作電圧の低減が報告されている[13]．図 4.40(b) には，低分子有機強誘電体であるクロコン酸($C_5H_2O_5$)を示す．分子間の陽子の移動により分極反転するため，バルク結晶であるが抗電場が 14 kV/cm と低く[14]，低分子(分子量 142.07)であるため蒸着などによる薄膜形成が可能である[15]．

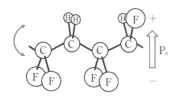

(a) 高分子強誘電体の例　　(b) 低分子強誘電体の例
　　（P(VDF-TrFE)）　　　　　（クロコン酸）

図 4.40　有機強誘電体の報告例

4.5.6　耐圧と信頼性

　誘電体薄膜に高電場が印加されると，加速された電子が格子を破壊して欠陥をつくり，電流の流れやすい経路が生成されるという現象が連続的に起こる．誘電体薄膜の絶縁耐圧まで電圧を印加すると，この現象が瞬時に起こる．薄膜内部の構造欠陥が多い場合や，基板表面にラフネス(凹凸)があり電場が集中する場合には，絶縁耐圧は低下する．

　絶縁耐圧以下の電圧を印加していても経時劣化を起こし，絶縁破壊に至る．これを時間依存絶縁破壊(time dependent dielectric breakdown：TDDB)という．誘電体薄膜に一定の電流を流し，絶縁破壊に至るまでに誘電体薄膜を通過した電荷量 Q_{bd} (charge to breakdown)を測定する評価法を定電流 TDDB 法とよび，MOSFET のゲート絶縁膜の信頼性評価に用いられている．TDDB 法では，誘電体薄膜の寿命予測の観点から，Q_{bd} をワイブル(Weibull)プロットで表示することが多い．ワイブル分布関数は，式(4.40)に示すように，ワイブル係数 β と寿命時間 t を用いた累積分布関数 $F(t)$ で表せる．

$$F(t) = 1 - \exp[-(\lambda t)^{\beta}] \tag{4.40}$$

ここで λ は定数である．式(4.40)を時間の対数が変数となるように変形すると式(4.41)となる．

$$\ln\{-\ln[1-F(t)]\} = \beta \ln t + \beta \ln \lambda \tag{4.41}$$

式(4.41)の左辺を縦軸に，$\ln t$ を横軸にとると直線となる．β が大きいほど，すなわち傾きが大きいほど絶縁膜の信頼性が高いことになる．

　定電流 TDDB 法の場合，Q_{bd} と t は比例するので，Q_{bd} を横軸の量としてプロットすることが多い．図 4.41 に原子レベル平坦化した Si(100)基板表面の原子間力

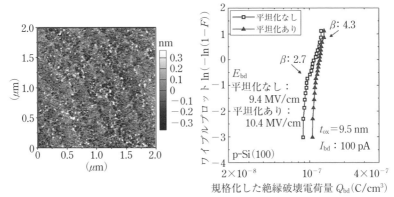

(a) Si(100)原子レベル平坦表面　(b) 絶縁破壊電荷量のワイブルプロットの例

図 4.41 Si(100)基板原子レベル平坦表面と絶縁破壊電荷量 Q_{bd} のワイブルプロットの例．ワイブルプロットの横軸は EOT(SiO_2 換算膜厚)により規格化している．

顕微鏡像とワイブルプロットの一例を示す[16]．ゲート絶縁膜の極薄膜化により，図 4.41(a)に示すように Si 基板表面を原子レベルで平坦化することが必要となっている．図 4.41(b)は，9.5 nm の SiO_2 ゲート絶縁膜に電圧を印加し，絶縁破壊電流(I_{bd})を 100 pA として Q_{bd} を抽出した場合の，絶縁破壊特性の Si 基板表面平坦化の効果を評価した結果である．ここで，ゲート絶縁膜の物理的な膜厚を t_{ox} と表記している．t_{ox} を 10 nm 以下に薄膜化した SiO_2 膜の耐圧(E_{bd})と信頼性(β)が，Si 基板表面を平坦化することにより改善されることがわかる．

文　献

1) 日本学術振興会薄膜第 131 委員会 編：『薄膜ハンドブック 第 2 版』(オーム社，2008).
2) 岩井　洋，大見俊一郎：応用物理，**69** (2000) 4.
3) C. Kittel : "Introduction to Solid State Physics", Chapter 13 (John Wiley and Sons, 1971).
4) S. M. Sze : "Physics of Semiconductor Devices 2nd ed." Chapter 7 (John Wiley and Sons, 1981).
5) 白田理一郎，作井康司：応用物理，**92** (2023) 644.
6) J. Muller, P. Polakowski, S. Mueller, and T. Mikolajick : ECS J. Solid State Sci. Tech., **4** (2015) N30.
7) T. Shimizu, K. Katayama, T. Kiguchi, A. Akama, T. Konno, and H. Funakubo : Appl. Phys. Lett., **107** (2015) 032910.
8) S. De, Md. A. Baig, B.-H. Qiu, F. Müller, H.-H. Le, M. Lederer, T. Kämpfe, T. Ali, P.-J. Sung, C.-J. Su, Y.-J. Lee, and D. D. Lu : Front. Nanotechnol., **3** (2022) 826232.
9) S. Ohmi, M. G. Kim, M. Kataoka, M. Hayashi, and R. M. D. Mailig: IEEE Trans. Electron De-

vices., **68**(2021) 2427.
10) Y. Wang, L. Tao, R. Guzman, Q. Luo, W. Zhou, Y. Yang, Y. Wei, Y. Liu, P. Jiang, Y. Chen, S. Lv, Y. Ding, W. Wei, T. Gong, Y. Wang, Q. Liu, S. Du, M. Liu: Science, **381**(2023) 558.
11) S. Song, K.-H. Kim, S. Chakravarthi, Z. Han, G. Kim, K.Y. Ma, H.S. Shin, R.H. Olsson III, and D. Jariwala：Appl. Phys. Lett., 123 (2023) 183501.
12) S. Ohmi, Y. Ohtaguchi, A. Ihara, and H. Morita：IEEE J. Electron Devices Soc., **9**(2021) 1036.
13) S. Fujisaki, H. Ishiwara, and Y. Fujisaki : Appl. Phys. Lett., **90**(2007) 16902.
14) S. Horiuchi, Y. Tokunaga, G. Giovannetti, S. Picozzi, H. Itoh, R. Shimano, R. Kumai, and Y. Tokura : Nature, **463**(2010) 789.
15) S. Ohmi, K. Takayama, and H. Ishiwara : MRS Proc., **jspsmrs13-1587**(2014) 7087.
16) S. Kudoh and S. Ohmi : IEICE Trans. Electron., **E99-C**(2016) 504.

4.6 磁 性 薄 膜

4.6.1 磁性の起源と磁気物性

「磁性薄膜」とは，通常産業界では主体が強磁性体の薄膜を意味する．これは強磁性体が，自然界や実験室で通常つくり出し得る磁場の強さで磁化できるためである．強磁性体の特徴は，その構成原子の磁気モーメントが交換相互作用とよばれる量子力学的な相互作用によって平行配列して，外部磁場がなくとも自然に磁化が発生するところにある．これを自発磁化(spontaneous magnetization)とよぶ．磁性薄膜では膜厚が減少するのに伴って3次元状(バルク)から2次元状(薄膜)へと移り変わるときの磁性変化に興味がもたれるが，多くの場合膜厚がナノメートルオーダーではじめて本質的なサイズ効果が現れる．しかし数百nm程度あるいはそれ以上の膜厚でも，薄膜の成長過程に関係して，バルクとは異なる特有の現象がしばしば現れる．一般的にはこれらも含めて，基板上に堆積されたマイクロメートル程度以下の膜厚のものを磁性薄膜と称するのが通例である．原子磁気モーメントの発現やその秩序性については，バルクや薄膜といった材料の形態には依存しない．そこで本節では最初にミクロな立場から磁性の起源に触れる．次にこの自発磁化の外部磁場に対するふるまい，すなわち技術磁化過程(technical magnetization process)について述べる．技術磁化過程に影響を与える因子としては磁気異方性と磁気ひずみがあり，磁化曲線と関連させて説明する．

a. 原子磁気モーメント

原子は原子核および電子よりなり，それらはいずれも荷電粒子であるため，その運動によって磁気モーメントを発生する．原子核の磁気モーメントは電子のそれに比べて極めて小さく一般には無視できる．電子の磁気モーメントの発生には二つの

要因がある.第一は電子の軌道運動である.例えば,円形の軌道運動は円電流に相当するので,アンペールの法則に従う磁気モーメントを発生し,さらに角運動量の大きな(方位量子数 l の値が大きい)電子軌道は,それに相当する大きな磁気モーメントをもつことになる.その値は,次式で与えられるボーア磁子(Bohr magneton) μ_B の整数倍で与えられる.

$$\mu_B = \frac{e\hbar}{2m_e} = 9.274 \times 10^{-24} \text{(J/T)} \tag{4.42}$$

なお μ_B は CGS 単位系では,9.27×10^{-21} erg/Oe となる[*1].ここで,m_e は電子の質量,μ_0 は真空の透磁率,e は電荷,$\hbar$ はプランク定数を 2π で割ったものである.第二は電子のスピンから発生する磁気モーメントであり,その大きさは μ_B に等しい.原子のもつ磁気モーメント m は,電子の軌道運動による m_l と,スピンによる m_s とのベクトル和で表される.各電子のスピンはスピン間の相互作用を通じて原子自体がもつ各電子殻全体の合成スピン角運動量 $S = \sum_i s_i$ を形成し,また同様に,軌道角運動量に付随する磁気モーメントは電子殻としての軌道角運動量 $L = \sum_i l_i$ を形成する.この際,主量子数 n,および方位量子数 l で定義される一つの軌道には,そのスピンが $+1/2$ の電子と $-1/2$ の電子の二つしか入ることができないというパウリの排他律の制約のもと,フントの法則により,電子スピン角運動量 s_i は許される範囲で原子全体としてなるべく大きな S 値になるように配置される.これは物理的には,同一軌道に $+$,$-$ のスピンの二つの電子が入るとクーロン相互作用のエネルギーが増大するので,なるべく異なる軌道に入ろうとすること,および原子内のスピン間相互作用がスピンを平行に保とうとすることで理解される.

[*1] 本節では単位系として SI 単位系(国際単位系)を採用したので,磁場 H は A/m,磁束密度 B は T(テスラ),磁化 M は A/m で記述されている.B,H,M の間の関係は,SI では
$$B = \mu_0(H+M)$$
と記述されるが,CGS 単位系では
$$B = H + 4\pi M$$
と記述される.CGS 単位系では,B は G(ガウス),H は Oe(エルステッド),M は G(ガウス)で表される.
CGS と SI の換算は以下に示す通りである.
　H:1 Oe=79.6 A/m,1 A/m=$4\pi \times 10^{-3}$ Oe=1.256×10^{-2} Oe
　B:1 G=10^{-4} T;1 T=10^4 G
　M:1 G=1000 A/m;1 A/m=0.001 G
なお,磁場 H の代わりに,真空での磁束 $B_0 = \mu_0 H$ を用いると,換算が単純になるので,H の単位として T を用いることも多い.磁気に関する単位は複雑であるが,詳細は文献 1 を参照されたい.

一方，軌道角運動量 l_i は，パウリの排他律の許す範囲において，合成スピン角運動量 S と同様，原子として最大の L 値を構成する．このことは，各電子が各軌道をなるべく同じ向きに回り，互いに近づかないようにすることを意味している．このようにして合成された S と L とは，スピン-軌道相互作用(spin-orbit interaction)エネルギー $W=\lambda L \cdot S$ を通じて平行，または反平行になり，合成全角運動量 $J = L+S$ を形成する．このように，S と L とがおのおの形成され，それが作用して J を構築する相互作用をラッセル-ソーンダーズ相互作用とよぶ．

b. 磁性体の分類

原子の集合体としての磁性体は，原子磁気モーメントの秩序配列(スピン構造)の違いに基づいて分類される．

強磁性(ferromagnetism)は，外部磁場 H により物質の巨視的磁化が磁場方向に整列するスピン秩序の強い磁性であり，H に対する磁化 M の応答が線形ではなく，かつ十分に強い印加磁場のもとでは，一定の値 M_s に飽和してしまうという特徴を有する．この M_s を飽和磁化とよぶ．それぞれの強磁性体は固有の飽和磁化を有する．強磁性を示す典型的な物質としては，Fe，Ni，Co などの 3d 遷移金属とそれらの合金系が挙げられる．

強磁性体において交換相互作用により原子磁気モーメントが互いに平行になることは，現象論的には外部から仮想的な磁場が働いているとみなして議論することができる．この仮想的磁場を分子磁場とよぶ．分子磁場は自発磁化と比例関係にある．一般に強磁性体の単位体積あたりの自発磁化の温度変化はランジュバン関数により記述され，$T=0$ K 付近では Nm (N は磁気モーメントをもつ原子の密度(m^{-3})，m は原子磁気モーメント)となる．これは，すべての原子磁気モーメント m が平行に並んだ状態である．温度の上昇に伴い自発磁化の値は減少しゼロとなる臨界温度が出現する．この温度 T_c は，$T<T_c$ での秩序相(強磁性相) $T>T_c$ と無秩序相(常磁性相)との間の相転移温度であり，これをキュリー温度とよぶ．

T_c は，分子磁場係数 ω と g 因子を用いて

$$T_c = \frac{Nm^2\omega}{3k}, \qquad m = g\mu_B\sqrt{J(J+1)} \tag{4.43}$$

で表される(k はボルツマン定数)．角運動量を軌道運動が担う場合は $g=1$ となり，スピンが担う場合は $g=2$ となる．このように T_c は，各隣接原子間の交換相互作用と等価な分子磁場係数 ω と強い相関をもつ．Fe の場合，$J=1$ とすると H_m は約 10^9 A/m 程度の巨大な磁場値となる．

反強磁性(antiferromagnetism)とは，磁性体の中で隣接スピンが規則的に方向を異にして打ち消し合っているようなスピン秩序型の磁性をいう．典型的な物質としては，γ-Mn や Mn 系合金および CoO，NiO などの酸化物が挙げられる．スピンが互いに打ち消し合っている．単位格子中の各格子点の原子磁気モーメントのベクトル総和が 0 となるため，自発磁化が生じない．そのほかの磁性体の種類として常磁性，反磁性，フェリ磁性などがある．

c. 磁気異方性

磁気異方性(magnetic anisotropy)とは，自発磁化の方向によって強磁性体の内部エネルギーが変化する現象をいう．また，このような内部磁化の方向に依存するエネルギーを磁気異方性エネルギーとよぶ．磁気異方性は，発生原因の違いによって何種類かに分類されるが，真性的なものとして結晶磁気異方性エネルギーがある．この異方性エネルギーは，磁性を担う原子が結晶格子を形成している場合，その対称性により生じる効果として理解できる．一例として体心立方(bcc)構造を有する Fe の単結晶について，その立方構造の主要結晶軸である ⟨100⟩，⟨110⟩ および ⟨111⟩ 方向に磁場を印加した際に得られる磁化曲線の形状を図 4.42 に示す[2]．図にみるように，立方晶の各主要結晶軸方向での磁化曲線の形状は大きく異なっている．⟨100⟩ 方向の場合では約 0.8×10^4 程度の弱い有効磁場[*2]で自発磁化は印加磁場方向にそろい飽和するが，⟨111⟩ 方向では約 4 倍の 3×10^4 A/m もの強い有効磁

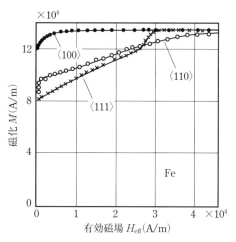

図 4.42　Fe 単結晶の主要軸方向の磁化曲線
〔茅　誠司：『強磁性』(岩波書店，1952) p.82 より改変〕

場を印加しない限り飽和に達しない．磁化しやすい方向を磁化容易方向，磁化しにくい方向を磁化困難方向とよぶ．

前記の磁化曲線は，ゼロ磁場での初期状態から飽和状態に至らせるまでに外部より与える仕事量

$$W=\int_0^{M_s} H_{\mathrm{eff}} \mathrm{d}M \tag{4.44}$$

が $\langle 100 \rangle$，$\langle 110 \rangle$ および $\langle 111 \rangle$ 方向では大きく異なり，結晶内部にはこれら両磁化曲線に挟まれる面積差に等しい内部エネルギー差が存在していることを意味している．この内部エネルギー差が前述の磁気異方性エネルギー ε_a である．この ε_a は，自発磁化の各主要結晶軸に関する方向余弦 α_i の関数として高次の項までのべき級数の形で表現される．厳密な結晶対称性を考慮したテンソル解析を通し，立方晶型，六方晶型の場合，各々以下の式

$$\varepsilon_a = K_0 + K_1(\alpha_1^2\alpha_2^2 + \alpha_2^2\alpha_3^2 + \alpha_3^2\alpha_1^2) + K_2\alpha_1^2\alpha_2^2\alpha_3^2 \cdots \quad (\text{立方晶型}) \tag{4.45}$$

$$\begin{aligned}\varepsilon_a &= K_{u0} + K_{u1}(1-\alpha_3^2) + K_{u2}(1-\alpha_3^2)^2 + \cdots \\ &= K_{u1}\sin^2\theta + K_{u2}\sin^4\theta + K_{u3}\sin^6\theta + K_{u4}\sin^6\theta\cos^6\phi + \cdots \quad (\text{六方晶型})\end{aligned} \tag{4.46}$$

で与えられる．ここで θ は六方晶の c 軸と M_S とのなす角，$K_1, K_2, \cdots, K_{u1}, K_{u2}, \cdots$ などの係数は結晶磁気異方性定数である．六方晶系の場合，$K_{u1}>0$ は，c 軸が磁化容易軸となることに対応し，また $K_{u1}<0$ は c 面（c 軸に垂直な面）が磁化容易面となることに対応している．結晶磁気異方性定数はスピン-軌道相互作用エネルギーに由来しており，各物質の相と温度，組成などが定まると一義的に定まる真性的な物性定数である．

d. 磁気ひずみ

磁性体を磁化した際に磁性体の外形寸法が変化する現象を磁気ひずみという．一般に長さ l に対する変形量 δl の比率 $\delta l/l$ は磁化の印加磁場方向成分 M ならびに l 方向に依存するが，$\delta l/l$ の大きさはたかだか 10^{-5} から 10^{-6}，すなわち 1 K 程度の

[*2] 有限の大きさをもつ強磁性体を磁場の中に入れて磁化すると，物質の示す磁化の印加磁場方向成分 M のために試料の両端に磁極が生じ，そのため逆向きの磁場が発生する．図 4.42 の横軸には有効磁場として H_{eff} をとってあるが，この H_{eff} と外部磁場 H との間には
$$H_{\mathrm{eff}} = H - NM$$
の関係がある．ここで N は試料の幾何的形状のみにより定まる反磁場係数である．NM の項を反磁場(demagnetization field)とよぶ．十分薄い板では，N は面内方向で 0，垂直方向で 1 である．

温度変化に伴う熱膨張と同程度である．強磁性体の本質として，自発磁化が存在する限り結晶格子はひずむ．これを自発磁気ひずみ(spontaneous magnetostriction)という．この結晶のひずみとスピンとの相互作用の組合せで生じるエネルギーを，磁気弾性エネルギー(magnetoelastic energy)とよぶ．このエネルギー項はひずみのテンソル成分に関して1次式となるため，安定状態になるまで結晶は限りなくひずんでしまうことになる．しかし実際には結晶に弾性があるため，これとつり合って適当な値だけひずむ．したがって磁気ひずみは結晶格子の純弾性エネルギーと磁気弾性エネルギーの総和を最小にする平衡ひずみとして定義され，磁気異方性の場合と同様，結晶の対称性の制約を受ける．このため磁気ひずみの大きさは結晶の方位との間に強い関係をもつ．図4.43に一例としてFeの単結晶を用いた際，〈100〉，〈110〉および〈111〉の三つの主要結晶軸方向の$\delta l/l$と磁化の磁場印加方向成分Mとの関係を示す[2]．図にみるように，〈100〉方向では磁化が進んでも最初のうちは$\delta l/l$は変化しないが，磁化Mの値が約8×10^4 A/mに近くなるあたりから膨張が起こる．Mが飽和磁化M_sに達するあたりでは$\delta l/l$として$+1.2\times10^{-5}$程度の値が得られる．これに対して，〈111〉方向ではMが8×10^4 A/mまでは何らの変化も認められないが，さらに磁化が進むと急に収縮をはじめる．MがM_sに達する付近では，$\delta l/l$は-19×10^{-6}程度になる．

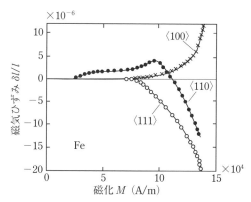

図 4.43　Fe単結晶の磁化と磁気ひずみの関係．
　　　　　Feの飽和磁化M_sは13.8×10^4 A/mである．
　　　　〔茅　誠司：『強磁性』(岩波書店, 1952) p.104 より改変〕

4.6.2 磁気特性の制御と応用例

a. 磁区構造

強磁性体には磁気異方性エネルギーがあるため,試料内部には磁化容易軸と磁化困難軸が存在し,各原子磁気モーメントは互いに平行で磁化容易軸を向いていることをすでに述べた.また強磁性体は本来飽和磁化の値に等しい自発磁化をもっている.強磁性体は体積平均値としての磁化の値がゼロと計測される消磁状態をとることができる.この事実を説明するためには,ある種の磁気的な分域構造を仮定しなければならない.すなわち一つの分域内での磁化の向きはすべて磁化容易軸に平行であり,かつ分域間での互いの磁化の向きは異なっており,全体としては見かけ上磁化の値がゼロとなるような分域構造が形成されることを示唆している.この分域を磁区(magnetic domain)とよぶ.磁区の内部では,強磁性体は外部印加磁場の有無に関係なく飽和にまで磁化されている.磁区と磁区との境界に存在する磁化の向きの遷移層を磁壁(magnetic domain wall)とよぶ.磁壁は有限の厚みをもち,その中で磁気モーメントの向きが連続的に変化している.

立方晶系の単結晶を例にとり($K_1>0$),図 4.44 に磁区変化の様子を示す[3].強磁性体では試料全体の磁気モーメントがすべて平行に並んで試料全体が飽和にまで磁化している状態が最も安定であるが,実際には試料が有限の形状をもっているため試料表面および端面には磁極が現れ,そのため反磁場を生じる.その結果,試料は自身がもつ磁化の方向とは反対方向の磁場の中に置かれているのと同様であり,磁化の方向は不安定となる.この反磁場をゼロにするためには試料内部の磁化の分布

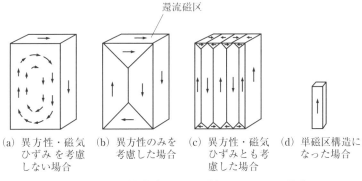

(a) 異方性・磁気ひずみを考慮しない場合　(b) 異方性のみを考慮した場合　(c) 異方性・磁気ひずみとも考慮した場合　(d) 単磁区構造になった場合

図 4.44　強磁性体内部の原子磁気モーメントの配列

が環状になり，閉じていることが望ましい(図 4.44(a))．ところが磁性体内部には前述した結晶磁気異方性エネルギーがあるため，磁化は結晶に特有の磁化容易方向を向こうとする．Fe のような立方晶では磁化容易方向が二つ以上あり，結晶の端面に(b)に示すような還流磁区(closure domain)を生じる．これによって端面に磁極が発生することが抑えられ静磁エネルギーが低下する．同様に磁性体には自発磁気ひずみが存在し，磁気ひずみが正の場合には還流磁区は磁化方向に延びようとするので磁気弾性エネルギーが貯えられた状態となる．磁気弾性エネルギー低減のためには，おのおのの磁区を可能な限り小さくする必要があるが，その場合磁壁エネルギー(磁壁内の磁気モーメントの交換エネルギーと異方性エネルギーの和)が増加するため，実際は(c)のように上記エネルギーの兼ね合いで定まる細分化された磁区構造となる．このように磁区構造(安定な磁気モーメント分布)は，反磁場による静磁エネルギー，磁壁エネルギー，磁気異方性エネルギーおよび磁気弾性エネルギーの総和を極小にする条件により定まる．強磁性体の大きさをだんだん小さくして，ある臨界の大きさになると，反磁場による静磁エネルギーよりも磁壁の交換エネルギーのほうが高くなり，それ以下の大きさではむしろ磁壁がないほうがエネルギーの総和としては低くなる．したがって強磁性の微粒子では磁区構造をとらず，(d)のように粒子一つひとつが飽和にまで磁化した単一の磁区(単磁区構造)となる．

b. 技術磁化過程

ここで，強磁性体に外部磁場を印加したときに誘起される磁場印加方向成分 M (A/m)(単位体積あたりの磁気モーメント)について考えてみる．一般的には，図 4.45 に示した初磁化曲線および磁気ヒステリシス曲線のように変化する．消磁状態($H=0$，$M=0$)から出発し，ごく弱い外部印加磁場の範囲では磁化の変化は可逆的であり，この範囲を初磁化範囲とよぶ．この可逆的範囲での M/H の値は初磁化率(initial susceptibility) χ_i と定義される．さらに磁場を強くしていくと磁化曲線は急に立ち上がるが，この範囲に入ると一度増した磁場を減じても磁化は可逆的に変化しない．この範囲では，主として磁壁の不連続的な非可逆移動が関与しており不連続磁化範囲とよぶ．ここで，原点と初磁化曲線上の点を結ぶ直線の最大勾配より求められる磁化率を最大磁化率 χ_m とよぶ．実用材料を扱う場合には M の代わりに磁束密度 B で表す場合が多く，それらの関係は $B=\mu_0(H+M)$ で与えられる．このときは可逆的範囲で定義される B/H を初透磁率(initial permeability) μ_i，原点と初磁化曲線上の点を結ぶ直線の最大勾配より求められる透磁率を最大透磁率 μ_m とよ

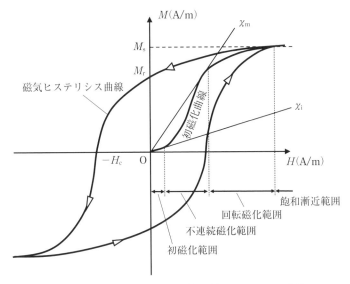

図 4.45 強磁性体の初磁化曲線と磁気ヒステリシス曲線

ぶ．透磁率 μ と磁化率 χ には $\mu = \mu_0(\chi + 1)$ の関係がある．さらに，この不連続磁化範囲を超えると磁化曲線の傾きは再び緩やかになり，強磁性体は可逆的に磁化される．この範囲を回転磁化範囲とよぶ．さらに磁場が強くなると M の値は徐々に飽和値に近づいていく．この範囲を飽和漸近範囲とよぶ．これらの磁化過程で実験的に求められる磁化の飽和値が飽和磁化 M_s である．いったん飽和した後，今度は H の値を徐々に減少させると，M は初磁化の場合と同様の経路を通らず磁気ヒステリシス(磁気履歴)を生じる．このようにして得られる曲線を磁気ヒステリシス曲線(磁気履歴曲線)とよぶ．磁気ヒステリシス曲線上，$H = 0$ の状態で残留している M の値を残留磁化(remanent magnetization) M_r，M_r と M_s との比 M_r/M_s を角形比とよぶ．さらに，H の方向を初磁化曲線の場合と逆の方向に印加して M が 0 になるときの磁場 H の絶対値を保磁力(coercivity) H_c とよぶ．

図 4.46 に，さまざまな強磁性材料の磁気ヒステリシス曲線を示す．図より保磁力 H_c の値は，磁石材料($SmCo_5$ など)の 2×10^6 A/m から磁気ヘッド材料(センデルタなど)の約 1 A/m まで大きく変化している．ここで H_c の値が極端に大きく，減磁曲線の張出しが大きいような磁気特性を示す材料を硬質磁性材料(hard magnetic material)，H_c が 10 A/m 以下と極端に小さく，初透磁率および最大透磁率が大きな磁性を示す材料を軟質磁性材料(soft magnetic material)，また塗布型磁気記録媒

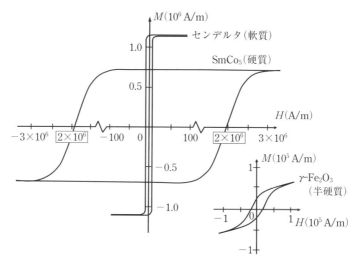

図 4.46 さまざまな磁性材料の磁気ヒステリシス曲線

体として用いられる $\gamma\text{-Fe}_2\text{O}_3$ のような H_c が $2\times10^4\sim10^5$ A/m 近傍に位置する材料を半硬質磁性材料(semi-hard magnetic material)とよぶ.

薄膜においては結晶粒子のサイズはバルク材料と大きく異なり,製膜プロセスによっては数〜数十 nm 程度の結晶粒径を得ることもでき,極限としては前述した単磁区構造が実現される.さらに結晶粒界の微細構造ならびに材料組成の制御によって,結晶粒間の交換相互作用を制御することが可能となる.この交換相互作用を積極的に利用すると,軟磁気特性を発現させることができる.また,この交換相互作用を断ち切れば,単磁区粒子(磁壁の厚み以下の粒径)の集合体となり,磁気記録用の媒体として利用される半硬質磁性材料の特性を示す.以下に具体的にそれらの応用例を述べる.

c. 軟磁性薄膜とその応用

磁気記録の高密度化への要求に対し,磁気記録に用いられる記録ヘッドには高い飽和磁束密度をもち,かつ弱い磁場で磁化される軟磁性材料が必要である.結晶粒子サイズが大きいバルク材で軟磁性を示す磁性材料は,結晶磁気異方性ならびに磁気ひずみがともに小さい物質に限られ,その代表としてパーマロイ(Fe-Ni 合金)やセンダスト(Fe-Al-Si 合金)などが知られている.従来,磁気ヘッドにはこれらの材料を薄膜化したものが用いられてきたが,その飽和磁束密度はセンダストでもた

かだか 1.2 T であり，保磁力の高い高密度記録媒体に記録するには十分ではない．一方，純 Fe は飽和磁束密度として約 2.2 T もの大きな値を示すことから，記録ヘッド材料としてのポテンシャルは高い．しかしその結晶磁気異方性および磁気ひずみは比較的大きいため，Fe 薄膜で優れた軟磁気特性を発現させることは物理的に不可能とされてきた．しかしながら結晶磁気異方性が大きな材料でも，結晶粒のサイズ効果と結晶粒間の交換相互作用（ホフマン（Hoffmann）のリップル理論[4]）を利用することで，ナノ結晶により構成された薄膜組織に優れた軟磁性を付与することが可能であることが実験で明らかにされている[5]．図 4.47 に結晶粒間での磁化の結合の強さ（メッシュ印）と局所的な磁化の分布の関係を模式的に示した．図 4.47 (a) は結晶粒間に静磁気的な磁化の結合が生じている場合，(b) は静磁気的な結合に重畳して，粒界において交換相互作用による磁化の結合がわずかに生じた（粒界の 1 点で粒どうしが格子定数のオーダーで接している）場合，(c) は (b) の状態を保ったままで結晶粒径が減少した場合を示している．(a) に示したように，静磁気的な磁化の結合が生じた場合，個々の磁化は粒界における磁束の不連続性から生じる系全体の静磁エネルギーを低下させるため，局所的に磁束を閉じるような磁化分布をとる．一方，通常の多結晶薄膜においては結晶粒と結晶粒とが互いに接しており，強磁性薄膜の場合は原子磁気モーメントどうしが交換結合する．この粒界における交換相互作用は交換エネルギーの増加を避けるため，隣り合う磁化の角度を極力小さくし磁化を平行にしようとする．したがって，(b) に示したように交換相互作用による磁化結合が重畳すると，磁化が結合する領域は飛躍的に広がり磁束の閉構造が急激に大きさを増し，それとともに各粒の磁化の方向は徐々に巨視的に薄膜全体に誘導されている一軸磁気異方性の方向を向くようになる．このような結晶粒間の磁化結合を保持した状態で結晶粒径が小さくなると，粒界の面積が急激に増加し，交換相互作用による磁化結合が非常に強く働くため，(c) に示すように各磁性

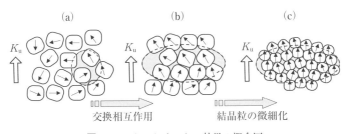

図 4.47 ナノクリスタル効果の概念図

粒の真性的な結晶磁気異方性は見かけ上，数桁程度低減し（ナノクリスタル効果），磁化は非常に広い範囲で，平均的には巨視的に誘導されている一軸磁気異方性の磁化容易軸方向に配向するようになる．このような機構によって，結晶磁気異方性の大きな Fe 系薄膜においても軟磁性を発現させることができる．

実際にこのような Fe 基微結晶薄膜を作製するにあたっては，微量の N_2 ガスを Ar ガスに添加した雰囲気中でのスパッタリング，および Ta，C などの添加が有効であり，これによって 10～20 nm 程度のサイズの結晶粒よりなる均質な微結晶組織が実現され，高い初透磁率 μ_i（2000～8000 程度）が得られる[5]．

もう一つの軟磁性薄膜の応用例として，1988 年に Fe と Cr の多層膜で発見された巨大磁気抵抗（giant magnetoresistance：GMR）効果[6]が発端となって急速に発展したスピントロニクス素子を挙げることができる．GMR 効果は，自発磁化の方向がそろった強磁性金属層が，伝導電子のスピン拡散長よりも短い距離内で非磁性金属層によって分断された状態で存在している場合に発現する．近年の製膜技術の進歩によって相互拡散による界面の乱れがなく数原子層程度の厚みで異種金属を積層することが可能になり，このような素子が実現された．

高密度ハードディスク装置の再生用磁気ヘッド素子として利用されているスピンバルブ（SV）薄膜[7]は磁気抵抗（MR）素子の一つである．SV 薄膜は図 4.48 に示すように基本的に 4 層からなり，非磁性層（Cu，MgO など）を挟んで形成された 2 枚の強磁性層に加えて，強磁性層の一方に隣接して反強磁性層が積層されている．反強磁性層が積層されていない側の強磁性層（フリー層：軟磁性薄膜）は記録信号の検出

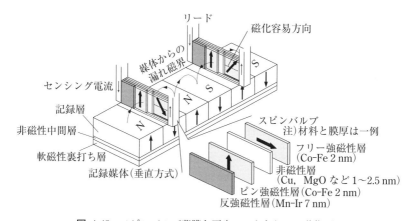

図 4.48　スピンバルブ薄膜と再生ヘッドとしての動作原理

を担い，媒体からの微弱な漏れ磁束によりフリー層内の磁化は磁化回転を起こす．また反強磁性層を積層した側の強磁性層（ピン層）の磁化は，反強磁性層との間の交換相互作用によって常に1方向に固定されている．フリー層の磁化回転に伴い，フリー層とピン層の磁化方向の間に相対的な角度差を生じることになる．両層の磁化ベクトルの相対角度が変われば，伝導電子のスピン依存散乱の程度が変化することによってSV薄膜素子の電気抵抗が変化する．この抵抗変化を通じて磁気記録媒体の磁化の向き（漏れ磁束の向き）を読み出すのがMR素子の基本的な原理である．

　伝導電子のスピン依存散乱は強磁性層と非磁性層の界面で生じ，Fe/CrやCo/Cu多層膜[8]で観測されるGMR効果の起源である．SV薄膜は，これらのGMR効果を示す多層膜の内の最小積層単位を取り出し，なおかつ強磁性層間の磁化ベクトルの相対角度変化を小さな外部磁場で生じるように改良したものである．

　SV薄膜で膜面内方向に電場を印加すると，スピンをもつ伝導電子が加速されて散乱中心にぶつかる．これだけでは通常の電気抵抗であるが，伝導電子が非磁性金属の層間を横切る場合を考えると，今，非磁性層の厚さが電子の平均自由行程よりも十分に短ければ伝導電子は散乱されずに図4.49に示すように元のスピンの向きを保存したまま隣接する強磁性層の界面に到達する．図4.49(a)のように，隣接する強磁性層が平行に磁化していると，やってきた伝導電子は隣接強磁性層の多数派スピンの向きと同じなので，ほとんど散乱されずに高い確率で入っていく．一方，図4.49(b)のように隣接強磁性層が反平行に磁化しているときは，多数派スピンの方向が整合していないので，やってきた伝導電子は界面で非弾性的に散乱される．つまり二つの強磁性層の磁化が平行に配列しているときは抵抗が低く，反平行に配列しているときは抵抗が高い．したがって，伝導電子のスピン依存散乱を起こさせるためには，非磁性層の間を横切ってきた伝導電子が元の磁性層の磁化ベクトルの方向を「覚えて」おかなければならず，そのためには非磁性中間層が伝導電子の平均自由行程（正確にはスピン拡散長）よりも薄くなければならない．この意味でSV

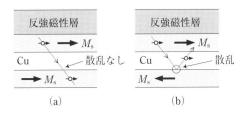

図4.49　スピン依存散乱を説明するモデル図

薄膜のMR効果は，非磁性材料を薄膜化しかつ強磁性材料と非磁性材料とを人工的に積層した構造につくり上げることによってはじめて出現した現象であり，バルク材料では実現し得ない薄膜固有の効果である．

非磁性層としてナノメートルオーダーの絶縁体を用いると，伝導電子のトンネル確率がそのスピンの向きに依存することに起因して，二つの強磁性層の磁化の相対角度の大小に依存してトンネル抵抗が変化する．この効果をトンネル磁気抵抗（tunnel magnetoresistance：TMR）効果とよぶ．電気抵抗は一般にピン層とフリー層の磁化が平行に配列したほうが，反平行の場合よりも小さく，電子が絶縁膜をトンネルする際そのスピンが保存されるとすると二つの強磁性層のスピン分極率 P_1, P_2 を用いて，磁気抵抗変化率（MR比）は，

$$\Delta R/R = 2P_1P_2/(1-P_1P_2) \qquad (4.47)$$

で与えられる[9]．

SV薄膜を機能させるために必要なもう一つの界面現象は，強磁性層／反強磁性層積層膜の交換磁気異方性[10]である．これは媒体からSV薄膜へ流入する漏れ磁場に対して，ピン層の磁化の向きを常に一定の方向に固定しておくのに用いられ，強磁性層と反強磁性層の界面におけるスピン間に働く交換相互作用をその起源としている．交換磁気異方性は一方向磁気異方性，あるいは交換バイアスともよばれる．交換バイアスされた強磁性膜の磁化容易方向に沿って測定した磁化曲線は，図4.50に示すように，磁場軸の方向にシフトした特徴的な磁気ヒステリシス曲線を示す．磁気ヒステリシス曲線の原点からのシフト量を，交換結合磁界 H_{ex} とよび，この値を大きくすることがSV薄膜の応用上極めて重要である．

トンネル磁気抵抗素子をSVに用いることにより高感度の磁場センサーが実現で

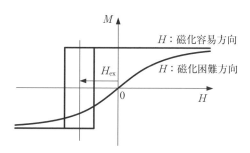

図 4.50　交換バイアスされた強磁性薄膜の磁気ヒステリシス曲線

きる.一例として,反強磁性体として Mn-Ir 合金を,強磁性体として Co-Fe 合金を,絶縁体として極薄の MgO 薄膜をスパッタリング製膜した強磁性トンネル接合では,300℃程度の熱処理を行うことによって,200〜250％の MR 比が得られる[11〜13].フリー層の軟磁気特性はセンサー感度を向上させるうえで極めて重要である.

d. 半硬質磁性薄膜とその応用

高密度垂直磁気記録ハードディスク,ならびに面内磁気記録テープに用いられる薄膜や塗布膜の媒体には,情報記録時にはヘッド磁場により磁化反転し,通常時には磁化状態が保持される半硬質な磁気特性が求められる.ここでは半硬質磁性薄膜の実用例として磁気記録用薄膜媒体を紹介する.

薄膜媒体の磁気特性は,主に,結晶粒の結晶磁気異方性と結晶粒間の交換相互作用の強さによって決まる[14].前述の微結晶軟磁性薄膜の場合とは逆に,結晶粒間の交換相互作用が断ち切られていることが望ましい.このとき薄膜の金属学的組織の特徴である極めて小さな結晶粒子サイズ(数 nm 程度)によって,薄膜媒体の各結晶粒子は,内部に磁壁が存在しない単磁区微粒子として振る舞う.それら単磁区微粒子の保磁力は,ストーナー−ウォルファース(Stoner-Wohlfarth)モデル[15]に従って,磁場印加方向が結晶磁気異方性の磁化容易方向である場合,異方性磁場 H_k(=2K_u/M_s, K_u は一軸結晶磁気異方性エネルギー)に一致する.したがって,高密度薄膜媒体としては,(1) 結晶粒の真性的な結晶磁気異方性の増強(合金組成の選定,欠陥の排除など),(2) 粒界構造の制御による粒間の交換相互作用の低減(粒界相の組成など),(3) 結晶粒径・結晶軸配向の制御(下地層材料とのヘテロエピタキシーなど)が極めて重要である.

図 4.51 には実際のグラニュラ型垂直磁気記録媒体の面内微細組織と磁気ヒステリシス曲線の模式図を示す.灰色部は磁化容易軸である c 軸を面直方向に向け柱状成長した半硬質な六方晶 CoPt 基磁性結晶粒であり,10 nm 以下の粒径である.網目状の白色組織は粒界に析出した非磁性アモルファス相であり,一般には SiO_2 や TiO_2 などの混合酸化物からなる.1 Tb/inch^2 の記録密度を達成する場合,1 bit の大きさは例えば 50 nm×13 nm と設定できる.組織形態と対応させるとこの寸法は図の閉曲線で示した領域に対応する.さらなる高記録密度化は,良好な c 軸配向性を保ちながら,隣接磁性結晶粒との接触を抑制する材料・プロセス技術が必要とされる.このような集合組織を有する試料の磁化過程は,互いに静磁気的な双極子相互作用を及ぼし合った単磁区微粒子が,結晶粒単位で磁化反転していくことで進行する.

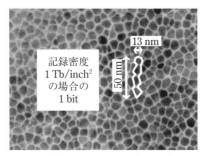

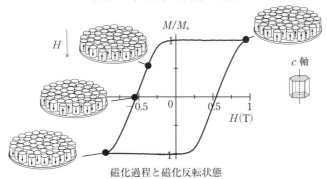

図 4.51　垂直磁気記録媒体の組織と磁化過程

　結晶粒の微細化が進むと，熱エネルギー(kT)が磁化反転の活性化ポテンシャル $K_\mathrm{u}V$(V は磁性結晶粒の体積)よりも大きくなる．この状況下では熱エネルギーにより，磁化が安定して特定の磁化容易軸方向を向いていられなくなり，磁化反転が繰り返し生じる(熱擾乱現象)．この現象に抗うことが磁気記録の究極の課題である．媒体の開発では熱擾乱による10年間の情報消失量を5％以内に抑えること[16]を想定して，活性化ポテンシャルと熱エネルギーとの比として $K_\mathrm{u}V/kT > 60$ を目安として材料設計がなされている．磁性層材料側で熱擾乱耐性を高める方策は材料の高 K_u 化を追求することであり，現行材料の CoPt 系合金薄膜では，c 面配向六方晶(hcp)積層の中に現れる積層欠陥(局所的な面心立方晶(fcc)積層)を排除することが有効である．

　(1)の一例として CoPt 合金スパッタリング薄膜の特異な原子積層構造を紹介する．図 4.52 には基板温度300℃で作製した $Co_{80}Pt_{20}$ 薄膜の断面の走査透過電子顕微鏡の高角度散乱暗視野(high angle annular dark field：HAADF)像を示した[17]．

4.6 磁性薄膜

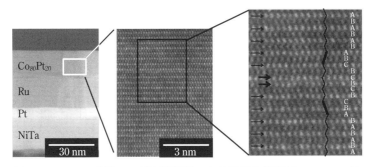

図 4.52 $Co_{80}Pt_{20}$ 薄膜の原子層積層構造．走査透過電子顕微鏡の HAADF 法により撮像した
〔S. Saito, N. Nozawa, S. Hinata, M. Takahashi, K. Shibuya, K. Hoshino, and S. Awaya, : J. Appl. Phys., **117**（2015）17C753 より〕

観察に用いた電子ビームのスポット径は 1 Å 以下であり，各輝点は紙面奥行き方向に連なった原子の平均的な電子散乱能を反映している．積層順に注目すると，六方晶原子積層を意味する-A-B-A-B-積層の中に局所的に-A-B-C-積層が見受けられ，薄膜中には膜面と平行に積層欠陥が形成されていることがわかる．コントラストに注目すると，白色（Pt リッチ層）と灰色（Pt プア層）の原子層が交互に積層されている中に積層順が崩れている部分が見受けられる．薄膜の組成が巨視的には Co：Pt＝80：20(at%)であることと，同一原子層内では周期的なコントラストが観測されないことを鑑みると，この試料は c 面内では Co と Pt の原子位置相関が定まっていない 2 次元不規則構造をとっていることがわかる．この原子層組成変調構造の欠陥は，積層欠陥の近傍に現れる．一般に稠密面配向した遷移金属合金スパッタリング薄膜では価電子数「9」を境界として，それ以上に価電子数を増加させると hcp 構造の c 面に平行に導入される積層欠陥の頻度が多くなり，最終的には(111)面配向 fcc 構造に近づく傾向がある[18,19]．共有結合にあずかる価電子が結晶相と欠陥の導入度合いに関与し，その結果として一軸結晶磁気異方性エネルギーが強く影響される．作製プロセスや層構成により，いかにして各種欠陥を減らすかが残された課題である．現在では室温でさらに大きな K_u を示す正方晶 $L1_0$ 型 FePt 規則相を磁性結晶粒に用いた媒体が開発され，記録時にレーザー光照射により高温化して磁化反転させる熱アシスト磁気記録方式のハードディスクが実用されはじめている．

(2)，(3)については，スパッタリング製膜初期段階に生じるグラニュラ磁性層の下地層上での特異なヘテロエピタキシャル成長が重要な役割を果たしている．図 4.53 に下地 Ru 層上にスパッタリング製膜した Co-SiO_2 グラニュラ薄膜の断面組

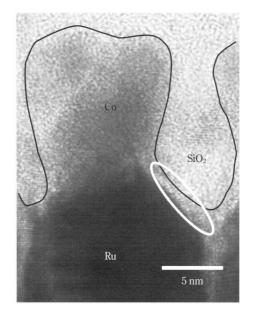

図 4.53　c 面配向 Ru 層上に作製した Co-SiO$_2$ グラニュラ薄膜断面の組織．走査透過電子顕微鏡の明視野法により撮像した．

織像を示す[20]．Ru 結晶粒（図中黒色組織）には 10 nm 程度の起伏の表面凹凸が形成されている．灰色を呈して観測される Co 結晶粒は下地 Ru 結晶粒上に柱状に成長しており，白色を呈する SiO$_2$ 相は Co 粒の間に存在している．Ru 結晶粒の傾斜表面にも灰色を呈する Co（例えば図 4.53 中の楕円部）が Ru と格子縞の方向をそろえて存在している．すなわち，Co-SiO$_2$ グラニュラ薄膜の成長初期では Ru を覆うように Co が濡れて析出し，Ru 凸部に析出した Co が成長初期核となってコラム状組織が形成される一方，分離した SiO$_2$ が粒界に押しやられて析出している．グラニュラ層の成長初期部では濡れ部を介して隣接磁性結晶粒間での接触が生じ，これが粒間交換結合の起源となるために対策が必要である．

　以上のように半硬質磁性薄膜を形成するためには，もとより磁性層そのものの真性的な磁気特性は重要であるが，非磁性下地層による磁性層の組織制御も単磁区微粒子集合組織を実現するうえで極めて重要である．

e.　磁性薄膜の新展開

　ここまで，静的な外部磁場に対する強磁性薄膜の磁化反転の容易性を切り口とし

て，とくに軟磁性薄膜や半硬質磁性薄膜を中心として実用デバイスに必要とされる磁性薄膜の磁気特性制御について述べてきた．近年では，原子磁気モーメントが有する角運動量に着目し，角運動量を原子磁気モーメントに伝えた際の応答性を応用したデバイスの創発に注目が集まっている．角運動量の担い手としてはスピン偏極した伝導電子，円偏波マイクロ波や可視・近赤外の円偏光などが提案されている．応答性に関しては，磁化反転のみならず原子磁気モーメントの歳差運動やその伝搬現象・共鳴現象が挙げられる．これらの物理現象は原子層レベルでの精密な成膜・界面制御技術の発展により発現し検出できるようになったものであり，新たな概念のセンサー，メモリー，コンピューティングなどの主導原理となっている．

文　　献

1) 日本磁気学会 編：『磁気工学入門』（共立出版，2008）．
2) 茅　誠司：『強磁性』（岩波書店，1952）．
3) C. Kittel : Rev. Mod. Phys., **21** (1949) 565.
4) H. Hoffmann : J. Appl. Phys., **35** (1964) 1790.
5) M. Takahashi and T. Shimatsu : IEEE Trans. Magn., **26** (1990) 1485.
6) M. N. Baibich, J. M. Broto, A. Fert, F. Nguyen Van Dan, F. Petroff, P. Eitienne, G.Greutet, A. Friederich, and J. Chazelas : Phys. Rev. Lett., **61** (1988) 2472.
7) B. Dieny, V. S. Speriosu, S. S. P. Parkin, B. A. Gurney, D. R. Wilhoit, and D. Mauri : Phys. Rev. B, **43** (1991) 1297.
8) D. H. Mosca, F. Petroff, A. Fert, P. A. Schroeder, W. P. Pratt, Jr., and R. Laloee : J. Magn. Magn. Mat., **94** (1991) L1.
9) M. Julliere, Phys. Lett. A, **54** (1975) 225.
10) R. D. Hempstead, S. Krongelb, and D. A. Thompson : IEEE Trans. Magn., **MAG-14** (1978) 521.
11) S. S. P. Parkin, C. Kaiser, A. Panchula, P. M. Rice, B. Hughes, M. Samant, and S. H. Yang : Nat. Mater., **3** (2004) 862.
12) D. D. Djayaprawira, K. Tsunekawa, M. Nagai, H. Maehara, S. Yamagata, N. Watanabe, S. Yuasa, Y. Suzuki, and K. Ando : Appl. Phys. Lett., **86** (2005) 092502.
13) S. Isogami, M. Tsunoda, K. Komagaki, K. Sunaga, Y. Uehara, M. Sato, T. Miyajima, and M. Takahashi : Appl. Phys. Lett., **9** (2008) 192109.
14) M. Takahashi, T. Shimatsu, M. Suekane, M. Miyamura, K. Yamaguchi, and H. Yamasaki : IEEE Trans. Magn., **28** (1992) 3285.
15) E. C. Stoner and E. P. Wohlfarth : Phil. Trans. Roy. Soc.A, **240** (1948) 599.
16) A. Moser and D. Weller : IEEE Trans. Magn., **35** (1999) 2808.
17) S. Saito, N. Nozawa, S. Hinata, M. Takahashi, K. Shibuya, K. Hoshino, and S. Awaya, : J. Appl. Phys., **117** (2015) 17C753.
18) S. Saito, A. Hashimoto, D. Hasegawa and M. Takahashi : J. Phys. D : Appl. Phys., **42** (2009) 145007.
19) 斉藤　伸：まぐね，**11** (2016) 82.
20) S. Saito, T. Ueno, S. Sasaki, and M. Takahashi : J. Vac. Soc. Jpn., **51** (2008) 578.

4.7 有機薄膜

4.7.1 はじめに

　有機材料をエレクトロニクスの主要材料に用いることで，薄膜，軽量，薄型，曲げても伸縮させても壊れない新しいエレクトロニクスの開発が進められている．有機材料の本質的な柔らかさ，機械的可撓性を活かしてさまざまな場所に展開することが期待されている．例えば大面積のエレクトロニクス製品であっても，丸めてもち運ぶことができたり，もち運ぶ際に落としても壊れにくいなどの利点がある．従来からエレクトロニクスの主要材料として用いられてきたSiなどの無機物半導体や，基板として用いられてきたSiウェハーは硬くて曲がらない．有機材料の本質的な柔らかさを利用した「有機エレクトロニクス」はSiを主材とする従来型エレクトロニクスの欠点を補い，新しいエレクトロニクス時代を切り開くと期待されており注目を集めている．とくに，モノとモノがつながるインターネット時代(internet of things：IoT)を迎え，われわれの住む実世界の情報収集には，多種多様でコスト効率の高い(大面積に展開しても低コストに抑えることができる)エレクトロニクスセンサー，ディスプレイ，アクチュエーターが求められている．ここでも印刷技術により製造できるコスト効率の高い有機エレクトロニクスに期待が集まっている．

　有機薄膜は，「有機分子で形成され，厚みがナノメートルからマイクロメートルに及ぶ薄い膜」を指すが，具体的にはプラスチックフィルム，高分子・低分子・液晶膜，自己組織化単分子膜などがある．その中でも近年注目を集めているのが，有機薄膜の半導体特性を活用した有機エレクトロニクスである．最近多くの端末機メーカーが，表示体に有機エレクトロルミネッセンス(有機EL)を採用し，大きな注目を集めている．液晶ディスプレイと対比して，自発光であるため屋外においても見やすいという性質が重要であるが，それに加えて，曲がることやさまざまな局面においても動画を出すことができるなど，その"デザイン性"が採用を決めた大きな理由とされている．これに限らず，有機薄膜太陽電池や有機薄膜トランジスター(有機TFT)など，機械的に柔らかい有機半導体に関する関心が高まっている．

　本節では，有機半導体など有機機能性材料を用いた有機エレクトロニクスへの応用を念頭に，有機半導体に特化し，その基礎となる電気伝導の物理と薄膜作製技術について無機半導体と対比しながら述べることにする．なお，一般的な薄膜作製技

術は第2章を，応用については例えば文献1も参照されたい．

4.7.2 有機半導体

a. 有機エレクトロニクスの活用例と市場規模

有機薄膜材料，とりわけ有機薄膜の電気的機能の活用は図4.54に示すように整理することができる[2]．有機エレクトロニクスは，機能性有機化合物を採用したデバイスと，導電性有機材料を採用したデバイスに分類される．導電性有機材料採用デバイスに関しては，低温製膜できる有機導電性材料を中心に，その高い導電性を活用した応用である．それに対して，機能性有機化合物採用デバイスは，主に半導体としての機能を活用した応用である．ここには，有機EL[*1]，有機薄膜太陽電池，有機電池，有機TFTが分類される．

例えば，有機半導体が実用化されている最も主要なエレクトロニクスは有機ELディスプレイである．最新の調査では，ディスプレイ市場は，2023年には15兆5838億円に達し，2028年には16兆6120億円に達する見通しも示されており，デ

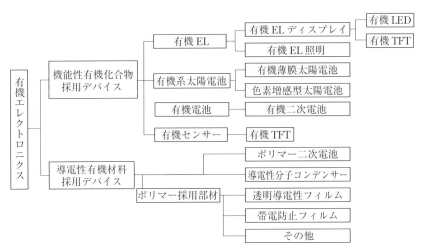

図 4.54 有機エレクトロニクスの応用例
〔『DX/サステナブル社会における有機エレクトロニクスの将来展望2022』(富士キメラ総研)をもとに作成〕

[*1] 有機ELは無機ELに対比して名付けられた名称であるが，最近の有機EL素子は従来のEL素子の電場発光ではなく，電子正孔注入発光であり，原理的にはむしろ発光ダイオードLEDに近い．このため，最近は有機LED(OLED)とよばれる場合も多い．

b． 代表的な有機半導体

代表的な有機半導体であるポリアセン系有機半導体の分子構造とバンドギャップを図 4.55 に示す[4]．ベンゼン環が二つ結合したナフタセンからはじまり，ベンゼン環の数の増加とともにバンドギャップが減少していく．ベンゼン環が五つ結合したペンタセンでバンドギャップは 2 eV 程度まで下がり，真性半導体としての性質をみせる．さらにヘキサセンまでベンゼン環が増えると，酸素などにより分子が不安定化し，大気中において良好な半導体特性を示さなくなる．有機薄膜中の分子どうしはファン・デル・ワールス力により結合し，共有結合している無機物と比べて容易に分子構造が変化する．分子構造を容易に変更できるという特徴のおかげでさまざまな機能を付与することができるほか，バンドギャップなどの物性パラメーターを変更できるため，重宝である．一方で，容易に分子構造を変えられるということは，大気の成分や光などの影響を受けやすいということになる．また，有機材

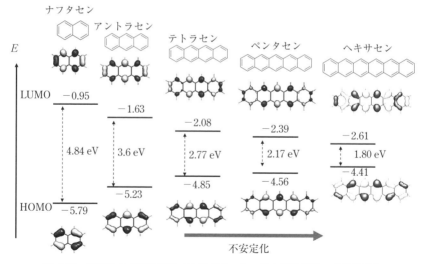

図 4.55 代表的な有機半導体であるポリアセン系有機半導体の分子構造とバンドギャップ

---

*2　実際に Apple 社は有機 EL をスマートフォンに採用したため，市場は大きく拡大している．

料は有機溶剤などに可溶で，溶液プロセス，印刷プロセスにより製膜できるという特徴を有する．

c. 有機半導体の歴史

有機半導体の研究の歴史は，井口の研究が発端であると考えられる．その詳細は，文献5を参照されたい．イソビオラントロンを中心にその伝導物性を詳細に計測評価し，この優れた半導体としての性質を見いだしたことを端緒として有機半導体の研究が創出された．文献5では，π電子による電気伝導機構をはじめとする有機薄膜における極めて重要な物理現象の根幹が説明されている．1950年代，有機半導体における光伝導特性の測定，圧力効果による有機固体の伝導性制御など，さまざまな先駆的な研究が井口らによって行われている．その後，有機半導体の研究は大きく広がり，導電性高分子の発見や2次元物質グラフェンの発見など，ノーベル賞につながる研究展開がなされている．

有機半導体を活用したデバイス応用としては，1983年に工藤がメロシアニン系薄膜色素を半導体層に用いて有機薄膜トランジスター(有機TFT)の作製に世界ではじめて成功したことが知られている[6]．有機薄膜太陽電池は，1986年にタン(Tang)らによって実現された[7]．p型有機半導体である銅フタロシアニン(CuPc)とn型有機半導体であるペリレンジイミド誘導体のヘテロ接合型有機薄膜太陽電池である．

有機EL素子も同じく1987年にタンらによって実現された[8]．有機半導体発光層としてアルミキノリノール(Alq3)，正孔輸送層としてジアミン誘導体を用いることで，その当時ですでに10 V駆動において1000 cd/m^{2}の発光を確認している．ここでは材料や構造など現在の研究開発に直結する次のような重要な発見がなされている．

(ⅰ) 複数の異なる材料からヘテロ構造をつくることで，電子と正孔の再結合効率を高めた．

(ⅱ) 製膜手法に蒸着法を用いることで高品質有機薄膜を作製し，低電圧駆動を実現した．

(ⅲ) 陰極，陽極に接する材料として，電子および正孔注入に適した材料を選択した．

詳細は文献9に記載されている．

4.7.3 有機半導体の結晶性と電気伝導の物理

a. 結晶性と電気伝導

まず,有機薄膜の結晶性と電気伝導の関係について述べる.無機材料が共有結合を通して単結晶,多結晶,アモルファスを形成するように,有機材料も主にはファン・デル・ワールス力により単結晶,多結晶,アモルファスを形成することが知られている.これらの電気的な特性は,結晶状態と結晶間に存在する結晶粒界に左右される[*3].

(1) 単結晶膜

有機薄膜は有機分子が分子間力,主にはファン・デル・ワールス力で結合している.共有結合と比べてはるかに弱い結合であるため,有機分子間には結合の自由度が生まれ,結果的に有機材料には柔軟性,機械的可撓性が生じると考えられる.この結合力により有機分子性単結晶を形成することができる.図4.56に代表的な有機半導体ルブレンの分子構造と単結晶の写真を示す.有機単結晶の作製方法はさまざまなものが提案されているが,多くはガス制御された熱勾配のあるガラス管内で有機分子の昇華,再結晶を利用することで作製されている.この方法で作製されるルブレン単結晶の大きさは10 mm以上あり,優れた有機単結晶薄膜が得られている[10-12].

(2) 多結晶膜

単結晶の粒(結晶粒)が連結した状態にある多結晶も同様に,分子間力により形成される.単結晶と比べて結晶状態の長距離秩序を必要としないことから,より多く

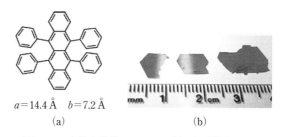

$a = 14.4 \text{Å} \quad b = 7.2 \text{Å}$
(a) (b)

図 4.56 有機半導体ルブレンの(a) 分子構造 および (b) 単結晶の写真

[*3] 無機半導体の代表であるSiの結晶状態と電気的特性の関係が4.1節に述べられている.

4.7 有機薄膜　257

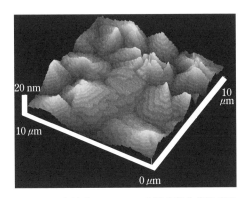

図 4.57　多結晶ペンタセン有機半導体薄膜表面の原子間力顕微鏡像

の有機分子薄膜はこの状態をとる．図 4.57 に多結晶状態のペンタセン薄膜表面の原子間力顕微鏡(atomic force microscope：AFM)像を示す．分子配向がそろった単結晶状態と，その粒界の様子がわかる．伝導キャリアを有する有機分子は π 電子雲を有し，この π 電子の共役により有機分子はキャリアを共有することができる．このような伝導性の分子構造を π 共役系とよぶ．この π 共役系を広くとる構造の一つはヘリングボーン(herringbone)構造であり，伝導キャリアの運動エネルギーを下げることにつながる．多くの高移動度有機分子結晶にヘリングボーン構造がみられる．

(3) アモルファス膜

結晶粒が極めて小さくなり，すなわち粒界が極めて多い状態になると有機分子はもはや秩序をもたなくなり，アモルファス状態となる．低分子の有機分子が結晶をつくるのに対して，高分子材料の多くはアモルファス状態の膜を形成する．アモルファス膜は数 μm 以上の分子秩序をもたないため，一般的に高い移動度，高い導電性を示さないものが多い．しかし，有機薄膜を作製する際に溶液プロセスが容易であることや，伝導における異方性をもたないことから電気伝導特性のばらつきが小さいことなどのメリットがある[12]．

b. 有機薄膜の電子構造と電気伝導

ここでは有機薄膜(単結晶，多結晶，アモルファス)においてみられる特有の電気伝導特性について述べる．

有機半導体の電気伝導においても，結晶中に伝導キャリアが存在し，その振る舞

いは以下の電気伝導度の式で記述される．

$$\sigma = ne\mu \tag{4.48}$$

ここで，σは電気伝導度(S/cm)，nはキャリア密度，eは電子の電荷，μは移動度(cm^2/V·s)である．有機薄膜中では，キャリア密度を分子ドーピングや電荷移動錯体，電界効果などを用いて制御している．

有機分子は分子間の結合が比較的弱いファン・デル・ワールス力であるため，伝導電子は無機半導体がみせるバンド的伝導を示さず，分子内ポテンシャルに束縛される．この結果，図4.58に示すように，無機半導体結晶のような均一で幅の広いバンドではなく，揺らぎのある狭いバンドが形成される[13]．これらを孤立した一つの分子で記述すると図4.58の右のようになる．このとき，電子に占有されていない最もエネルギーの低い分子軌道を最低空軌道(lowest unoccupied molecular orbital：LUMO)，電子に占有されている最もエネルギーの高い分子軌道を最高被占軌道(highest occupied molecular orbital：HOMO)とよび，HOMOとLUMOの間のエネルギー差が，エネルギーギャップとなる．

有機分子結晶を流れる電流は，主に伝導電流と空間電荷制限電流に大別することができる．伝導電流Jはオームの法則に従う．

$$J = ne\frac{V}{L}\mu \tag{4.49}$$

ここで，Vは印加電圧，Lは膜厚である．一方，有機分子の場合には伝導キャリアが分子内に強く束縛されるため，オームの法則ではなく，空間電荷制限電流(space charge limited current：SCLC)とよばれるチャイルド則に従う電流があり，一般的

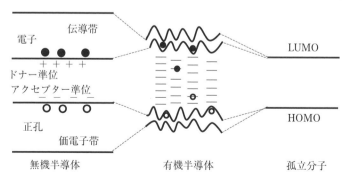

図 4.58 無機半導体，有機半導体，および孤立分子におけるバンドのイメージ図
〔文献5をもとに作図〕

に以下の式で記述される．

$$J=\frac{9}{8}\varepsilon\varepsilon_0\frac{V^2}{L^3}\mu \tag{4.50}$$

ここでε_0は真空の誘電率，εは薄膜の比誘電率である．これは，高電場の印加により高密度に電荷を注入する際などにみられる電流である．移動度の低い有機半導体では，注入された電荷の移動より速く電極から電荷が注入される．これが律速となる場合，電荷は対極まで円滑にキャリア輸送されず，界面近傍に電荷がたまった状態(空間電荷層)が形成される．空間電荷層は界面近傍に逆電場を生じ，電流を律速する．このSCLCは，有機ELなどで電極から高密度な電荷を注入し高い輝度の発光を得るときにみられる．より詳細な記述は文献14に譲る．

c. 有機半導体薄膜の伝導機構

次に有機薄膜における伝導機構についてより詳しく述べよう．有機薄膜の伝導は，本質的(intrinsic)な移動度の決定因子「隣接分子の電子的相互作用」(移動積分)と，電荷輸送を制限する外的要因「不純物，構造の乱れ，粒界」(トラップなど)の二つの要素からの影響を強く受ける．これら二つの要素からなる「電荷輸送モデル」には，バンド伝導，マルチトラッピングモデル，ホッピング伝導モデルがある．

(1) バンド伝導

ブロッホ(Bloch)型の波動関数で記述される波束が系内を伝搬する伝導であり，無機半導体になどで起きる一般的なバンド伝導と相違ない．キャリアの平均自由行程が格子定数より長く，伝導キャリアは非局在化している．このとき移動度μは以下の式で表される．

$$\mu=\frac{e\tau}{m^*} \tag{4.51}$$

ここで，τは運動量緩和時間，m^*はキャリアの有効質量である．バンド伝導の場合，キャリアの散乱要因はフォノンや不純物である．その特徴は無機半導体と同様に温度特性に現れる．有機半導体ナフタレンにおけるキャリア移動度の温度依存性を図4.59に示した[15]．無機半導体と同様に，バンド伝導を示す有機半導体における移動度と温度Tの関係は，以下の式で表される．

$$\mu\propto T^{-n} \tag{4.52}$$

ここで，nは正の数値で，散乱機構に依存する．すなわち，温度の低下とともに移動度は増加する．これは，温度の低下とともにキャリアの散乱要因であるフォノン

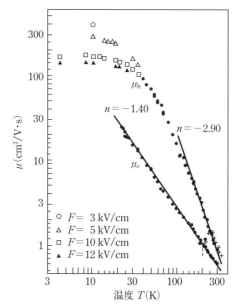

図 4.59 有機半導体ナフタレンの種々の電界強度
におけるキャリア移動度の温度依存
〔W. Warta and N. Karl.: Phys. Rev. B, **32** (1985) 1172 より〕

の影響が小さくなり,移動度が上昇すると理解できる.

バンド伝導を示すことが知られている有機単結晶ルブレンの電気伝導度の異方性が詳細に調べられており,π共役系の電子雲の方向(移動積分の異方性)に応じてその伝導度が変化する(図4.60)[16]. 結晶中のバンド構造の直接観察が石井らによって角度分解光電子分光法によってなされている[17].

(2) マルチプルトラッピングモデル

有機薄膜内にあるキャリア捕獲サイトである浅い準位での電荷トラップとバンド伝導を繰り返す伝導であり,その特徴はやはり温度依存性に現れる.図4.61に有機多結晶ペンタセンを用いた電界効果トランジスターの移動度の温度依存性を示す[18].ここでは,(a) 移動度の低いトランジスター, (b) 中間の移動度をもつトランジスター, (c) 移動度の高いトランジスターの温度依存性を示してある.移動度の低いトランジスターは結晶粒が小さく,多数の粒界を含む.温度低下に伴い移動度が低下している.ここでみられる伝導は熱活性型であり,バンド伝導における移動度の温度依存性とは逆の振る舞いである.このような伝導は,図4.62(a)に示す

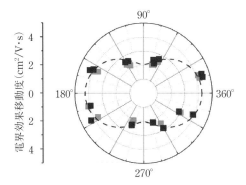

図 4.60 単結晶有機薄膜(単結晶ルブレン)を半導体層に用いた有機電界効果トランジスターの移動度の結晶方位依存性
〔V. Sundar, J. Zaumseil. V. Podzorov, E. Menard, R. L. Willett, T. Someya, M. E. Gershenson, and J. A. Rogers : Science, **303** (2004) 1644 より〕

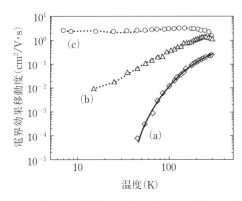

図 4.61 多結晶有機薄膜(ペンタセン)を半導体層に用いた,電界効果トランジスターの移動度における温度依存性.(a) 低い移動度をもつトランジスター,(b) 中間の移動度をもつトランジスター,(c) 高い移動度をもつトランジスター

マルチプルトラッピングモデルで説明されている.トラップ準位に捕獲された伝導キャリアは熱エネルギー $k_B T$ によってトラップ(局在状態)から解放される.このモデルでは移動度は以下の式で表される.

$$\mu_{\text{eff}} = \mu_0 \frac{\tau}{\tau + \tau_{\text{trap}}} \tag{4.53}$$

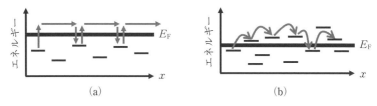

図 4.62 局在準位を介した伝導の模式図．(a) マルチプルトラッピングモデル，(b) 低い移動度をもつ有機薄膜トランジスターでみられるホッピング伝導モデル

ここで，μ_0 は単結晶中の移動度，τ はトラップ間を移動する時間，τ_{trap} は浅いトラップ準位に捕獲されている時間である．トラップ間を移動する時間が捕獲されている時間より十分に長い（$\tau \gg \tau_{\text{trap}}$）場合，$\mu_{\text{eff}} = \mu_0$ となり，移動度は単結晶のそれと一致する．一方，捕獲されている時間がトラップ間を移動する時間より十分に長い（$\tau \ll \tau_{\text{trap}}$）場合，$\mu_{\text{eff}} = \mu_0 (\tau / \tau_{\text{trap}})$ となり，この系での移動度は単結晶中の移動度と比べて小さくなる．

(3) ホッピング伝導

キャリアが捕獲サイトに捕獲されて伝導できなくなった状態を局在状態とよぶ．局在状態のキャリアは，束縛されているエネルギー以上の熱的エネルギーを得ると伝導できる状態，非局在状態へと戻る．この局在状態間において熱励起過程を伴う連続的な遷移をホッピングといい，電荷移動が局在状態間のトンネル現象によって起こる伝導がホッピング伝導である．より正確には，キャリアと周囲の分極場が結合したひずみ（ポーラロン）が束縛ポテンシャルから熱的に励起されることでキャリアが伝搬する伝導である（図 4.62(b)）．ここでは詳細は省くが，最近接ホッピング伝導や，可変領域ホッピング伝導が知られており，移動度はいずれも熱活性型の温度依存性を示す（温度上昇とともに熱的エネルギーを受けた伝導キャリアが局在状態間をホッピングしやすくなり，移動度が増加する）．これはバンド伝導における移動度の温度依存性とは逆の傾向である．よって，移動度の温度依存性を計測することで，バンド伝導であるか，それ以外の熱的な励起を伴う伝導であるかを知ることができる．

d. 有機半導体薄膜のトランジスター特性

有機薄膜の結晶状態と電気伝導特性を評価する際には，さまざま評価手法が用いられる．ここでは電界効果型トランジスターによる有機薄膜の評価手法について述べる．

有機薄膜半導体は一般的には真性半導体に属し，キャリアを注入することで電子デバイスとして機能する．ボトムゲート，トップコンタクト型の有機薄膜の電界効果型トランジスターの構造模式図を図4.63に示す[19]．基板の上にゲート電極を作製したのち，ゲート絶縁膜，有機半導体，ソース・ドレイン電極を積層することで構造を形成する．電界効果により伝導キャリアが蓄積することで，伝導キャリアが輸送される層(チャネル)が絶縁膜と半導体の界面に形成される．このとき，ソース・ドレインからのキャリア注入の観点から，有機半導体層は薄く形成されることが望ましい．また，厚い有機半導体層を用いると，内部に含まれる不純物などによる効果からゲート電圧を印加せずとも電気が流れてしまうことが知られている．このため，有機半導体層が厚いとオフ電流が大きくなる傾向がある．このことからも有機トランジスターの半導体層には薄い有機薄膜半導体が求められている．

有機薄膜トランジスターの電気伝導特性(出力特性と伝達特性)の一例を図4.64

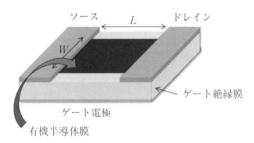

図 4.63 有機薄膜を半導体層に用いた電界効果トランジスターの構造模式図
〔文献19, 20をもとに植村隆文作図〕

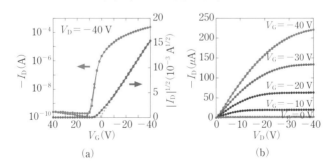

図 4.64 有機薄膜(C_{10}-ジナフトチエノチオフェン，C10-DNTT)を半導体層に用いた電界効果トランジスター特性：(a) 伝達特性, (b) 出力特性
〔文献19をもとに植村隆文作図〕

に示す.伝達曲線の高電圧領域における電流値は,バンド理論により以下の式で表される.

$$I_D = \frac{\mu W C}{2L}(V_G - V_{th})^2 \qquad (4.54)$$

ここで,Wはチャネル幅(ソース・ドレイン電極長さ),Lはチャネル長(ソース電極とドレイン電極の電極間距離),Cはゲート絶縁膜を挟んだ静電容量,V_Gはゲート電極に印加されるゲート電圧,V_{th}はしきい値電圧である.移動度μ以外のすべてのパラメーターの実測値から移動度μを求めることができる.このようにして算出される移動度は電界効果移動度とよばれる.有機薄膜の移動度を計測する方法は多数あるが,これは簡易で多くの研究者が用いている計測法である.

上記のトランジスター特性はバンド理論に基づく式であり,電界効果によりゲート電極から誘導したキャリアは局在しない可動キャリアであることを前提としている.ところが,有機薄膜は多結晶やアモルファスになることが多く,有機薄膜内に多くのトラップサイトが存在してキャリアが局在する.このため,すべてのキャリアが可動キャリアであるとは限らない.その結果,電界効果移動度は必ずしもいつも正しい移動度を与えるとは限らない.

有機薄膜の移動度を計測する方法には電界効果から算出する方法のほか,飛行時間(time of flight)法,ホール(Hall)測定から算出する方法などがある.

e. 有機半導体薄膜トランジスターのホール特性

真性半導体である有機薄膜半導体を用いた電界効果トランジスターでは,蓄積層により形成されるチャネルのキャリア密度Qは以下の式で示される.

$$Q = C(V_G - V_{th}) \qquad (4.55)$$

キャリアがトラップサイトなどにより局在することなく伝導に寄与し,すべて可動キャリアであるとすると,以下のホール効果の式から発生するホール電圧を理論的に予測することができる.

$$V_{\text{Hall-理論}} = \frac{BI}{Q} = \frac{BI}{C(V_G - V_{th})} \qquad (4.56)$$

ここで,Bは薄膜面に対して垂直に印加する磁場,Iはチャネルに流す一定電流である.この$V_{\text{Hall-理論}}$が,実際のホール測定によって得られるホール電圧$V_{\text{Hall-実験}}$と一致する場合には,チャネルに蓄積されたすべてのキャリアは伝導に寄与している,すなわちトラップに局在したキャリアが存在しないことがわかる.

竹谷らは,ルブレン単結晶を用いた電界効果トランジスターにより正確なホー

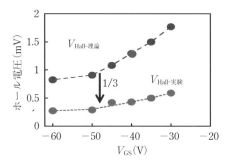

図 4.65 多結晶ペンタセンを用いた有機薄膜ト
ランジスターのホール測定結果
〔文献21をもとに作図〕

測定を世界に先駆けて行い[20]，$V_{\text{Hall-理論}} = V_{\text{Hall-実験}}$ であること，すなわち，電界効果によるキャリアはすべてバンド伝導に寄与していることを示した．筆者らは，蒸着で作製した多結晶ペンタセンを有機薄膜半導体に用いて，同様にホール測定を行い，実験で観測したホール電圧 $V_{\text{Hall-実験}}$ が $V_{\text{Hall-理論}}$ の 1/3 しかないことを報告した（図 4.65）[21]．この結果から，多結晶ペンタセンの電界効果トランジスターにおいては，多くのトラップに捕獲され伝導に寄与しないキャリアがあることが示された．

f. 有機半導体の課題と対策

有機半導体の大気中での挙動も問題となっている[22~24]．例えば，最も代表的な有機半導体であるペンタセンでは，酸素や光の影響により化学変化を起こし，半導体としての特性が変化する．これらの分子の化学的な反応が有機半導体を用いたエレクトロニクスの大きな課題である．

4.7.4 有機薄膜の製膜

有機薄膜の製膜方法は，真空蒸着製膜法と塗布製膜法に大別される．有機半導体は塗布製膜に適しているものとそうでないものがある．その代表例を図 4.66 に示した．

a. 真空蒸着製膜

真空蒸着製膜では，有機材料を真空中に置き，抵抗加熱や電子線ビーム加熱などの手法により有機材料を昇華させる．そして，有機材料と対向する位置に固定された基板へ積層することで製膜する．この際に，シャドーマスクを基板の上に準備することで，有機薄膜材料をパターニングすることができる．有機材料を熱により直

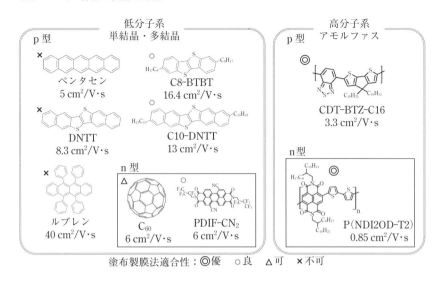

図 4.66 代表的な有機半導体の溶液塗布製膜法の適合性と得られる典型的な移動度の値

接昇華させるため，製膜過程における不純物混入を防ぐことができる．よって，純度の高い有機薄膜を膜厚の精度を高く製膜できる．有機材料の中でも低分子系の材料において真空蒸着製膜が用いられている．蒸着方式では，必要とされないところにも有機薄膜が製膜されることから材料利用効率が高くない．また真空チャンバーを必要とすることから，装置の観点や製造コストの観点から大面積の製膜には不向きとされている．しかし，現在のところ高精度の厚み制御と優れた電気特性を重視して，有機 EL ディスプレイや有機 EL 照明を提供している多くのメーカーが真空蒸着製膜法を採用している．

b. 塗布（印刷）製膜

有機材料の溶液を用いた塗布製膜は，有機材料の大きな特徴である．塗布法は，有機溶剤に溶けにくい低分子系有機材料ではなく，高分子系の材料に用いられるのが一般的である．しかし，低分子系であっても官能基導入などにより溶剤に溶けやすくすることが可能である．この溶液をディップコーティング，スピンコーティング，ブレードコーティングなどにより基板に均一に製膜することができる．さらに，この溶液を印刷法（インクジェット，スクリーン印刷，グラビアオフセットなど，2.4節参照）により印刷することができる．印刷は，コーティングとパターニングを同時に行う手法であり，大面積に作製することが容易である．

有機材料の塗布製膜には主に二つの課題がある．その一つは，コーヒーリング現象とよばれる端の厚みが大きくなる現象であり，膜内で厚みの不均一性が問題となる．これは，溶剤が乾燥する際に溶媒が液体の対流により端に集まるために起こる．膜の厚みのばらつきは電気特性や分子の結晶性に大きな影響を及ぼすため抑えなければならないが，コーヒーリング現象を軽減するためには乾燥速度や溶液の粘性制御が重要になる．二つ目は，乾燥速度や乾燥環境になどに起因する結晶の乱れが生じる課題である．π 共役により分子内では伝導キャリアが移動できるが，結晶が乱れることにより伝導が阻害されたり伝導特性のばらつきが生じる．電気的性能向上のためには粘性制御と乾燥制御が重要である．溶液に増粘剤をいれたり，精密な乾燥速度，乾燥雰囲気の制御などが必要になる．一方，増粘剤などの添加は電気特性・機械特性の観点からは好ましくない．溶液を用いた塗布製膜による電子デバイス作製には課題が多い．

4.7.5 まとめ

本節では，電気的特性に主眼をおいて有機半導体薄膜について述べた．多様な形態を有する有機薄膜材料は電気的特性のみならず，光学特性，機械的特性に極めて優れており，これらを生かすためには種々の研究分野からの多くの取り組みが必要である．有機エレクトロニクスと無機エレクトロニクスは近い将来には相補の関係を築き，次世代のエレクトロニクス社会基盤を確立していくと考えられる．今後，有機薄膜工学のさらなる発展が期待される．

文　献

1) 日本学術振興会情報科学用有機材料第 142 委員会 C 部会 編：『有機半導体デバイス―基礎から先端材料・デバイスまで』（オーム社，2010）．
2) 富士キメラ総研：『DX/サステナブル社会における有機エレクトロニクスの将来展望 2022』（2022）．
3) 富士キメラ総研：『2023 ディスプレイ関連市場の現状と将来展望』（2023）．
4) Sigma Aldrich ウェブページより抜粋．
5) 井口洋夫：『有機半導体』（槇書店，1964）．
6) K. Kudo, M. Yamashina, and T. Moriizumi : Jpn. J. Appl. Phys., **23**（1984）130.
7) C. W. Tang : Appl. Phys. Lett., **48**（1986）183.
8) C. W. Tang and S. A. VanSlyke1 : Appl. Phys. Lett., **51**（1987）913.
9) 辻村隆俊：『有機 EL ディスプレイ概論 第 2 版』（産業図書，2012）．
10) V. Podzorov, S. E. Sysoev, E. Loginova, V. M. Pudalov, and M. E. Gershenson : Appl. Phys. Lett., **83**（2003）3504.
11) C. Reese and Z. Bao : Adv. Mater., **19**（2007）4535.
12) A. L. Briseno, R. J. Tseng, S.-H. Li, C.-W. Chu, Y. Y. Eduardo, H. L. Falcao F. Wudl, M.-M.

Ling, H. Z. Chen, Z. Bao, H. Meng, and C. Kloc : Adv. Mater., **18** (2006) 2320.
13) V. Podzorov : Nature Mater., **12** (2013) 1038.947.
14) 安達千波矢 編:『有機半導体のデバイス物性』(講談社, 2012).
15) W. Warta and N. Karl. : Phys. Rev. B, **32** (1985) 1172.
16) V. Sundar, J. Zaumseil. V. Podzorov, E. Menard, R. L. Willett, T. Someya, M. E. Gershenson, and J. A. Rogers : Science, **303** (2004) 1644.
17) S. Machida, Y. Nakayama, S. Duhm, Q. Xin, A. Funakoshi, N. Ogawa, S. Kera, N. Ueno, and H. Ishii : Phys. Rev. Lett., **104** (2010) 156401.
18) S. F. Nelson, Y.-Y. Lin, D. J. Gundlach, and T. N. Jackson : Appl. Phys. Lett., **72** (1998) 1854.
19) T. Uemura, C. Rolin, T.-H. Ke, P. Fesenko, J. Genoe, P. Heremans, and J. Takeya : Adv. Mater., **28** (2016) 151.
20) J. Takeya, K. Tsukagoshi, Y. Aoyagi, T. Takenobu, and Y. Iwasa : Jpn. J. Appl. Phys., **44** (2005) L1393.
21) T. Sekitani, Y. Takamatsu, S. Nakano, T. Sakurai, and T. Someya : Appl. Phys. Lett., **88** (2006) 253508.
22) A. Maliakal, K. Raghavachari, H. Katz, E. Chandross, and T. Siegrist : Chem. Mater., **16** (2004) 4980.
23) J. E. Anthony, J. S. Brooks, D. L. Eaton, and S. R. Parkin : J. Am. Chem. Soc., **123** (2001) 9482.
24) S. K. Park, T. N. Jackson, J. E. Anthony, and D. A. Mourey. : Appl. Phys. Lett., **91** (2007) 063514.

4.8 ハロゲン化金属ペロブスカイト薄膜

ハロゲン化金属ペロブスカイトは,一般式 ABX_3 (A は 1 価陽イオン, B は 2 価金属陽イオン, X はハロゲン化物陰イオン)で表される化合物群であり,ペロブスカイト型結晶構造をとり,その多くが直接遷移型半導体である.図 4.67 に示すよ

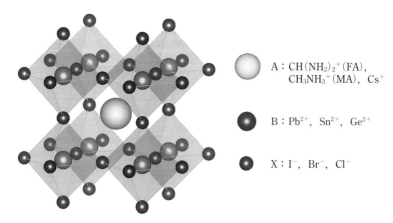

図 4.67 ハロゲン化金属ペロブスカイト ABX_3 の結晶構造(ペロブスカイト構造)

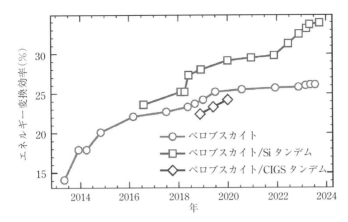

図 4.68 ペロブスカイト太陽電池のエネルギー変換効率(認証最高値)の推移
〔NREL Best Research-Cell Efficiency Chart (2023); https://www.nrel.gov/pv/assets/pdfs/best-research-cell-efficiencies.pdf より〕

うに，ABX_3 ペロブスカイトの結晶構造では $[BX_6]$ 八面体がその基本骨格であり，これが頂点の X イオンを共有して 3 次元的なネットワークを組み，その隙間に A イオンが配置する．

　ハロゲン化金属ペロブスカイト型半導体を光吸収層に用いた薄膜太陽電池がペロブスカイト太陽電池である．宮坂らによる $CH_3NH_3PbI_3$，$CH_3NH_3PbBr_3$ を用いた最初のペロブスカイト太陽電池の報告[1]を端緒として，世界中の多くの研究者を巻き込んだ熱狂的な研究開発競争の結果，ペロブスカイト太陽電池のエネルギー変換効率は短期間で急激に上昇し，2023 年末現在で単接合のセルの効率が 26.1%(薄膜太陽電池としてはトップ，単結晶 Si と同等)，Si とのタンデムセルでは 33.9% に達している[2](図 4.68)．太陽電池応用以外にも，発光デバイスやシンチレーターなどへの応用も活発に研究されており，ハロゲン化金属ペロブスカイトは汎用の半導体材料へと成長していく可能性もありそうである．本節では，最も研究が進んでおり，かつ太陽電池として最も高い性能が報告されているハロゲン化鉛ペロブスカイト(B=Pb)と，非鉛化合物の代表であるハロゲン化スズペロブスカイト(B=Sn)を中心に，この材料とその薄膜について概説する．

4.8.1　ハロゲン化金属ペロブスカイトの特徴

　まず，長所とみられる特徴を順に述べる．
(1) 直接遷移型半導体である．そのため，強い光吸収，高い発光効率が得られ，光

デバイスの材料に適している．長いキャリア拡散長と次に述べるバンドギャップエネルギーの可変性も相まって，とくに太陽電池の光吸収層の材料として理想的といえる．

(2) A，B，X 各サイトのイオンを入れ替えてバンドギャップエネルギーを変化させられる．A サイトに有機イオン $CH_3NH_3^+$（MA と略記する）を配した鉛・スズペロブスカイト $MASn_{0.8}Pb_{0.2}I_3$ の 1.1 eV[3] から $MAPbCl_3$ の 3.1 eV まで，広い範囲がカバーできる．混晶を用いれば，この範囲を連続的にカバーすることが可能である．

(3) 多結晶でも著しい性能劣化がない．従来の半導体材料と大きく異なり，結晶粒界などの欠陥が深い準位を形成しないようで，多結晶でも高い性能を維持できる．

(4) 低温で合成可能で，高い自己組織性を有する．そのため，スピンコート法のような簡易な低温プロセスで，比較的大きな粒サイズの高品質な多結晶薄膜を作製できる．

一方，短所としては以下のような性質が挙げられる．

(5) 鉛の有毒性が問題とされる．現状では B＝Pb のハロゲン化鉛ペロブスカイトが突出して高い性能を示している．B＝Sn のハロゲン化スズペロブスカイトなどの非鉛化合物も精力的に研究されているが，その性能は今のところ鉛化合物に遠く及ばない．

(6) 安定性に不安がある．有機イオンを含む化合物は熱的安定性に問題を抱えており，それに対して，高温安定性に優れる全無機化合物については比較的低い性能しか実現されていない．ハロゲン化物混晶では光照射下でハロゲン化物イオンの偏析[4] が起こる．非鉛ペロブスカイトの代表格であるハロゲン化スズペロブスカイトは $Sn^{2+} \rightarrow Sn^{4+}$ の酸化による不安定性が大きな問題である．

(7) 導電性制御の技術が存在しない．高性能ペロブスカイト太陽電池中のハロゲン化鉛ペロブスカイト光吸収層は，pin ダイオードの i 層として機能しているとされている．合成条件によって p 型，n 型ペロブスカイトを得ることは可能ではあるが，制御できるキャリア濃度の範囲は現状では狭く，十分な導電性制御が行えない．汎用的な半導体へとこの材料系を飛躍させるためには，克服すべき重大な課題である．

最後に，長所にも短所にもなり得る際立った特徴として
(8) ハロゲン化物イオン移動が室温で顕著に起こる．
を挙げておこう．これについては，本節の最後で改めて解説する．

4.8.2 ハロゲン化金属ペロブスカイト薄膜作製プロセス

　ハロゲン化鉛ペロブスカイト多結晶薄膜形成の代表的手法はスピンコート法である．化学当量のAXとPbX$_2$を良溶媒に溶解した溶液を室温で基板上にスピンコートするだけで数秒から数十秒の短時間で反応が進み，この後に100℃程度でのアニールを行うと反応が完結して，比較的良質で緻密な多結晶薄膜が得られる．最初にPbX$_2$をスピンコートした後にAX溶液を滴下してスピンコートを行う2段階法で，より良質な膜が得られるとされている．スピンコート中に貧溶媒を滴下して結晶化を促進する貧溶媒法が，高性能太陽電池作製のためのプロセスとして広く用いられており，高い変換効率のセルのほとんどはこの方法で作製されている．大面積化を志向して，スピンコート法と同じ溶液プロセスに基づいたバーコート法などが検討されている．

　ドライプロセスとしては真空蒸着も広く検討されている．逐次蒸着法では，まずPbI$_2$を蒸着し，その後にAIを蒸着するとインターカレーションによって反応が進行してペロブスカイト薄膜が得られる．AXとPbX$_2$を同時に蒸着する共蒸着も比較的高品質な薄膜を形成できる手法として研究が進んでいる．真空蒸着，あるいはスピンコートで形成したPbX$_2$薄膜表面にAXを気相あるいは液相から供給して反応させる方法も，さまざまなタイプが検討されている．しかしながら，これらの方法で作製されたセルの性能は，上記のスピンコート法で作製されたものに現状では及ばない．

　スズ化合物の場合は，鉛化合物で用いられる溶媒への原料の溶解度が低いこと，製膜プロセス中にも継続して起きる酸化などが問題となっており，高品質製膜法の決定版はまだ確立されていないのが現状である．

4.8.3 ハロゲン化鉛ペロブスカイトの結晶構造

　ハロゲン化金属ペロブスカイトでは，同じくペロブスカイト構造をとる酸化物誘電体群と同様に，温度変化に伴う逐次構造相転移が起きる．最高温の安定相はひずみのないBX$_6$正八面体が隣り合う八面体のB-X結合が平行になる配置で結合した立方晶であるが，温度降下とともに隣り合う八面体の並びがジグザグになったり，

八面体そのものがひずんだりして，より対称性の低い結晶系へ相転移していく．最も頻繁にみられるのは，高温側から，立方晶(cubic)→正方晶(tetragonal)→直方晶(斜方晶)(orthorhombic)の逐次構造相転移であるが，転移温度は化合物ごとに異なるし，そもそもこの順序と異なる相転移シークエンスを示すものも多い．

代表的な有機ハロゲン化金属ペロブスカイト化合物である $MAPbX_3$ と全無機ペロブスカイト $CsPbX_3$ の構造相転移シークエンスと相転移温度を図4.69にまとめた．A，B，X 各サイトのイオンのサイズのバランスがよい $MAPbCl_3$ は無ひずみの立方晶相が比較的安定で，立方晶・正方晶転移温度は 179 K と最も低い．X サイトのハロゲン化物イオンの半径が $Cl^- \to Br^- \to I^-$ と大きくなると結晶構造にひずみが入りやすくなって，立方晶・正方晶転移温度は $179 \to 233 \to 328$ K と順次上昇し，結果的に室温の結晶系は $MAPbCl_3$ と $MAPbBr_3$ は立方晶であるのに対して，$MAPbI_3$ は正方晶となる．これに対して，A サイトカチオンにイオン半径の小さな Cs^+ を配した $CsPbX_3$ は $MAPbX_3$ と比較してはるかにひずみやすく，構造転移温度は軒並み高くなり立方晶・正方晶転移温度はいずれも室温以上である．室温での安定相は，$CsPbI_3$ と $CsPbBr_3$ が直方晶(斜方晶)，$CsPbCl_3$ は単斜晶(monoclinic)

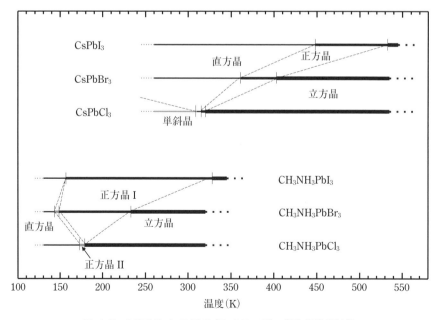

図 4.69　$MAPbX_3$ と $CsPbX_3$（X＝I, Br, Cl）の逐次構造相転移

(単斜晶相は存在せず，室温の安定相は直方晶であるとする報告もある)である．

多結晶薄膜内のグレイン中には，双晶[5)]，アンチフェーズドメイン[6)]，室温安定相でない準安定相の共存や自然超格子[7)]など，さまざまな不完全構造が存在することが報告されている．

4.8.4 ハロゲン化鉛ペロブスカイトの電子構造

ハロゲン化鉛ペロブスカイト $APbX_3$ の価電子帯上端(valence band maximum：VBM)，伝導帯下端(conduction band minimum：CBM)付近の電子状態はほぼ完全に Pb と X の原子軌道の寄与で決定され，A サイトイオンはまったく寄与しない．ヨウ化鉛ペロブスカイト $APbI_3$ の(仮想的)立方晶結晶の電子状態の概略を図 4.70 に示す[8)]．$[PbI_6]$ 八面体分子の HOMO(最高被占軌道)は Pb 6s と I 5p の反結合状態，LUMO(最低空軌道)は Pb 6p と I 5p の反結合状態(ただしこちらは I 5p の寄与はかなり小さい)の反結合状態である．立方晶 $APbI_3$ 結晶では，VBM と CBM はともに R 点(単純立方逆格子ブリルアンゾーンの(1 1 1)方向端点)に位置する．VBM は s

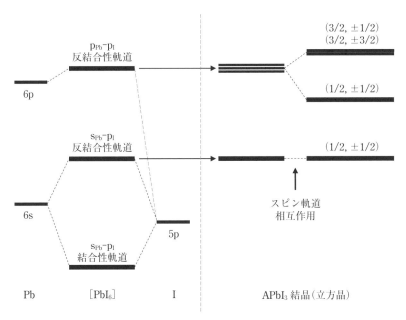

図 4.70 ヨウ化鉛ペロブスカイト $APbI_3$ の電子状態($[PbI_6]$ 八面体(左)と立方晶結晶(右))

〔T. Umebayashi, K. Asai, T. Kondo, and A. Nakao: Phys. Rev. B **67** (2003) 155405 より〕

軌道的対称性の一重(スピンを含めると二重)縮退準位である．p 軌道的対称性の三重(スピンを含めると六重)縮退した上準位はスピン軌道相互作用によって分裂し，二重縮退した全角運動量 $J=1/2$ の準位が CBM となる．結晶を構成している原子の原子軌道準位が VBM-CBM 間に存在しない点が Si や GaAs などの既存の半導体と大きく異なり，これがこの材料で深い準位ができにくい理由の一つであると考えられる．

図 4.71 に立方晶 $APbI_3$ と GaAs のエネルギーバンド構造を比較して示す．s バンドと p バンドの上下が逆転しており，ヨウ化鉛ペロブスカイトでは伝導帯が p 軌道的となっている．また，ペロブスカイトでは，強いスピン軌道相互作用で分裂した一重縮退のスピン軌道分裂バンドが伝導帯となっていて，比較的シンプルなバンド構造となっている点が特徴的である．

この電子状態は，X＝Br，Cl の場合や，Pb 以外(Sn や Ge)の B サイトイオンを含むハロゲン化金属ペロブスカイト全般に共通のものである．また，立方晶よりも対称性の低い結晶系では，結晶場の影響が加わる結果，上記の各準位の縮退が解けて分裂する(加えて，一般に単位胞が大きくなるのに対応してバンドの折り返しが起きて VBM，CBM がブリルアンゾーン内の別の点(Γ 点など)に移動する)が，バンド端の電子状態の定性的な性質に大きな違いはない．定量的にみると，バンドギャップエネルギーの大きさに最も強く影響するのはハロゲン化物イオン X であ

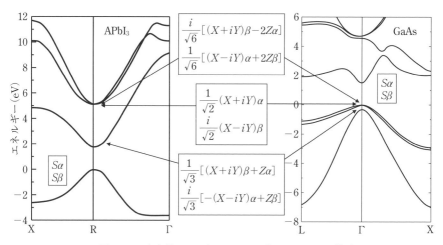

図 4.71 立方晶 $APbI_3$ と GaAs のエネルギーバンド構造

る．ハロゲン化鉛ペロブスカイト $APbX_3$ のバンドギャップエネルギーは，室温において，X＝I で 1.6 eV 程度，X＝Br で 2.3 eV 程度，X＝Cl で 3.1 eV 程度である．B サイト金属イオンのバンドギャップエネルギーに対する影響は，意外なことに，ハロゲン化物イオンと比較してかなり小さい．A サイトイオンのバンドギャップエネルギーへの影響はさらに小さく，A サイトイオンサイズの差が結晶構造のひずみを通じて間接的に影響するのみである．

4.8.5 ハロゲン化金属ペロブスカイト混晶

ハロゲン化金属ペロブスカイトでは，A サイト，B サイト，X サイトにさまざまな異なるイオンを任意の組成比で混合して配した混晶が作製可能である．混晶の組成に応じてバンドギャップエネルギーや格子定数が変化するので，これを利用した連続的な物性制御が可能である．その一例として，$MAPb(I_{1-x}Br_x)_3$ 混晶の格子定数とバンドギャップエネルギーの Br 組成依存性[9]を図 4.72 に示す．格子定数については，ベガード則がよく成り立っている．バンドギャップエネルギーには小さいながらもボーイングがみられる．B サイト金属イオン混晶 $A(Pb_{1-x}Sn_x)X_3$ のバンドギャップエネルギーではボーイングが非常に強く，$x=0$, $x=1$ の両端組成よりも小さなバンドギャップエネルギーをもつ組成域が存在する．しかしながら，混晶組成と格子定数，バンドギャップエネルギーの関係についての精密なデータが多くの

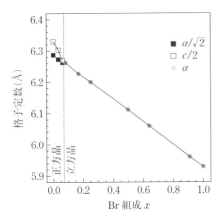 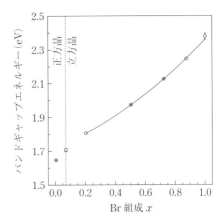

図 4.72 $MAPb(I_{1-x}Br_x)_3$ 混晶の格子定数(300 K)とバンドギャップエネルギーの Br 組成 x 依存性

〔Y. Nakamura, N. Shibayama, A. Hori, T. Matsushita, H. Segawa, and T. Kondo: Inorg. Chem., **59**（2020）6709 より〕

混晶についてそろっていないのが現状である．今後，このような基礎データの整備が必要となろう．

4.8.6 ハロゲン化物イオン移動

ハロゲン化金属ペロブスカイトでは，ハロゲン化物イオン空孔を介した隣接するXサイト間のハロゲン化物イオン移動に対するポテンシャル障壁が比較的低く，室温でも活発なイオン移動が起こることが知られている．このことは，この物質がイオン伝導性も併せもっていることを意味している．多くのペロブスカイト太陽電池でみられるI-Vカーブのヒステリシスの原因の一部は，このイオン伝導にあるとみて間違いなかろう．この材料系にみられる自己修復的な振る舞いも，このイオン移動と関係していると考えられる．イオン移動は，ヘテロ構造や傾斜組成などの不均一組成を含む構造の安定性も阻害する．ハロゲン化物イオン濃度の異なる物質が隣接していると，ハロゲン化物イオンの相互拡散が起き，均一組成の混晶にしだいに変化してしまうからである．

最後に，光誘起ハロゲン偏析[4]の問題との関連も指摘しておこう．ハロゲン化鉛ペロブスカイトのハロゲン化物混晶 $APb(I_{1-x}Br_x)_3$ と $APb(Br_{1-y}Cl_y)_3$ では，特定の組成域で，光照射下でのハロゲン偏析が可逆的に起こることが知られている．これは混晶を用いた太陽電池の安定性に関わる深刻な問題である．この現象のトリガーとなる駆動力については諸説あるものの，その正体が何であるかは決着がついていない．しかしながら，その駆動力に導かれてハロゲン偏析が起こる段階でイオン移動が関与しているのは間違いなく，この現象の抑制にはハロゲン化物イオン移動の抑止が必要であることは明らかである．

今後，この物質群におけるイオン移動に関する理解を深め，これを抑止する方法（場合によっては，促進して積極的に利用するアプローチもあり得るかもしれない）を開発していく必要があろう．

文　献

1) A. Kojima, K. Teshima, Y. Shirai, and T. Miyasaka : J. Am. Soc. Chem., **131** (2009) 6050.
2) NREL Best Research-Cell Efficiency Chart (2023) https://www.nrel.gov/pv/assets/pdfs/best-research-cell-efficiencies.pdf
3) M. Saliba, J.-P. Correa-Baena, M. Grätzel, A. Hagfeldt, and A. Abate : Angew. Chem. Int. Ed., **57** (2018) 2554.
4) M. C. Brennan, A. Ruth, P.V. Kamat, and M. Kuno: Trends in Chemistry, **2** (2020) 282.
5) M. U. Rothmann, W. Li, Y. Zhu, U. Bach, L. Spiccia, J. Etheridge, and Y. Cheng : Nat. Com-

mun., **8** (2017) 14547.
6) S. Chen, C. Wu, Q. Shang, Z. Liu, C. He, W. Zhou, J. Zhao, J. Zhang, J. Qi, Q. Zhang, X. Wang, J. Li, and P. Gao : Acta Mater., **234** (2022) 118010.
7) T. W. Kim, S. Uchida, T. Matsushita, L. Cojocaru, R. Jono, K. Kimura, D. Matsubara, M. Shirai, K. Ito, H. Matsumoto, T. Kondo, and H. Segawa : Adv. Mater., **30** (2018) 1705230.
8) T. Umebayashi, K. Asai, T. Kondo, and A. Nakao : Phys. Rev. B **67** (2003) 155405.
9) Y. Nakamura, N. Shibayama, A. Hori, T. Matsushita, H. Segawa, and T. Kondo : Inorg. Chem., **59** (2020) 6709.

4.9　2次元材料薄膜(グラフェン，MX$_2$ など)

2004 年に機械的剥離法により炭素の 2 次元物質であるグラフェン単離が成功しその物性が明らかにされて以降，グラフェンをはじめとする 2 次元材料に対する関心が急速に高まり現在に至っている[1]．2 次元材料の研究は早くも 19 世紀に始まるといわれているが，グラフェンの特異な物性についてはグラファイトの電子構造の研究に関連して 1947 年にはじめて理論的に予測された[2]．しかしながら，純粋な 2 次元材料の特異な物性を研究するためには純粋な 2 次元材料を基板の影響をできるだけ最小限に抑えて形成し，Si-LSI などの半導体技術の進歩に伴うナノテクノロジーの革新的な技術やそれらに基づく知見がさらに必要であった．

MoS$_2$ をはじめとするグラフェン以外の 2 次元物質を基板上に形成する薄膜形成技術として，ファン・デル・ワールス・エピタキシー(van der Waals epitaxy : VDWE)が小間らにより早くも 1980 年代に提案され基礎的な研究が開始されていた[3]．しかしながら，グラフェン形成においては，先述のとおりスコッチテープでグラファイトを機械的に剥がした後に Si 基板上の平坦な酸化膜表面に転写し，グラフェンの層数による干渉色の変化を用いて単原子層グラフェンを光学顕微鏡で探し出してその電気伝導現象を測定するというかなり原始的な手法が用いられた．このような機械的剥離法を用いれば基礎物性研究は可能である．しかしながら，さまざまなデバイス応用の観点からは大面積かつ高品質なグラフェン薄膜を形成する技術が必要とされるため，CVD 法や昇華法などによるグラフェン形成法の研究が現在盛んに行われている[4]．さらに，グラフェンの発見によりそのほかの 2 次元材料系にも注目が集まり，VDWE をはじめとする 2 次元物質薄膜形成技術や AI 技術などの助けを借りた剥離積層技術の研究も現在盛んになっている[5]．

4.9.1 グラフェンの基礎物性

図4.73に示すように，一般的にカーボンナノチューブやフラーレンなどのナノ・カーボンを含む炭素同素体とよばれる物質系や有機物は多様な構造を有している．その主な理由は，炭素原子が sp, sp^2 および sp^3 混成軌道を標準状態下において容易に形成し得る点であろう．薄膜系においてはグラフェン（sp^2 混成軌道）とダイヤモンド（sp^3 混成軌道）をその代表例として挙げることができる．ダイヤモンドはIV族単元素ワイドバンドギャップ半導体として近年研究が盛んに進められているが，基本的にはSi単結晶と同様の共有結合系の結晶構造を有している．

図4.74にグラフェンの格子構造と第一ブリルアンゾーンを示す[6]．グラフェンは2つの炭素原子の σ 結合と π 結合により120°の結合角で平面上に結びついた六方格子構造を形成している．σ 結合は sp^2 混成軌道の重なりが大きく結合エネルギーが大きいかなり局在的な性質を有する結合である．一方，π 結合はベンゼン環の二重結合でも知られるかなり非局在的な性質をもつ 2p 軌道どうしの重ね合わせによる結合である．図4.74に示すように，グラフェンの六方格子構造には同じ炭

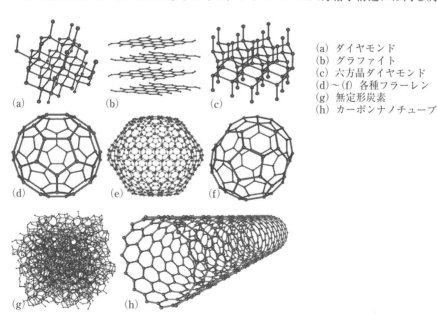

図 4.73 炭素の同素体

〔Michael Ströck：https://commons.m.wikimedia.org/wiki/File:Eight_Allotropes_of_Carbon.png より〕

4.9 2次元材料薄膜(グラフェン, MX$_2$ など)　　279

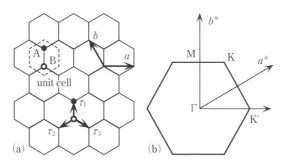

図 4.74　グラフェンの(a) 結晶構造および(b) 第一ブリルアンゾーン
〔安藤恒也:表面科学, **29**(2008)296 より〕

素原子が単位胞の中に二つあり，それぞれが副格子(A 副格子および B 副格子)を形成する．基本単位ベクトルとして図中の **a** および **b** で表されるベクトルを選ぶことができる．また，各炭素原子から近接の三つの炭素原子に結合手(τ_1, τ_2 および τ_3)が伸びており，その一辺の長さは図中 A–B 間の $a_{cc} = 0.142$ nm である．六方格子の形をした格子構造は平面方向のどの方向に引っ張っても伸びるという力学的な性質を有しており，日常生活における巨視的な各種ネット類にも用いられている構造である．

　グラフェンの特性はその特異な電子構造にある．フェルミ準位近傍の電子構造は緩やかな結合に関与する π 電子系に起因している．図 4.75 に示すように，有効質量近似あるいは $k \cdot p$ 近似による解析では，第一ブリルアンゾーンの K(K′)点近傍

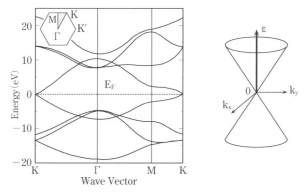

図 4.75　グラフェンのエネルギーバンド構造およびディラックコーン
〔安藤恒也:表面科学, **29**(2008)296 より〕

においてエネルギー分散関係が直線的に交わり，ディラック点とディラックコーンが形成される．その結果，グラフェン中の電子はディラックフェルミオンとよばれる質量ゼロのワイル方程式と同じ方程式に従うことが導かれる[6]．一般に半導体などよく用いられる固体の電子状態は有限の有効質量を有する粒子的性質を反映したものである．それに対して，グラフェンの電子状態はむしろ静止質量のない光子やニュートリノの振る舞いに似たものとして捉えることができる．すなわち，グラフェン中のディラックコーン上の電子は，通常の固体中の電子に比べて波動的性格が強く，静止することのできない電子であると考えられる．実際の物質中でこのような振る舞いをするディラックフェルミオンが観測されたのはグラフェンがはじめてであり，その点が評価され2010年度のノーベル賞受賞につながったと考えられる．

このような特異な電子状態は，例えば，谷内散乱における時間反転対称対の形成による後方散乱効果が消失することにより極めて高い電子移動度を室温において示す．また，半整数量子ホール効果などの2次元電子系に特有の伝導特性も示す．室温でのキャリア移動度はSi中の電子と正孔の100倍以上であり，最大電流密度は360 MA/cm^2 と通常のLSI配線に用いられるCuの360倍にも達する[7]．また，炭素が軽元素であるためスピン軌道相互作用が小さくスピン拡散距離が100 μm レンジであることも報告されている[8]．さらに，2次元物質どうしの分子間力を介した積層構造を変化させることによる電子状態の制御というこれまでにない新たな物性を生み出すことにもつながっている．その典型的な例が，グラフェン2層間の角度を変えながら積層させるとフラットバンドという新たな電子構造が現れ，マジックアングルといわれる角度において超伝導状態が現れることが報告されている[9]．このような優れた電気特性がポストSi材料として期待される主な理由であると考えられる．

また，電気的特性のみではなく機械的および光学的特性においても優れた特性を有していることが知られている．炭素原子どうしの強い σ 結合によりグラフェンは機械的強度が強くしなやかな物質であり，26％引っ延ばしても結晶構造が維持される．さらに，その比強度（引っ張り強度／密度）が48 000 kN/kg であり鋼の100倍以上であることが報告されている[10]．また，光学的には1原子層であるにもかかわらず，赤外から可視光領域の幅広い波長の光を2.3％吸収することが知られている．この特性は一般的な半導体に比べて1〜3桁大きく，まさにウルトラワイドバンド光学材料といっても過言ではない．加えて，熱伝導率も室温で2000〜5300 W/(m・K)

であり，ダイヤモンドの熱伝導率を越え Cu の 10 倍以上である．この点は，集積化の進展に伴い顕在化すると考えられる熱工学の諸課題においても期待をもつことのできる材料であると考えられる．

4.9.2 グラフェンの製法

代表的なグラフェン形成法には，機械的剥離法，CVD 法および昇華法などが挙げられる．以下では各々の手法の特徴や課題を述べる．

a. 機械的剥離法

2004 年に報告されたグラフェン研究の端緒となった作製法は，高配向性無水グラファイト(highly oriented pyrolytic graphite：HOPG)から粘着テープを用いた機械的剥離法によるものであった．天然黒鉛，HOPG やキッシュ・グラファイト(Kish Graphite)などのグラファイト結晶基板表面をスコッチテープなどにより引き剥がし，ほかの基板上に転写を行うという手法である．一般的に高品質な 2 次元物質が得られ，任意の積層構造を作製することができるので基礎物性や基本的なデバイス動作確認に適した手法である．また，グラフェン研究の初期段階では，下記で述べるような合成法では得ることが難しかった高品質絶縁 2 次元物質である単層 hBN 層とグラフェンとの積層構造作製にも機械的剥離法および転写法が用いられていた．粘着テープを用いた方法以外にも，インターカレーションを用いた手法，液中での直接剥離法や酸化による化学剥離法などがある．これらの手法は，原子層膜の小片を大量に製造できる点では複合材料，電池や導電性インクなどには応用可能であると思われる．しかしながら，単一ドメインの大面積化やドメインサイズの制御が難しく，集積回路などの電子材料応用には困難が伴うものと考えられる．もっとも剥離技術や転写技術の進歩は，以下に述べるほかの製造方法においても重要な技術である点は注意が必要であろう．

b. CVD 法(CVD グラフェン)

グラフェンの CVD 法は，例えば，Cu 表面上に炭素の供給源となるメタンガスを供給し，触媒反応により分解された炭素原子が炭素固溶度の非常に低い Cu 表面上を動き回ることにより単原子層の結晶成長が行える．CVD 法で通常用いられる多結晶 Cu 金属箔上では基板上へ大面積成長が可能である．しかしながら，表面に凹凸が多数存在するため単層グラフェンも異なる向きのグレインからなる多結晶となり，また，破れが多いという課題が存在する．最近では，サファイア基板上に高結晶性の Cu(111)薄膜をスパッタリング法で製膜してその上に CVD 法でグラ

フェンを成長させるというヘテロエピタキシャル法が開発され，高品質の単層グラフェンが合成されている．さらに，半導体としてのグラフェン応用には2層グラフェンの形成が必要であると考えられる．AB積層構造を有する2層グラフェンを$Cu_{0.77}$-$Ni_{0.23}$(111)合金表面上にCVD成長させることにより基板上に99％の割合で得られることが報告されており，その成長機構についても研究が進んでいる[11]．

c. 昇華法(エピタキシャルグラフェン)

SiC基板を真空中あるいはArなどの適当な不活性雰囲気中で高温熱処理することにより，基板表面においてSiCの熱分解によるSi原子の昇華現象が起きる．この現象を利用することにより残留した炭素原子から高品質なグラフェンが大面積で得られるため，高機能デバイス応用上の利点が多いと考えられる合成法である．SiCには6H，4Hや3Cなど多くの多形が存在することが知られている．いずれの場合も成長速度などの点を除きSi昇華によるグラフェン形成そのものへの影響は限定的であると考えられる．ただし，成長様式や成長したグラフェンの構造は強く面方位に依存することが知られている．以下では，4H-あるいは6H-SiC基板を例にとって説明する．

SiC(0001)表面(Si面)におけるグラフェン成長時には，バッファ層とよばれる特別な層が形成される．そのためにSiC基板とエピタキシャル関係にある少数層のグラフェンが形成されることが知られている．成長したグラフェン層の基本的な電子構造は理想的な少数層グラフェンに期待されるものに近い．しかしながら，基板から10^{13} cm^{-2}程度の電子がドープされており，基板との相互作用がグラフェンの対称性に影響を及ぼすためバンドギャップが出現することも知られている．

SiC(000-1)表面(C面)におけるグラフェン成長時には，Siの局所的な昇華によりテラス上にピットが発生し，その中に多層グラフェンが核生成される．その結果，Si面とは異なり，結晶方位を決定する役割を担うバッファ層が存在しない．そのため，C面の第1層グラフェンは基板との相互作用が弱く結晶核の方位は比較的ランダムであり，核が成長して合体した後のグラフェンは多結晶状態となる．また，層間にも回転乱れが生じやすく，多層であっても各々が独立した1層グラフェン同様の直線的なバンド分散を保持する．さらに，多結晶グラフェンの粒界はSi原子が基板から表面へ拡散する経路となり層数が増加しやすいため成長速度は増加しやすいことも知られている．

以上述べたように，代表的なグラフェン形成法にはそれぞれ特徴がある．機械的剥離法では高品質なグラフェン層が得られるため，基礎物性や各種デバイス応用の

基礎的実証には適しているものの，再現性よく大面積グラフェンを形成することは難しい．この点では，CVD法や昇華法は大面積グラフェンを得ることができ，実用化の観点からは期待がもてるものの，その特性は機械的剥離法によるグラフェンには多少とも劣る．また，大面積グラフェンの剥離法や転写技術のさらなる進展も実用化には不可欠であると考えられる．

4.9.3 グラフェンの構造評価[4]

さまざまな手法により作製されたグラフェンの特性評価については，2次元物質であるがゆえに，従来の半導体薄膜などで一般的であった結晶性や不純物についての評価手法とは多少異なる手法が用いられる．グラフェンに限らず2次元物質全般は化学的安定性を有するため，適切な清浄化プロセスを施すことにより多面的に分析できることが特徴として挙げられる．

例えば，適切な膜厚のSiO_2薄膜(300 nm)で覆われたSi基板上に機械的剥離法により転写したグラフェンの層数判定には，光学顕微鏡観察によるコントラストの違いを用いることができる．また，グラフェン評価の最も標準的な手法であるラマン散乱分光法では，グラフェン特有のラマン散乱スペクトルであるG'バンド($\sim$2700 cm^{-1}付近)と炭素結合に由来するGバンド(1580 cm^{-1}付近)の散乱強度比および形状とグラフェン層数との相関により層数を評価できることが知られている[12]．さらに，1350 cm^{-1}付近の欠陥由来のDバンドと上述のGバンド強度比からはグラフェンのドメインサイズを見積もることもできることが知られている．もちろん，G'バンドやGバンドのラマンシフトはひずみやキャリア密度に依存するが，変化の仕方がそれぞれ異なるため測定されたそれらの値からひずみとキャリア密度を分離して見積もることができることも知られている[13]．

グラフェンをはじめとする2次元物質の原子構造を直接調べる手法としては，透過電子顕微鏡(transmission electron microscopy：TEM)法が挙げられる．断面TEM観察からは層数と積層を直接求めることが可能であり，また，平面TEMによりμmスケールのドメイン構造から原子レベルの格子欠陥構造までの観察が可能である．

低エネルギー電子顕微鏡(low energy electron microscope：LEEM)法は，後方に弾性散乱された電子を用いることにより動的観察に優れた測定法である．グラフェン成長のその場観察を可能にして成長機構の優れた知見を与えることができるとともに，10 nm程度の空間分解能でグラフェン層数をデジタルに決定できるという特

性を有している．このLEEMを用いた層数測定法は，グラフェンのみでなくhBNにも有効である．

角度分解光電子分光(angle-resolved photoemission spectroscopy：ARPES)法は，グラフェンのバンド構造を直接可視化して観測できる手法である．これまでに基板との相互作用によるバンドギャップ生成や，層数や多体効果に応じたバンド構造の変化などのグラフェン物性の理解を進めてきた評価法でもある．とくに，マジックアングルとよばれる2層グラフェンの積層角度における超伝導状態の出現とフラットバンドとよばれる積層角度の変化によって出現する特異なバンド構造の変化などを顕著に捉えることに成功している[14]．

走査トンネル顕微鏡(scanning tunneling microscope：STM)／トンネル分光法では，グラフェンと基板との相互作用，電子波の散乱，強磁場下におけるランダウ準位やひずんだグラフェンの擬磁場などを調べることが可能である[4]．

4.9.4　グラフェンの応用

現在のところグラフェンの応用は多岐にわたるが，最も有望なものとして透明電極応用が挙げられる．プラスチック上に転写されたグラフェンに対して光透過率90％で〜30Ω/□のシート抵抗が得られている．透明電極の代表物質である酸化インジウムスズ(indium tin oxide：ITO)よりも同じ光透過率でより高い導電率が得られるとともに，ITOでは難しい柔軟性を有するなど優れた特性が得られている．タッチスクリーン，スマートウィンドウ，ディスプレイや太陽電池など幅広い応用範囲が期待されている．

グラフェンの室温での高いキャリア移動度は，ポストSi世代のトランジスターのチャネル材料としてのデバイス応用への期待を強く抱かせる．しかしながら，グラフェン自身はバンドギャップを有さない．それゆえ電流をオフできないためデジタルデバイスへの応用は困難であるためアナログ高周波素子への応用研究が進められている．それと同時に，バンドギャップを形成するための〜1nm幅のグラフェンナノリボン(graphene nano-ribbon：GNR)構造や2層グラフェンへの垂直電場印加によるバンドギャップ形成と制御の研究も進められている．

グラフェンは全体が表面であり，吸着物などの環境の変化に対して伝導特性などの物性が敏感に応答する．そのため，ガスセンサーやバイオセンサーなどの各種センサー応用への期待も高い．また，理想的には常温常圧においてあらゆる分子，原子が非透過であるため耐腐食コーティング材料としても有望である．さらに，MIT

の研究グループが明らかにしたように多孔質化することにより逆浸透膜としての応用も期待されており[15]，今後人類が直面するさまざまな課題への解決に向けた有望な材料の一つとして期待される．

4.9.5 期待されているグラフェン以外の2次元材料

図 4.76 に示すようにグラフェン以外の層状物質としては[4]，まず，同じ単体のⅣ族元素からなり二重結合の接尾辞を意味する"ene"をつけたシリセン（silicene）やゲルマネン（germanene）が知られている．また，グラフェンと同じ蜂の巣格子構造で A，B 副格子に B 原子と N 原子が位置する hBN も後述するように層状絶縁体物質として研究が進められている．さらに，カルコゲン原子に挟まれた遷移金属からなる層を単位層とする層状の擬2次元的結晶（MX_2）構造をもつ遷移金属ダイカルコゲナイト（transition metal dichalcogenide：TMDC）のほか，層状物質黒リンの単原子層であるフォスフォレンなど，表4.8に示すように多種多様な物質が存在している．それらの物性についても hBN や $HfSe_2$ のような絶縁体，MoS_2 や WSe_2 のような半導体，$NbSe_2$ のような金属・超伝導体と多岐にわたることが知られてい

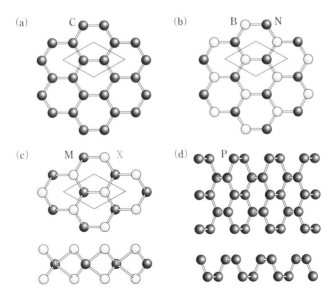

図 4.76 2次元物質の模式図．(a) グラフェン，(b) 単層 hBN，(c) 遷移金属ダイカルコゲナイド，(d) フォスフォレン
〔日比野浩樹：応用物理，84(2015)1065 より〕

表 4.8 さまざまな層状物質

単体層状物質と類似構造化合物	C(グラファイト), P, As, Sb, Bi, 六方晶 BN
遷移金属ダイカルコゲナイド	MCh_2 : M=Ti, Zr, Hf, V, Nb, Ta, Mo, W など, Ch=S, Se, Te
13 族カルコゲナイド	GaS, GaSe, GaTe, InSe
14 族カルコゲナイド	GeS, SnS_2, $SnSe_2$, PbO など
ビスマスカルコゲナイド	Bi_2Se_3, Bi_2Te_3
層状高温超伝導化合物	$Bi_2Sr_2CaCu_2O_x$, $Bi_2Sr_2Ca_2Cu_2O_x$, $LaFeAsO_{1-x}F_x$ など
水酸化2価金属	$M(OH)_2$: M=Mg, Ca, Mn, Fe, Co, Ni, Cu, Zn, Cd など
ハロゲン化金属	$MgBr_2$, $CdCl_2$, CdI_2, Ag_2F, AsI_3, $AlCl_3$ など
層状ケイ酸塩, 粘土	雲母, 滑石, カオリンなど
層状酸化物ナノシート	TiO_2 系・ペロブスカイト系ナノシート, MoO_3 など

〔上野啓司, 塚越一仁：応用物理, 83(2014)274 より〕

る[16]．

単層の hBN はバンドギャップが 6 eV の絶縁体である．したがって，hBN はグラフェンデバイスの基板として有用である．しかしながら，現状では高品質 hBN 層は高温高圧合成されたバルク単結晶から機械的剥離法でしか得られておらず，今後大面積で高品質な単結晶 hBN 原子層膜の成長技術の進展が必要である．

グラフェンの発見以降さまざまな2次元物質およびそれらを積層させて組み合わせた，いわゆる，「ファン・デル・ワールスヘテロ構造」に注目が集まり研究が盛んになっている．TMDC などの2次元物質の成長については，上述したようにすでに小間らにより 1980 年代には VDWE として日本において研究が開始されている．成長法としては分子線エピタキシー(MBE)法や CVD 法などが用いられてきた．

半導体 TMDC は，そのバンドギャップが層数に依存することが知られており，例えば，MoS_2 の場合，バルクの 1.3 eV から 1 単位層の 1.9 eV まで変化することが知られている．さらに，層数が1層になると間接遷移型半導体から直接遷移型半導体にバンド構造が変化する．また，単層 MoS_2 を用いた FET では室温において 200 $cm^2/(V \cdot s)$ の電子移動度が得られている．最近では，CVD 法により剥離法に匹

敵する物性値を示す薄膜が得られているが，これまで得られた TMDC は多結晶であり，今後結晶性の向上が望まれる．

4.9.6 ま と め

以上述べたように，多くの課題はあるもののグラフェンをはじめとする2次元材料はその組合せにより多種多様な物性を有する新たなファン・デル・ワールスヘテロ構造による新物質を創製する可能性を有している．さらに，20世紀後半以降進展してきた各種ナノテクノロジーとの結合は新しいデバイス応用の世界を拓く可能性を有していると考えられ今後の発展が多いに期待される．

文　　献

1) K. S. Novoselov, A. K. Geim, S. V. Morozov, D. Jiang, Y. Zhang, S. V. Dubonos, I. V. Grigorieva, and A. A. Firsov : Science, **306**（2004）666.
2) P. R. Wallace : Phys. Rev., **71**（1947）662.
3) 小間　篤：応用物理，**62**（1993）758.
4) 日比野浩樹：応用物理，**84**（2015）1065.
5) 増淵　覚，町田友樹：日本物理学会誌，**75**（2020）550.
6) 安藤恒也：表面科学，**29**（2008）296.
7) A. D. Liao, J. Z. Wu, X. Wang, K. Tahy, D. Jena, H. Dai, and E. Pop : Phys. Rev. Lett., **106**（2011）256801.
8) B. Dulbak, M.-B. Martin, C. Deranlot, B. Servet, S. Xavier, R. Mattana, M. Sprinkle, C. Berger, M. A. De Heer, F. Petroff, A. Anane, P. Senepr, and A. Fert : Nat. Phys., **8**（2012）557.
9) Y. Cao, V. Fatemi, S. Fang, K. Watanabe, T. Taniguchi, E. Kaxiras, and P. Jarillo-Herrero : Nature, **556**（2018）43.
10) C. Lee, X. D. Wei, J. W. Kysar, and J. Hone：Science, **321**（2008）385.
11) 吾郷浩樹：応用物理，**90**（2021）617.
12) A. C. Ferrari and D. M. Basko：Nat. Nanotechnol., **8**（2013）235.
13) J. E. Lee, G. Ahn, J. Shim, Y. S. Lee, and S. Ryu : Nat. Commun., **3**（2012）1024.
14) D. Marchenco, D. V. Evtushensky, E. Golias, A. Varykhalov, and O. Rader : Science Adv., **4**（2018）eaau0059.
15) D. Cohen-Tanugi and J. C. Grossman : Nano Lett., **12**（2012）3602.
16) 上野啓司，塚越一仁：応用物理，**83**（2014）274.

4.10　薄膜の化学的性質

4.10.1　薄膜工学における化学的要素

薄膜工学では，薄膜の形成・加工のプロセス，さらに機能性など，多くの場面で化学的性質が重要な役割を果たす．薄膜の化学的性質の現れる現象や機能性につい

表 4.9 薄膜の化学的性質と機能

現 象	化学的性質と機能
濡れ	親水性/はっ水性,親油性/はつ油性,防曇性
表面反応	エッチング特性,耐食性(耐水性,耐薬品性など) 触媒活性,電極活性,光触媒性,センサー特性,細胞毒性
ガス透過	ガス透過性,ガスバリア性
吸着	吸着性,脱離性
付着(接着)	接着性,剥離性,印刷,染色特性,細胞接着性

て,薄膜の形成・加工・機能性の観点でおおまかに分類しながら代表的なものを表 4.9 に挙げる.なお物理的過程・性質の側面をもつものも必要に応じて含めた.

薄膜形成過程における化学的プロセスの基礎は 2 章の各項で取り扱った.化学気相成長(CVD)法はその名のとおり化学反応を利用した製膜技術であり,真空蒸着や MBE 法,スパッタリング法においても基礎過程にまで目を向けるとやはり原子・分子の吸着,脱離,結合は化学プロセスであるといえる.本節では,薄膜が形成された後に化学的性質が重要な役割を果たすものとして,化学的性質を利用した薄膜加工と化学的性質に基づく機能性について論じる.前者については,各種のエッチング技術が中心となり,後者については,表面機能性やセンシング媒体としての機能を論じる.

薄膜の化学的性質を考えるにあたりもう一つ役に立つ視点は,着目する化学的性質・プロセス・機能性の基本メカニズムが薄膜の表面に存在するものなのか,あるいは薄膜内部,つまり薄いながらも"バルク的"な現象であるのか,ということである.前者であれば表面化学あるいは表面科学的なアプローチで,後者であれば固体の化学を基礎として理解することになる.もちろん,表面での化学反応に加えて,バルク的な機械的ひずみを組み合わせた化学機械研磨(chemical mechanical polishing:CMP)や,光による内部でのフォトキャリア生成を組み合わせた光化学エッチング(photochemical etching:PCE)など,バルクの物理的プロセスが協調してはじめて成立する加工プロセスもある.

4.10.2 化学的プロセスによる薄膜加工

薄膜の利用に際しては,製膜技術だけでなく,いったん形成された薄膜の一部あるいは全部を選択的に除去する加工プロセスも重要な役割を果たす.多くの場合,

面内のパターニングや深さ方向に制御された加工を行うことで，集積回路や LED などの半導体デバイスを筆頭とする各種のデバイスを実現する．最も基本的な薄膜加工プロセスの一つであるエッチングは，化学反応を利用して表面から薄膜を順次除去していくものである．多くの場合，加工したい形状に合わせてフォトレジストなどで保護層を形成したうえでエッチングを行い，所望の構造を得る．エッチングは，プロセスを液中で行うウェットエッチングと，気相から化学種を供給して行うドライエッチングに大別することができる．また，エッチング以外に重要な表面加工として，薄膜表面や内部に原子を提供してダングリングボンドを終端したり，表面原子の終端構造を改変するパッシベーションについても紹介する．

a. エッチングの基礎

ウェット，ドライのいずれにおいても，エッチングの基礎過程は，

（ⅰ）反応表面への化学種の吸着
（ⅱ）表面原子・分子と吸着化学種の間の反応による電子授受と酸化・還元
（ⅲ）生成された化学種の脱離・除去

となり，これらが繰り返されることで表面から深さ方向にエッチングが進む．その際のエッチングの進行はさまざまな形態をとる．

実際のエッチングでは，基礎過程がエッチング対象の薄膜表面の分解・除去だけとは限らない．表面における化学反応により新たな薄膜が形成され保護膜となりエッチングが停止する場合(不動態化)や，脱離した原子や分子が析出し，後述する異方性エッチングの要因になることがある．

エッチングが深さ方向だけでなく横方向にも同じ速度で進行するものを等方性エッチングとよび，特定の方向に優先的に進行するものを異方性エッチングとよぶ．代表的な異方性エッチングとして，エッチング対象の薄膜の面方位にエッチング速度が依存するために生じるものと，深さ方向のエッチング速度が横方向よりも早く，マスクパターンを維持したまま深くエッチングが進むものが挙げられる．図 4.77 に異方性に基づくエッチングの分類を示す．前者を結晶異方性エッチング，

図 **4.77** 異方性に基づくエッチングの分類

後者を方向性エッチングとよぶことがあるが,あえて使い分けなくても通じることが多い.

b. ウェットエッチング

浸食性の溶液に表面をさらすことによって材料を除去するプロセスがウェットエッチングである.溶液に浸漬することで行うことができ,総じて設備が簡便でプロセス条件を制御しやすい傾向があるため,ターゲット材料を適切にエッチングできる溶液(エッチャント)がある場合には広く利用される.エッチャントとしては,一般的に使われる水溶液のほか,水を含まないアルコール類,エーテル類,ニトリル類などを溶媒とした非水溶液,セラミクスに対し使われる溶融塩などがある.

ウェットエッチングの基礎過程には,金属のイオン化や,化学反応による可溶性・揮発性物質への変換と脱離などがある.例えば金属 M のイオン化と溶解の基本過程は以下の半反応式(酸化・還元反応の一方に関する反応式)で表現される.

$$M \longrightarrow M^{z+} + ze^- \tag{4.57}$$

式(4.57)は,金属のイオン化によるエッチングが,金属原子から z 個の電子(e^-)が放出されて固体側に残される反応であることを示している.金属からエッチャントに向けて電流が流れているようにみえるため,この反応をアノード反応とよぶ.エッチングが持続するためにはこのアノード反応で固体側に残される電子を継続的に吸収する必要がある.式(4.57)の反応によって生じた電子を吸収する反応(カソード反応)が系に共存し,電子の授受が行われる場合にエッチングが進行することになる.最も基本的なカソード反応は,酸性水溶液による金属のエッチングにおける以下の水素発生反応である.

$$2H^+ + 2e^- \longrightarrow H_2 \tag{4.58}$$

エッチング面にアノード反応とカソード反応が微視的,かつ動的に共存することにより,外部から電流を流さずにエッチングが進行するプロセスが無電解エッチングである(図4.78(a)).酸化還元反応で可溶化してエッチングが進む場合も,広い意味ではこのタイプということになる.これに対し,式(4.57)のアノード反応で生じる電子を外部で吸収,すなわちエッチング材料に外部から電流を流すことによって反応を継続することもできる.これを電解エッチングとよぶ.電解エッチングの場合でも,エッチャントの電荷バランスが維持される必要があるため,エッチング材料とは別のカソード電極をエッチャントに浸漬してカソード反応を行う必要がある(図4.78(b)).電解エッチング系では,反応生成物の析出によるエッチング速度の低下を避けることができる.電圧印加によってエッチング速度を制御できるなど

4.10 薄膜の化学的性質　291

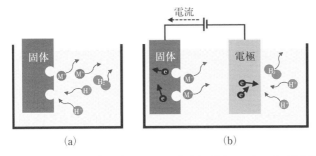

図 4.78 (a) 無電解(化学)エッチングと(b) 電解エッチングの模式図

の利点がある．なお，反応溶液と電極の組合せによっては，アノード反応で溶解した金属イオンや，溶液中にあらかじめ溶解させた金属イオンをカソード側に析出させることができる(電解めっき)．

　ウェットエッチングは分子密度が高い液体中で行われるため，エッチング反応に寄与する化学種の到来や脱離の方向依存性が小さい．そのため方向性のエッチングは生じにくく，エッチング基礎過程に結晶面方位依存性がなければ等方性エッチングに，あれば面方位依存的な異方性エッチングとなる．等方性エッチングの場合，マスクの下側にエッチングが進むサイドエッチが生じるため，マスクパターンと加工形状にずれが生じる．必要に応じて，所望のパターンが得られるように，サイドエッチ分をあらかじめ見越してマスク開口部を小さく形成するなどしてサイドエッチの効果を補償するプロセスデザインを行うが，限界がある．微細加工性の観点から，現在の産業向け半導体微細プロセスの多くでは，異方性エッチング技術が発達しているドライエッチングが利用されている．

　特定の面方位を意図的に形成して MEMS(micro electromechanical system)におけるミラー構造や，マイクロ流体デバイスにおける側壁構造として利用する場合には，目的に応じた結晶異方性のウェットエッチングプロセスが利用される．また，太陽電池表面のテクスチャー構造は意図的にウェハー表面に凹凸を形成する技術であるが，平坦表面から出発して，ランダムな表面構造を制御性よく形成するために，異方性ウェットエッチングが広く利用されている．図 4.79 に，結晶異方性エッチングを利用して形成した Si MEMS 構造の例を示す．

　不純物密度の違いや結晶欠陥を反映した特異な局所構造が，エッチング速度の面方位依存性などによって拡大されながらエッチングが進むような場合がある．そのような場合，エッチングを施すことによって，材料中の欠陥や不純物濃度を評価す

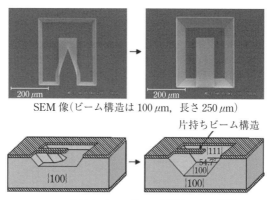

図 4.79 結晶異方性エッチングにより形成された Si MEMS 構造の例
〔P. Pal and K. Sato: Microsyst. Technol., **16** (2010) 1165 より〕

ることができる．既知のエッチング特性に基づき，$K_2Cr_2O_7$ と HF の混合水溶液で多結晶 Si の結晶粒界等を評価する SECCO エッチングや，溶融 KOH によるエッチピット形状から転位の種類と密度等を評価する KOH エッチングといった，ウェットエッチングによる結晶性評価技術が利用されている．

c. ドライエッチング

液中で行うウェットエッチングに対し，減圧下で気体化した化学種を用いて行うエッチングがドライエッチングである．非プラズマ XeF_2 を用いた Si の等方性エッチングのような一部の例外を除いては，ほとんどがプラズマによって生じたラジカルやイオンをエッチング化学種として利用するプラズマプロセスである．ラジカルはプラズマによって生成された中性の活性化学種，イオンは帯電した化学種であり，プラズマプロセスでは，これらの多様な化学種を巧みに利用して製膜，エッチング，改質など，多様な加工を実現することができる．CF_4 を用いた Si のドライエッチングプロセスの模式図を図 4.80 に示す[1]．

一般に，ドライエッチングはウェットエッチングと比較して微細加工性に優れる．真空プロセスであるためウェットエッチングと比べると粘性と表面張力の影響が大幅に小さいことに加え，プラズマ源の構造とプラズマ発生原理，ターゲットの位置関係と電位差，プロセス圧力を調節することで多様な反応を実現できるためである．つまり図 4.80 における活性化学種(ラジカル，イオンほか)の配分やエネル

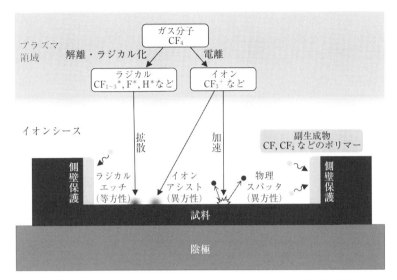

図 4.80　CF_4 プラズマによる Si のドライエッチング過程の概念図

ギーを制御することで多様なエッチング特性を得ることができる．例えば，中性ラジカル中心のエッチングプロセスを行えば試料へのダメージを抑制することができる．逆に，プラズマとサンプルを保持する陰極の間のバイアス電圧が大きくなるようにしてイオンを加速すれば，高速イオンの物理的な衝突によるスパッタリングとイオンアシストエッチングを積極的に利用して異方性を向上させることができる（反応性イオンエッチング(reactive ion etching：RIE))．さらに，適切にデザインされたドライエッチングでは，エッチングの際に生じる高分子膜がエッチング側壁に析出して保護膜となり，異方性を向上させる効果を得ることができる．複数の効果を利用してサイドエッチを抑制した異方性エッチングが実現でき，マスクパターンに対する忠実性に優れたエッチング特性が得られることから，現在の半導体微細プロセスの大部分でドライエッチングが利用されている．なお，プラズマプロセスの基礎については，2.2 節の解説を参照されたい．

　異方性ドライエッチングの中でも特徴的なものに，エッチングと保護膜形成を交互に行うボッシュ(Bosch)プロセス(あるいは deep RIE プロセス)とよばれるものがある．ボッシュプロセスは，短時間で交互に繰り返されるエッチングと保護膜形成の二つのプラズマプロセスからなる．エッチングフェーズで SF_6 によるドライエッチングを，保護膜形成フェーズで C_4F_8 によるポリマー保護膜形成を行うこと

により，エッチングで生じた側壁を順次保護しながら深さ方向にエッチングを進める．ボッシュプロセスでは，側壁保護膜形成プロセスを独立して行うことで，通常の異方性プラズマエッチングよりさらに高いアスペクト比を実現することができる．ボッシュプロセスは，Si 基板を貫通したビアを形成する TSV(through silicon via)や，Si による MEMS 構造を形成するために活用されている．ボッシュプロセスによって作製した Si 深堀り構造の例を図 4.81 に示す[2]．

d. パッシベーションと表面改質

薄膜形成後の化学的プロセスとして，エッチングのほかに，表面および内部のパッシベーション・表面改質がある．パッシベーションという用語は複数の意味で用いられるが，ここでは例えば多結晶シリコン太陽電池の表面および内部に存在するダングリングボンドの終端に水素を結合させて表面・界面でのキャリア再結合を抑制するプロセスを指す(水素終端ともよばれる)．ただし，稠密な薄膜の内部に，結晶配列を変えることなく原子が浸透するプロセスは限られている．多くは薄膜を構成する原子との置換を伴う相互拡散プロセスを含み，ほとんどが加熱プロセスである．したがって，純粋な化学処理というより，熱を利用した改質処理といえる．

薄膜内部と比較して，薄膜の表面に対しては多様な化学プロセスを行うことが可能である．結晶表面の化学的改質により，水をはじめとする種々の分子への親和性の改変や，密着性，接着性の向上，特定のイオンや分子構造に対して選択的に吸着する構造の付加によるセンシング表面の形成などが実現されており，いくつかを次項で紹介する．表面に新たな分子構造を付加するタイプの表面改質の例として，シランカップリング材によって無機材料薄膜の表面を処理することで，無機膜表面に有機官能基を配置し，その上に有機薄膜を形成した際の密着性を向上させることができる．また，α-ポリリジン処理によって表面に必須アミノ酸の一つであるL-リ

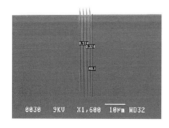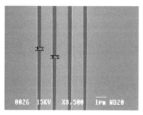

図 4.81 ボッシュプロセスによる Si 深堀り構造の例(断面SEM像)
〔F. Marty, L. Rousseau, B. Saadany, B. Mercier, O. Français, Y. Mita, and T. Bourouina: Microelectronics J., **36** (2005) 673 より〕

ジンのポリマー膜を形成することにより生体細胞の接着性を得ることができる．

4.10.3 薄膜による化学的機能の実現

a. 機能性表面としての薄膜

科学・工学のあらゆる分野において，各種の機能性表面を実現するために薄膜技術が広く利用されている．表4.9のうちでこの分類に属するのは，はっ水性やはつ油性，防曇性，触媒活性，分子吸着性，ガス透過／ガスバリア性などがある．機能性表面として薄膜を利用する場合には，その機能が薄膜の表面にある場合と薄膜の内部にある場合の両方がある．またナノサイズの凹凸や柱状構造などの構造に起因する性質を含めて機能性を実現することもできる．

機能性表面として働く際の広い意味での化学的性質を決める要因には，以下のようなものがある．

- 薄膜表面に存在する化学種
- 薄膜の表面形状
- 薄膜の構造（多孔質やコラムナー＝柱状構造など）
- 表面および薄膜内部の材料の吸着性・反応性
- 基板材料との電気伝導の有無

薄膜表面には，薄膜を構成する原子が各種の配列をもって露出されているほか，多様な化学種が存在し得る．この薄膜表面に存在する化学種の種類と配置が，薄膜の化学的性質を決定づける最も基本的な要素となる．例えば，むき出しのSiの表面は疎水性を示すが，大気中で短時間のうちに酸化されて表面酸化膜が形成され，親水性を示す．表面の化学構造・官能基と特性の関係については表面科学の専門書にゆずり，ここでは薄膜工学的観点から重要なものをいくつか紹介する．

b. 親水性・はっ水性

親水性・はっ水性は固体表面の最も基本的な性質の一つである．多くの材料は空気中で表面酸化膜を形成するため，親水性表面となることが多い．工業的には，多くのアプリケーションではっ水性が利用されるため，はっ水表面を形成するさまざまな技術が開発されている．材料表面の親水性・はっ水性は，図4.82のように，固体材料表面に水滴を置いた際の接触角の大小で定量化され，接触角約10°以下の場合に良好な親水性，約80°以上で良好なはっ水性，約150°以上の場合は超はっ水性の表面とされる．はっ水性が大きい材料として利用されるポリテトラフルオロエチレン（PTFE，商品名テフロン）の接触角は約110°である．接触角 q は，水と表面

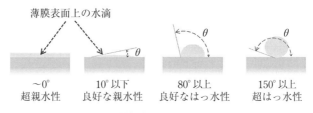

図 4.82 接触角と親水性・はっ水性

の間の界面エネルギー γ_{SL},空気と水の間の界面エネルギー(水の表面エネルギー) γ_L,空気と固体材料の間の界面エネルギー(固体材料の表面エネルギー) γ_S の大小関係で決まり,以下のヤングの式[3]が成り立つ.

$$\gamma_S = \gamma_{SL} + \gamma_L \cos\theta \quad (4.59)$$

式(4.59)より,水の表面エネルギーが一定の場合,固体材料の表面エネルギーが小さいほど接触角は大きく,はっ水性が強くなり,固体表面エネルギーが大きいほど接触角は小さく,親水性を示すことがわかる.

薄膜表面に官能基を付けることで表面エネルギーを変化させ,はっ水性を制御することができる.表面エネルギーを小さくする(はっ水性を向上させる)官能基として CF_3 基や CH_3 基があり,表面エネルギーを大きくする官能基には OH 基, COOH 基,NH_2 基などがある.PTFE の表面には CF_3 基が存在するため,強いはっ水性を示す.また Si の表面酸化膜の場合には,Si 最表面に OH 基が結合(最表面の Si を含めシラノール基構造とよばれる)して表面エネルギーが上がり,親水性となる.

表面が平坦な場合に比べ,微細な凹凸があると親水性・はっ水性ともに増強される.これは 1936 年にウェンツェル(Wenzel)によって示され,以下のウェンツェルの式[4]に従う.

$$\cos\phi = k\cos\theta \quad (4.60)$$

式(4.60)において,θ は表面が平坦な場合の接触角(式(4.59)の θ と同じ),k は材料表面の微細な凹凸による表面積の増大比であり,この表面におけるみかけの接触角が ϕ である.k の範囲には制限があるが,θ が 90° より小さい場合には k が大きくなると ϕ が小さくなり,θ が 90° より大きい場合には k が大きくなると ϕ が増大することがわかる.なお,通常ウェンツェルの式では ϕ,k ではなく θ^*,r がよく用いられるが,ここでは式(4.59)との混乱を避けるため ϕ,k の表記とした.

接触角が 150° を超えるような超はっ水面は,さまざまな工業的分野での重要性

4.10 薄膜の化学的性質　　297

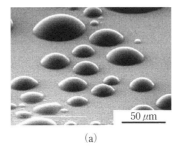
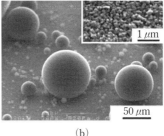

(a)　　　　　　　　　　　　(b)

図 4.83　(a) Si 基板上の微小水滴と(b) 薄膜技術によって実現した超はっ水表面の例
〔Y. Y. Wu, H. Sugimura, Y. Inoue, and O. Takai : Chem. Vap. Deposition, 8 (2002) 47 より〕

から精力的に研究開発されている．上述の表面改質による表面エネルギーの低下と微視的凹凸を組み合わせてはっ水性を向上させることができる．また，表面の微細な凹凸において部分的に水滴と固体表面が離れる場合，すなわち微視的に空気が表面となる領域が存在する場合には，さらに見かけの接触角を大きくする効果があり，超はっ水面の形成に利用されている．この効果については成書にゆずる．表面に微細構造を備えたはっ水性薄膜形成によって実現した超はっ水表面の例を図 4.83 に示す[5]．

c.　電気化学電極

物質収支と反応に伴う電流の有無の観点からみた薄膜の化学反応の分類を表4.10 にまとめた．薄膜表面と外来化学種の間に化学反応が生じる際，反応の結果として膜厚が増加する場合は製膜，膜が失われる場合はエッチングとなる．

製膜でもエッチングでもなく，反応前後で膜の組成が維持される場合，化学反応がサイクルを形成する必要がある．その化学反応サイクルによって外部の化学種の収支が変化する場合は，薄膜が触媒能を備えているといえる．多くの触媒はプラチナやパラジウム，チタンといった金属であり，薄膜でも触媒能を示し，表面形態やひずみによる影響はあるものの，ナノ粒子を含むバルクの触媒化学と本質的な違い

表 4.10　物質収支と電流の有無からみた薄膜の化学反応の分類．（　）内は用途例を示す

	物質が析出	膜組成は不変	膜組成が変化	膜厚が減少
電流が流れない	化学成長・製膜	触媒能	吸着・変性 (容量結合センサー膜)	化学エッチング
電流が流れる	電解めっき	電流注入電極 (電極センサー)	化学変化型電極 (二次電池電極)	電解エッチング

はない.

化学反応に寄与する要素の一部(現実的には電子)が基板側から薄膜を通過して供給される場合は,電気化学でプロセスを理解できる.前項で述べた電解めっき(製膜)や電解エッチング(エッチング)のほかに,薄膜の組成がある範囲内で変化し,基板側とは電子の授受を,外界とは荷電化学種の酸化・還元反応を伴う吸着・脱離を行う現象が起こり得る.薄膜を通して基板側と外界との間に電流が流れることになり,典型的なものが二次電池の電極における半反応である.また,pH や各種のイオンを計測するための電気化学電極も実現されている.

さて,このような電気化学的反応では反応可能量が制限され,反応に伴う材料の変形も起こり得る.利用においては,電極の組成を変化可能な範囲に維持しながら利用するか,二次電池のように1方向の反応が完了したら電流と物質収支を逆転した逆反応を行い,材料の組成を戻してやる必要がある.逆反応を含めたサイクル全体でみると,物質の収支,電流収支ともゼロであるともいえる.また,許容量を超えて電気を流そうとすると,材料のエッチングや水の電気分解などの別の反応がはじまる.

電気化学電極として薄膜を利用する場合,反応平衡に達した状態の電位や平衡に達するまでの過渡電流を計測するか,サイクリックボルタンメトリーのように逆反応を含めた反応サイクルの中で利用することが多い.薄膜を電流注入のための電極材料として用いる場合には,1回の注入電荷量が膜の組成変化の上限を超えないように管理し,双極性パルスによって電荷バランスが成立した反応サイクルを形成す

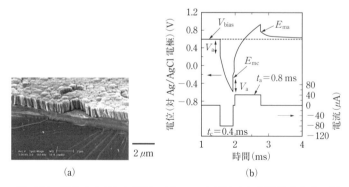

図 4.84　酸化イリジウム電極の(a) SEM 写真と(b) 電流注入条件の例
〔(a) J. D.Weiland, D. J. Anderson, and M. S. Humayun: IEEE Trans. Biomed. Eng., 49 (2002) 1574., (b) S. F. Cogan, P. R. Troyk, J. Ehrlich, T. D. Plante, and D. E. Detlefsen: IEEE Trans. Biomed. Eng., 53 (2006) 327 より〕

る必要がある．例えば，酸化イリジウムは厚い膜の形成が困難であるが，生体適合性を備える材料の中で単位面積あたりの注入可能電流(反応可能量)が大きいため，インプラントにおける電極コーティング膜として利用されている．電極材料によらず，生体刺激では生体へのダメージを避けるために注入電荷をバランスさせる必要がある．そのため，管理と性能維持が面倒であっても，電荷注入の性能を重視して酸化イリジウム薄膜電極が用いられることがある．図4.84に，酸化イリジウム薄膜電極の写真と，電流制御双極パルスによる電荷注入の例を示す[6,7]．

4.10.4 ま と め

本節では，薄膜の化学的性質について代表的な事項を俯瞰した．個々の化学的現象のメカニズムやプロセス技術についてさらに詳細に知るには，文献8〜10(エッチング)，11,12(電気化学)，13(センサー応用)などを参照願いたい．

文　献

1) P. Pal and K. Sato : Microsyst. Technol., **16** (2010) 1165.
2) F. Marty, L. Rousseau, B. Saadany, B. Mercier, O. François, Y. Mita, and T. Bourouina : Microelectronics J., **36** (2005) 673.
3) T. Young : Trans. Roy. Soc., London, **95** (1805) 84.
4) R. N. Wenzel : Ind. Eng. Chem., **28** (1936) 988.
5) Y. Y. Wu, H. Sugimura, Y. Inoue, and O. Takai : Chem. Vap. Deposition, **8** (2002) 47.
6) J. D. Weiland, D. J. Anderson, and M. S. Humayun : IEEE Trans. Biomed. Eng., **49** (2002) 1574.
7) S. F. Cogan, P. R. Troyk, J. Ehrlich, T. D. Plante, and D. E. Detlefsen : IEEE Trans.Biomed. Eng., **53** (2006) 327.
8) 式田光宏，佐藤一雄，田中　浩 監修：『マイクロ・ナノデバイスのエッチング技術 普及版』(シーエムシー，2016)．
9) 野尻一男：『はじめての半導体ドライエッチング技術』(技術評論社，2011)．
10) 徳山　巍 編著：『半導体ドライエッチング技術』(産業図書，1992)．
11) 大堺利行，加納健司，桑畑　進：『ベーシック電気化学』(化学同人，2000)．
12) 電気化学会 編：『電気化学測定マニュアル 基礎編』(丸善出版，2002)．
13) 六車仁志：『バイオセンサー入門』(コロナ社，2003)．

索　引

欧数字

1次反応	83, 87
1トランジスター型強誘電体メモリー	230
2次イオン質量分析	140
2次元逆格子マッピング測定	123
2次元成長	21, 22
2次元物質	277
3次元 NAND フラッシュメモリー	179
3次元構造の MOSFET	218
3次元島状成長	20
3次元成長	20
II-IV族化合物半導体	182
III-V族化合物半導体	182
AB 積層構造	282
AFM	103, 107
ALD	30, 65, 80, 195
ALE	10, 195
$Al_xGa_{1-x}As$	188
AlN	200
AM	107
ARPES	284
AT カット	114
CBE 法	196
CH バンド	187
CVD	13, 31, 65, 277, 281
DOE	215
D バンド	283
ECR スパッタリング	70
ECR プラズマ	38
EOT	221
FEM 解析	166
FinFET	218
FM-AFM	107
Frank-van der Merve (F-M) モード	21, 22
$Ga_xIn_{1-x}As$	190
$Ga_xIn_{1-x}P_yAs_{1-y}$	190
GaN	200
Ga_2O_3	202
GMR 効果	30, 244
GNR 構造	284
G バンド	283
G′ バンド	283
hBN	285
HEMT	201
HH バンド	187
high-k	220
HOMO	258
HOPG	281
HVPE	87, 127, 200, 203
IBAD	65
ICP	38, 79
InAs 量子ドット	27
ITO	213, 284
ITOX	175
IVD	65
KFM	107
K セル	45
LD	197
LED	197
LEEM	283
LH バンド	187
low-k	221
LPE 法	51, 194
LUMO	258
MBE	41, 50, 65, 195, 202, 286
MEMS	170
MFM	107
Mist-CVD	203

索　引　301

MONOS	229
MOSFET	217, 218
MOVPE	195, 200
MX_2 構造	285
NAND 型	229
NSOM	107
NV センター	204
OM	102
PAMBE	56
$Pb_{1-x}Zr_xTiO_3$	37
PECVD	65
PLD	47, 65
PVD	13, 31
PZT	37
p 偏光	109
RHEED	48
RHEED 振動	196
SECCO エッチング	292
SEM	102, 127
SiC	199
SIMOX	175
a-Si:H	28, 170
a-SiN$_x$:H	29
SiO_2	220, 228
SiO_2 換算薄膜	221
smart cut 法	175
SOI	176
SOS	175
SO バンド	187
sp^3 混成軌道	187
STM	100, 107, 284
Stranski-Krastanow (S-K) 法	27
Stranski-Krastanow (S-K) モード	21, 194
SV 薄膜	244
s 偏光	109
TDDB	231
TEM	103, 283
TFT	25, 174, 176, 179
TMDC	285
TMR 効果	246
TOF-SIMS	142
TSV	294
UMS	70
UWBG	199
VDWE	277
Volmer-Weber (V-W) モード	20
VPE	51, 195
WBG	197
X 線回折	116, 158
X 線吸収	146
X 線光電子分光	148
X 線弾性率解析法	159
α 作用	58
γ 作用	58
γ 電子	58
π 共役系	257, 260
ω-2θ 測定	121

あ　行

アクティブマトリクス駆動	180
アスペクト比	91
アノード反応	290
アモルファス	221, 256
アレニウス型	83
アレニウスプロット	83, 85
安定核	17, 19
アンバランントマグネトロンスパッタリング	70
イオンアシストエッチング	293
イオン化気相堆積	65
イオン化スパッタリング	70
イオン化不純物散乱	173
イオン散乱	143, 144
イオン散乱分光	144
イオン散乱分析	143
イオン伝導	227, 276
イオンビーム支援堆積	65
イオンビーム蒸着法	57
イオンビームスパッタリング	70
イオンプレーティング	56
イオン分極	223
イオン密度	59
位相因子	133
位相コントラスト	134
位相差板	216
移動度	172, 257, 260, 261
異方性エッチング	289, 291
異方性磁場	247

索引

陰極暗部 ……………………………………… 59
陰極シース …………………………………… 59
インクジェット法 ……………………… 93, 95
インパクトイオン化 ……………………… 198

ウェットエッチング ………………… 289, 291
ウェンツェルの式 ………………………… 296
ウルツ鉱型 ………………………………… 182
ウルツ鉱構造 ……………………………… 183
ウルトラワイドバンドギャップ ………… 199
運動学的理論 ……………………………… 131

液晶ディスプレイ ………………………… 25
液相エピタキシー …………………… 51, 194
液相堆積(成長)法 ………………………… 13
エッチャント ……………………………… 290
エッチング ……………………………… 35, 289
エネルギーバンド構造 …………………… 274
エネルギーバンド図 ……………………… 226
エバネッセント波 ………………………… 154
エバルト球 ………………………………… 119
エピタキシー ………………………… 9, 13, 22
エピタキシャル成長 ……… 13, 37, 71, 121
エピタキシャル選択横方向成長 ………… 133
エフュージョンセル ……………………… 54
エリプソメトリー …………………… 109, 210

オージェ過程 ……………………………… 152
オージェ電子 ………………… 137, 150, 152
オージェ電子分光 ………………………… 148
押込み試験 ………………………………… 165
オプティカルフラット …………………… 109
オーミック接合 …………………………… 29
重い正孔バンド …………………………… 187
オン抵抗 …………………………………… 198

か 行

開口率 ……………………………………… 181
回折光学素子 ……………………………… 215
回折コントラスト ………………………… 133
回折波 ……………………………………… 132
回折法 ……………………………………… 116
界面 ………………………………………… 223
界面エネルギー …………………………… 296
界面層 ……………………………………… 9

界面分極 …………………………………… 223
ガウスの定理 ……………………………… 224
化学気相堆積(成長)法 …… 13, 31, 65, 277
化学結合力 ………………………………… 107
化学シフト …………………… 137, 150, 153
化学組成 …………………………………… 137
化学分子線エピタキシー ………………… 196
化学変化 …………………………………… 265
化学量論 ………………………………… 72, 81
化学量論組成 ……………………………… 49
可干渉長 …………………………………… 205
核形成 …………………………………… 15, 19
拡散距離 ………………………………… 17, 18
拡散係数 …………………………………… 85
拡散長 ………………………………… 17, 18, 22
核成長 …………………………………… 16, 19
角度分解光電子分光法 …………………… 284
化合物薄膜 ………………………………… 49
可視域 ……………………………………… 214
可視光 ……………………………………… 205
ガスクラッキングセル …………………… 55
ガスセル …………………………………… 55
ガスセンサー ……………………………… 284
化成蒸着 …………………………………… 49
カソード反応 ……………………………… 290
硬さ ………………………………………… 160
活性化エネルギー ………………………… 83
過飽和比 …………………………………… 88
カーボンナノチューブ …………………… 278
カメラ長 …………………………………… 130
軽い正孔バンド …………………………… 187
干渉縞 ……………………………… 107, 108
間接型バンドギャップ …………………… 185
間接遷移 …………………………………… 185
間接遷移型半導体 ………………………… 185
間接半導体 ………………………………… 185
カンチレバー ……………………………… 103
官能基 ……………………………………… 296
還流磁区 …………………………………… 240

機械的応用 ………………………………… 36
機械的化学反応 …………………………… 31
機械的剥離法 ………………………… 277, 281
擬似構造成長 ……………………………… 23
気相エピタキシー …………………… 51, 195

気相拡散	77, 90	結晶亜粒界	178
気相拡散係数	86, 90	結晶異方性エッチング	289
気相堆積(成長)法	13, 14	結晶構造	116
キッシュ・グラファイト	281	結晶構造因子	118
擬2次元的結晶構造	285	結晶磁気異方性エネルギー	236
基板	13, 22	結晶場分裂正孔バンド	187
逆格子空間	121	結晶粒	260
逆格子点	118	結晶粒界	172, 177
逆格子ベクトル	117	結晶粒径	160
キャパシター	219, 225	ゲート絶縁膜	218
キャリア	264	ケルビン力	107
キャリアガス	74, 77	ゲルマネン	285
吸収係数	186	検光子	109, 111
吸収膜	213	原子間力	107
キュリー温度	229, 235	原子間力顕微鏡	103, 107, 231
境界層	77, 86	原子散乱因子	117
境界層厚さ	86, 87	原子磁気モーメント	233, 236
強磁性	235	原子スペクトル	137
共焦点顕微鏡	111	原子層エピタキシー	10, 195
強誘電体	229	原子層堆積	30, 65, 80
強誘電体薄膜	37	原子層デポジション法	195
裾状準位	175	原子レベル平坦化	231
巨大磁気抵抗効果	30, 244		
キンク	22	光学顕微鏡	102
均質核形成	19	光学多層膜	212
禁制反射	130	光学定数	111
近接場光	107	光学的周波数	225
金属モード	68	光学薄膜	205, 210
金属誘起結晶化	178	光学膜厚	209, 211
金属誘起横方向結晶化	178	交換磁気異方性	246
		交換相互作用	235, 243
空間電荷制限電流	258	格子欠陥	121
屈折材料	217	格子散乱	172
屈折率	206, 211, 215, 216	格子整合	22
クヌーセンセル	45	格子像シミュレーション	135
グラニュラ薄膜	249	硬質磁性材料	241
グラビア印刷	95	格子定数	275
グラフェン	277	格子ひずみ	160
グラフェンナノリボン	284	格子不整合	22
グロー放電	58	格子不整合度	23, 24
		高集積化	229
蛍光X線	146	高周波グロー放電発光分析	138
蛍光X線分析	147	高周波スパッタリング	65
形状評価	97	高周波トランジスター	198
形状膜厚	97, 98	高周波領域	225

構造性複屈折 …………………………216
構造相転移 ……………………………271
光弾性変調器 …………………………111
高電子移動度トランジスター ………189, 201
高配向性無水グラファイト …………281
高分子 …………………………………266
高誘電率材料 …………………………220
高誘電率薄膜 …………………………218
固相結晶化 ……………………………176
古典的サイズ効果 ……………………… 8
ゴニオメーター ………………………121
コーヒーリング ………………………267
コヒーレンス長 ………………………205
コヒーレント成長 ……………………… 23
固有振動数 ……………………………114
コラム近似 ……………………………131
混晶 ……………………………170, 275
混晶半導体 ……………………………187

さ 行

サイクリックボルタンメトリー ……298
再蒸発 ………………………………15～17
最大磁化率 ……………………………240
最大透磁率 ……………………………240
サイドウォール ………………………218
サイドエッチ …………………………291
差動トランス法 ……………………… 98
サブバンド ……………………………192
サブバンド間遷移 ……………………194
三温度法 ……………………………… 50
酸化インジウムスズ …………………284
酸化物透明電極 ……………………… 37
酸化物モード ………………………… 68
散乱機構 ………………………………259
散乱ベクトル …………………………116
残留磁化 ………………………………241
残留分極 ………………………………230

紫外線光電子分光 ……………………148
しきい値電圧 …………………228, 264
磁気異方性 ……………………………236
磁気異方性エネルギー ………236, 237
磁気弾性エネルギー …………………238
磁気ヒステリシス曲線 ………………240
磁気ひずみ ……………………………237

磁気力 …………………………………107
磁区 ……………………………………239
仕事関数 ………………………………100
自己バイアス ………………………65, 66
実空間像 ………………………………103
実効屈折率 ……………………………215
質量分析計 ……………………………141
質量膜厚 ……………………………97, 98
自発磁化 ………………………233, 235
自発磁気ひずみ ………………………238
自発分極 ………………………184, 230
シフト反応 …………………………… 79
磁壁 ……………………………………239
弱電離プラズマ ……………………… 59
シャドーイング ………………………145
シャドーコーン ………………………145
シャワーヘッド ……………………… 77
集積回路 ………………………………217
柔軟性 …………………………………256
周波数変調方式 ………………………107
昇華法 …………………………277, 282
蒸気圧 ………………………………… 74
蒸着 ……………………………………265
蒸着装置 ……………………………… 47
衝突イオン散乱分光 …………………144
衝突カスケード ……………………58, 61
衝突電離 ………………………………198
蒸発 …………………………………… 44
蒸発源 ………………………………… 47
触針法 ………………………………… 97
触媒能 …………………………………297
初磁化率 ………………………………240
ショットキー放出 ……………………226
初透磁率 ………………………………240
シリコン ………………………………169
シリコン系絶縁薄膜 ………………… 38
シリコンヘテロ接合太陽電池 ……… 28
シリセン ………………………… 25, 285
真応力 …………………………………157
真空蒸着 ………………………… 62, 271
真空蒸着法 ………………………41, 42
真空排気系 …………………………… 47
人工格子 ………………………………9, 28
親水性 …………………………………295
振動リード法 …………………………159

振幅透過率	207〜209
振幅反射率	207, 208
信頼性	231, 232
水晶振動子	114
水晶振動子法	113
水素化アモルファスシリコン	28
水素化物	74
水素前方散乱	144
数値流体力学シミュレーション	85
スクラッチ試験	165
スクリーン印刷	93
スタイラス	98
スタティックSIMS	141
ステップ	22, 72
ストイキオメトリー組成	49
ストークスシフト	154
ストランスキー-クラスタノフモード	194
スネルの公式	207
スパッタリング	58, 293
スパッタリング率	62
スピン依存散乱	245
スピン拡散長	245
スピン-軌道相互作用エネルギー	235, 237
スピン軌道分裂バンド	187, 274
スピンコート	271
スピントロニクス素子	244
スピンバルブ薄膜	244
スペーサー	218
スライドボート法	194
成長様式	20
製膜速度分布	85
整流接合	29
赤外域	214
赤外吸収分光	154
積層欠陥	248
絶縁材料	217
絶縁耐圧	231
絶縁破壊	231
絶縁破壊電界強度	198
絶縁破壊電流	232
接触角	295
セルフリミット型	195
閃亜鉛鉱型	182

閃亜鉛鉱構造	183
遷移金属ダイカルコゲナイト	285
遷移双極子モーメント	186
全応力	157
全反射蛍光X線分光法	148
全反射赤外吸収分光	154
潜伏期間	176
総括反応	82, 83
層間絶縁膜	221
走査電子顕微鏡	102
走査トンネル顕微鏡	100, 284
層状成長	21
層状物質	285
相分離	52
相補性トランジスター	217
層流	78
束縛ポテンシャル	262
疎水性	295
その場実時間観察	12
素反応	82, 83
ゾル・ゲル法	31
ゾーンプレート	126

た 行

耐圧	232
ダイクロイックミラー	212
対向ターゲットスパッタリング	69, 70
堆積法	13
ダイナミックSIMS	141
耐腐食コーティング材料	284
対物レンズ	128, 134
耐放射線デバイス	199
ダイヤモンド	203
ダイヤモンド格子	169
ダイヤモンド構造	183
多形	184
多結晶Si	171, 174, 176, 179
多結晶Si TFT	179
多源蒸着法	50
多重回折	130
多重干渉	107
多重反射	210
多重反射干渉法	107
多重量子井戸	9

脱出深さ ……………………………… 151
脱着 …………………………………… 15
ダブルヘテロ構造 ……………………… 9, 190
単位格子 ……………………………… 117
単結晶 Si …………………… 171, 172, 175, 178
単結晶有機薄膜 ………………………… 261
単磁区構造 …………………………… 240
単磁区微粒子 ………………………… 247
探針 …………………………………… 100
弾性散乱 ……………………………… 116
弾性反跳検出分析 ……………………… 144
短チャネル効果 ………………………… 218
タンデルタ …………………………… 225

蓄積層 ………………………………… 264
窒化シリコン …………………………… 29
窒化物半導体 ……………………… 77, 126
チャネリング ………………………… 145
チャネル ……………………………… 263
長期信頼性 ……………………………… 36
超格子 ………………………………… 9, 28
直接型バンドギャップ ………………… 186
直接遷移型半導体 ………………… 186, 269
直接トンネル電流 ……………………… 227
直接半導体 …………………………… 186
直流二極スパッタリング …………… 58, 65

ツインスパッタリング ………………… 70

低エネルギー電子顕微鏡 ……………… 283
低温プラズマ …………………………… 59
ディスプレイ用 TFT …………………… 179
低分子 ………………………………… 266
低誘電率材料 ………………………… 221
ディラックコーン ……………………… 280
ディラック点 ………………………… 280
ディラックフェルミオン ……………… 280
デジタルスパッタリング ……………… 70
デバイリング ………………………… 130
デュアルスパッタリング ……………… 70
テラス ……………………………… 22, 72
転位 …………………………………… 133
電解エッチング ……………………… 290
電界効果移動度 ……………………… 264
電界効果パッシベーション …………… 29

電解めっき …………………………… 291
電気化学電極 ………………………… 297
電気感受率 …………………………… 219
電気伝導 ……………………………… 257
電気特性 ……………………………… 217
電子温度 ……………………………… 59
電子状態 ……………………………… 137
電子状態密度 ………………………… 100
電子衝突 ……………………………… 80
電子線エネルギー損失分光 …………… 153
電子線回折 …………………………… 116
電子線マイクロプローブ分析 ………… 147
電子デバイス ………………………… 217
電子分極 ……………………………… 221
電子密度 ……………………………… 59
伝導機構 ………………………… 225, 259
電流駆動力 …………………………… 221

等厚干渉縞 …………………………… 131
透過電子顕微鏡 ………… 103, 116, 128, 283
透過波 ………………………………… 132
導電率 ………………………………… 223
透明導電膜 ………………… 205, 213, 214
特性 X 線 ………………………… 137, 146
特性長 ………………………………… 8
特性マトリクス法 ……………………… 210
ドーピング …………………………… 35
塗布薄膜 ……………………………… 266
ドライエッチング ………………… 289, 292
トラップ …………………………… 261, 264
トランジスター …………………… 263, 264
トランジスター特性 …………………… 262
トランスキー法 ……………………… 107
トンネルゲート酸化膜 ………………… 228
トンネル磁気抵抗効果 ………………… 246
トンネル電流 …………………… 100, 107
トンネル分光法 ……………………… 284

な 行

内部圧力 ……………………………… 156
流れ場 ………………………………… 77
ナノインデンテーション法 …………… 159
ナノインプリント ………………… 96, 215
ナノ・カーボン ……………………… 278
ナノクリスタル効果 …………………… 244

ナノスクラッチ ……………………… 161
ナノスクラッチ試験 ………………… 165
ナノビームX線回折 ………………… 126
ナノ粒子薄膜 ………………………… 216
軟質磁性材料 ………………………… 241

二次電子 ……………………………… 58
二重回折 ……………………………… 130
二段階ひずみ緩和法 ………………… 122

濡れ層 ………………………………… 27

ねじり法 ……………………………… 163
熱CVD ………………………………… 79
熱応力 ………………………………… 157
熱化 …………………………………… 64
熱酸化 ………………………………… 220
熱擾乱 ………………………………… 248
熱的非平衡層 ………………………… 9
熱電子放出 …………………………… 226
粘性 …………………………………… 267
粘性流 ………………………………… 77

濃度分布 ……………………………… 89
ノックオン …………………………… 61

は 行

バイオセンサー ……………………… 284
配向分極 ……………………………… 223
ハイドライド気相エピタキシー …… 126, 200
バーガースベクトル ………………… 133
薄膜 …………………………………… 1
　――の応用 ………………………… 25
　――の歴史 ………………………… 1
　――の歴史年表 …………………… 3
　――の劣化 ………………………… 36
薄膜学 ………………………………… 11
薄膜工学 ……………………………… 12
薄膜トランジスター ………………… 25, 174
剥離 …………………………………… 157
剥離状態 ……………………………… 166
パージ ………………………………… 76
発光ダイオード ……………………… 197
パッシェンの法則 …………………… 58
パッシベーション …………………… 294

はっ水性 ……………………………… 295
バッチ式 ……………………………… 76
バブリング …………………………… 74, 77
ハライド気相エピタキシー ………… 87, 200, 203
パルススパッタリング ……………… 69, 70
パルスレーザー堆積 ………………… 47, 65
バルブドクラッキングセル ………… 55
バルブドセル ………………………… 55
ハロゲン化金属ペロブスカイト …… 268
ハロゲン化鉛ペロブスカイト ……… 269
ハロゲン化物 ………………………… 74
パワーデバイス ……………………… 198
半硬質磁性材料 ……………………… 242
半硬質磁性薄膜 ……………………… 247
反射高速電子線回折 ………………… 48, 196
反射防止膜 …………………………… 211
反跳希ガス原子 ……………………… 61
反転オフセット印刷法 ……………… 95
半導体量子ドット …………………… 27
バンドエンジニアリング …………… 10
バンドオフセット …………………… 187
バンドギャップ ……………………… 197, 254, 275
バンドギャップエンジニアリング … 190
バンド伝導 …………………………… 259, 260, 262
バンド不連続 ………………………… 8
反応器 ………………………………… 76
反応次数 ……………………………… 82
反応性イオンエッチング …………… 293
反応性蒸着 …………………………… 50
反応性スパッタリング ……………… 68
反応速度式 …………………………… 82
反応速度定数 ………………………… 83
反応副生成物 ………………………… 77

ピエゾ抵抗係数 ……………………… 178
ピエゾ抵抗効果 ……………………… 169, 178
光の干渉 ……………………………… 205
光プローブ …………………………… 107
引き倒し法 …………………………… 163
引き剥がし法 ………………………… 163
ピクセルスイッチ …………………… 180
微細構造 ……………………………… 90
比視感度 ……………………………… 206
微視的傾斜 …………………………… 126
非晶質 ………………………………… 221

非晶質 Si ……………… 171, 175, 178, 180
微小電気機械 …………………………… 170
ヒステリシス特性 ……………………… 230
ひずみ緩和 ……………………………… 121
ひずみ緩和率 …………………………… 125
非セルフリミット型 …………………… 195
非対称逆格子マップ …………………… 123
非対称面 ………………………… 121, 123
非弾性衝突 ………………………………… 61
引張り試験 ……………………………… 164
引張り法 ………………………………… 163
火花条件 ………………………………… 58
非平衡プラズマ …………………………… 59
ビームフラックスモニター ……………… 54
比誘電率 ………………………………… 219
表面移動 …………………………… 15, 17
表面エネルギー ………………………… 296
表面改質層 ………………………………… 9
表面化学ポテンシャル …………………… 27
表面拡散 …………………………… 15, 16
表面準位 …………………………………… 8
表面波 ……………………………………… 8
表面反応 ………………………………… 90
表面反応速度 …………………………… 91
表面反応速度定数 ………………………… 87
表面反応律速 ……………………………… 87
ピールテスト …………………………… 164
頻度因子 …………………………………… 16
ピンホール ……………………………… 112

ファウラー-ノルドハイムトンネル電流 …… 227
ファン・デル・ワールスエピタキシー …… 277
ファン・デル・ワールスヘテロ構造 ……… 286
ファン・デル・ワールス力 ………… 107, 254
フィールド絶縁膜 ……………………… 218
フェルミ準位 …………………………… 100
フォスフォレン ………………………… 285
フォトディテクター …………………… 103
フォトルミネッセンス ………………… 193
不揮発性メモリー ……………………… 228
不均質核形成 ……………………………… 20
複合弾性率 ……………………………… 162
複素屈折率 ………………………… 111, 206
複素振幅 ………………………………… 109
複素誘電率 ……………………………… 111

付着強度 ………………………………… 61
付着成長 ………………………………… 18
物質移動 …………………………… 85, 90
物質移動律速 ……………………………… 87
物質収支 …………………………… 89, 90
物質波 …………………………………… 116
物性膜厚 …………………………… 97, 98
物理気相堆積(成長)法 …………… 13, 31
物理吸着 …………………………… 15, 16
不動態 …………………………………… 226
不動態化 ………………………………… 289
浮遊ゲート型 …………………………… 228
浮遊電位 ………………………………… 65
プラズマ ……………………… 58, 59, 292
プラズマ CVD(プラズマ支援 CVD，プラズマ
    援用 CVD) ……………… 65, 78, 80, 203
プラズマ援用 MBE ……………………… 56
プラズモン励起 ………………………… 153
ブラッグ角 ……………………………… 120
フラックス ………………………… 76, 86
ブラッグの条件 ………………………… 116
フラッシュメモリー …………………… 228
フラットバンド ………………………… 280
フラーレン ……………………………… 278
ブリュースター角 ………………… 207, 208
ブルーシフト …………………………… 193
プール-フレンケル伝導 ………………… 227
プレーナ素子 ……………………………… 8
フレネル係数 …………………………… 207
フレネルの公式 ………………………… 207
ブロッキング ……………………… 145, 146
ブロッキングコーン …………………… 146
分解過程 ………………………………… 33
分極現象 ………………………………… 219
分極電荷 ………………………………… 219
分極反転 ………………………………… 229
分光透過率 ………………………… 211, 214
分光反射率 ……………………………… 211
分子間結合 ……………………………… 258
分子構造 ………………………………… 254
分子磁場 ………………………………… 235
分子線 …………………………………… 45
分子線エピタキシー …… 41, 50, 65, 195, 202, 286
分子配向 ………………………………… 257
分子流 …………………………………… 91

分子流領域	76
平均自由行程	43, 52, 64, 85, 91
平衡蒸気圧	45
平行平板型	38
並進速度	85
ベガード則	188, 275
ベクトル法	210
ヘテロエピタキシー	22, 247
ヘテロエピタキシャル成長	121, 249
ヘテロ構造	182
ヘテロ接合バイポーラトランジスター	189
ペロブスカイト構造	230, 268
ペロブスカイト太陽電池	269
偏光子	109, 111
ペンタセン	254, 265
ボーア磁子	234
ポアソン比	123, 158
ボーイング	188, 275
ボーイングパラメーター	189
方向性エッチング	290
飽和吸着	82
飽和磁化	235
飽和蒸気圧	74
捕獲サイト	262
捕獲準位	172
補償子	109
保磁力	241
ボッシュプロセス	293
ホッピング伝導	259, 262
ホットエレクトロン	228
ボトムゲート構造	181
ホモエピタキシー	22
ホモエピタキシャル成長	50
ポーラロン	262
ポリクロメーター	139
ポリタイプ	184
ポリモルフ	184
ホール測定	264
ボルツマン分布	83
ホール電圧	264

ま 行

マイクロ波電子サイクロトロン共鳴プラズマ

	38
マイクロ波プラズマ	79
膜厚	97
膜厚均一性	91
膜厚計測	210
マクスウェル-ガーネットの式	215
マクスウェルの式	206
膜成長過程	33
マグネトロンスパッタリング	67
マジックアングル	280
マスフローコントローラー	55
マテリアルデザイン	10
マルチプルトラッピング	260
ミスフィット転位	23, 123
密着性	163
無機エレクトロニクス	267
無電解エッチング	290
明視野TEM像	132
メカノケミカル反応	31
メタサーフェス	216
メタマテリアル	216
めっき	3
面内相関長さ	126
モザイク結晶	121
モスアイ構造	216
漏れ電流	220

や 行

ヤングの式	296
ヤング率	158
有機EL	253, 255
有機TFT	252, 253, 255
有機エレクトロニクス	252, 253, 267
有機強誘電体	230
有機金属気相エピタキシー法	195, 200
有機金属原料	73
有機金属錯体	74
有機単結晶	256
有機電池	253
有機薄膜工学	267

有機薄膜太陽電池 …………………… 253
有機半導体 …………… 252, 254, 255, 258, 262
有機分子 …………………………… 252, 257
有機・無機のハイブリッド系材料 ……… 25
有限要素法解析 ……………………… 166
有効屈折率 …………………………… 216
有効バリア高さ ……………………… 101
有効フレネル係数 …………………… 209
誘電正接 ……………………………… 225
誘電体多層膜 ………………………… 211
誘電体薄膜 …………………………… 217
誘電分散 ……………………………… 225
誘電率 ………………………………… 219
誘導結合プラズマ ………………… 38, 79
誘導法 ………………………………… 98
輸送過程 ……………………………… 33
ユニポーラーリミット ……………… 198

陽極シース …………………………… 59
陽光柱 ………………………………… 60

ら 行

ラウエ関数 …………………………… 118
ラウエ点 ……………………………… 120
ラウエの回折条件 …………………… 117
ラザフォード後方散乱分光 ………… 144
ラジカル …………………………… 82, 292
ラジカル支援スパッタリング ………… 70
ラフネス ……………………………… 231
ラマン散乱 …………………………… 154
ラマン散乱光 ………………………… 155
ラマン散乱分光 ……………………… 154

力学的性質 …………………………… 156
リチャードソン-ダッシュマン定数 …… 226

律速段階 …………………………… 83, 87, 89
立方晶 ………………………………… 183
粒界散乱 ……………………………… 172
粒子エネルギー ……………………… 35
量子井戸 …………………………… 9, 191
量子化効果 …………………………… 191
量子サイズ効果 …………………… 8, 26
量子細線 …………………………… 9, 191
量子閉じ込め効果 …………………… 191
量子ドット …………………………… 194
量子ドットレーザー ………………… 194
量子箱 ……………………………… 9, 191
臨界核 ………………………………… 19
臨界核半径 …………………………… 19
臨界膜厚 ……………………………… 23

累積分布関数 ………………………… 231
ルブレン ……………………………… 256

励起誤差 ……………………………… 131
励起子 ………………………………… 182
レイリー散乱 ………………………… 154
レーザーアニール法 …………… 176, 180
レーザーダイオード ………………… 197
レーザー励起表面弾性波法 ………… 159

ロッキングカーブ測定 ……………… 121
六方晶 ………………………………… 183
ロードロック …………………… 48, 53
ローレンツ力 …………………… 67, 128

わ 行

ワイドバンドギャップ ……………… 197
ワイブルプロット …………………… 231
湾曲干渉縞 …………………… 131, 132

薄膜工学　第 4 版

　　　　　　　　令和 6 年 7 月 30 日　発　行

編集企画　日本学術振興会 R025 先進薄膜界面機能創成委員会
編著者　　田畑　仁・吉田　貞史・近藤　高志

発行者　　池　田　和　博

発行所　　丸善出版株式会社
〒101-0051　東京都千代田区神田神保町二丁目17番
編集：電話(03)3512-3261／FAX(03)3512-3272
営業：電話(03)3512-3256／FAX(03)3512-3270
https://www.maruzen-publishing.co.jp

Ⓒ Hitoshi Tabata, Sadafumi Yoshida, Takashi Kondo, 2024

組版印刷・中央印刷株式会社／製本・株式会社 松岳社
ISBN 978-4-621-30978-0　C 3042　　　　　Printed in Japan

JCOPY 〈(一社)出版者著作権管理機構　委託出版物〉
本書の無断複写は著作権法上での例外を除き禁じられています．複写される場合は，そのつど事前に，(一社)出版者著作権管理機構(電話 03-5244-5088, FAX 03-5244-5089, e-mail：info@jcopy.or.jp)の許諾を得てください．